黑暗潜能

无论黑暗中有什么　我都是你的守夜者

法医 秦明 著

GUARDIAN OF LIGHT

守夜者②

江苏凤凰文艺出版社
JIANGSU PHOENIX LITERATURE AND
ART PUBLISHING,LTD

◎唐铛铛

◎萧朗

◎萧望

守夜

◎ 程子墨

◎ 凌漠

◎ 聂之轩

者

守夜者

◎ 幽灵骑士

山魈

豁耳朵

前情提要

——————

2016 年的 7 月 11 日，一个静谧的夏夜。

一个黑影悄无声息地潜入了南安师范大学一对体育老师夫妇的家中，偷走了他们尚在襁褓之中的儿子。更为诡异的是，那黑影的行动十分迅速，刚察觉不对便拼命追赶的夫妻俩，只能眼睁睁地看着黑影轻轻一跃，轻松地跳过了一人多高的围墙，消失得无影无踪。

这起蹊跷的盗婴案，让年轻的实习警察萧望百思不得其解。

萧望连夜整理了过去几十年的资料，发现这个孩子并不是唯一的受害者。他从不同辖区的档案库里，翻出了三十一个婴儿的被盗案件，而这些孩子竟然都是在农历的同一天被掳走的。

连环盗婴案还没理出头绪，新的危机接踵而至——南安市市郊的公安局看守所发生了一起骇人听闻的大案——22 个在押犯人通过监区的下水道集体越狱了！这些重刑犯里，有人杀过人，有人饮过血，还有人放火专烧新娘……他们就像是一颗颗不定时炸弹，随时可能爆炸。

在这个紧要关头，曾经专破疑难大案的"守夜者"组织得到重启，包括萧望、萧朗、凌漠等人在内的一批优秀年轻人加入集训，协助破获越狱案。然而，每当守夜者的学员们通过研判线索，找到逃犯的踪迹时，他们最终追捕到的，都只是一具具的尸体：犯下强奸罪的大学生，被割掉生殖器后活活烧死；看似过失杀人的丈夫，又看似意外地被车子撞进了水塘；一时冲动砸死客户的小商贩，被勒死后悬挂在自家的货仓里……

这个被网友封为"幽灵骑士"的神秘凶手，似乎拥有独特的信息来源，总是能抢在守夜者行动之前下手。萧朗和凌漠在队友的帮助下，从过往的案子中找出线索，为了不泄露信息，只身涉险，赶在"幽灵骑士"下一次出手前截住了他。经过一番恶斗，"幽灵骑士"重伤昏迷，被生擒归案。22名越狱犯终于全部落网。

眼看越狱案的幕后真相即将揭开，"幽灵骑士"却在把守严密的医院病房中遭到暗杀，手中只留下一张印有"守夜者"几个字的神秘字条……是谁杀了"幽灵骑士"？连环盗婴案和越狱案之间，究竟有没有联系？隐藏在守夜者组织里的内鬼又会是谁？

天眼小组

觅踪者
· 网络侦查
· 电子物证

策划者
· 统筹策划
· 行动策划

寻迹者
· 法医勘查
· 痕迹物证

捕风者
· 调查线索
· 潜伏卧底

狩猎小组

伏击者
· 追踪围捕
· 保护救援

读心者
· 心理分析
· 审讯谈判

守夜者

•

谨以此书献给所有抵抗黑暗的人

————————

序

很多朋友问我，你的这套"守夜者"系列究竟是想表达什么？

"背抵黑暗，守护光明"，这是和平年代付出牺牲最大的集体——人民警察的内心所想。我很骄傲自己是一名警察，我也想把警察的故事讲给大家。如果能在讲警察故事的同时，让法治精神更加深入人心，就更是求之不得了。

前不久，在腾讯影业的发布会上，我说："'守夜者'系列会延续'法医秦明'系列的真实、科学和严谨的刑事科学技术背景，但会在警团养成和组织对抗上有所突破。"这就是我的真实夙愿。

还有人问我，"守夜者"系列是在说一些年轻的超级英雄的故事吗？我说不是。我们都知道，只要是真实的描述，自然不会有什么超级英雄。守夜者组织其实是有真实原型的，那就是公安部物证鉴定中心下属的很多专家工作室。德高望重的老专家带领全国各地的专业精英人士组成工作室，可以说是所向披靡，他们破获了一起又一起疑案、难案和悬案，立下了汗马功劳。我只是以他们为原型，让一群朝气蓬勃的年轻人作为主角罢了。

而年富力强、朝气蓬勃，不恰恰就是我们公安队伍应有的状态吗？

不过，构建一个全新的世界观，这对于想象力不足的我来说，实属难事。好在有元气社的小伙伴们帮忙，我们一次又一次地更改大纲、一次又一次地调整主线。历时一年，历经大大小小十几次改稿，我们的故事架构，终于逐渐清晰了起来。

我终于可以动笔进行《守夜者2：黑暗潜能》的创作了。

为什么会经历这么多次修改呢？这要从《守夜者》第一部的出版说起了。

其实，在创作"守夜者"系列之前，我们就已经有了完整的故事线。可惜，作为理科生的老秦，在写作方面的能力实在还有很大欠缺。《守夜者》第一部里，也暴露了很多缺点。《守夜者》第一部出版之后，我认真地阅读了读者朋友们的反馈。虽然，大多数读者都热情地鼓励着老秦，但也有不少读者提出了很多批评和建议。无论是鼓励还是批评，老秦在这里，都诚挚地鞠躬致谢！读者们的掌声、欢呼声和鼓励声，让我在写作之路上有了自信；读者们的批评声，也让我有动力去提升自己、填补缺陷。

为了让"守夜者"系列更加贴近真实，为了不辜负读者的期待，也为了整个故事更加有嚼头，我们在吸取读者朋友们的意见的基础上，重新调整了故事主线。我个人觉得，现在的版本更加悬疑、更加精彩，连我自己想到要开始动笔了，都十分激动呢。

不管怎么说，对一直在不停创作"法医秦明"系列的我来说，"守夜者"系列是一个全新的开始，是我突破写作瓶颈的一个重要里程碑。在创作"守夜者"系列的时候，我总能感觉到自己的思维定势被不断地打破，我眼前的天空越来越开阔。我想，这应该就是在进步吧。

虽然结果并不一定是完美的，但这个过程是迷人的。

所以，"守夜者"系列对老秦的创作之路来说，非常重要。我知道，我亲爱的读者朋友们，一定会和我携手，共同地度过写作道路上的坎儿。写到这里，我的心里突然涌起一阵阵暖意。正是我的读者朋友们，陪我走过这充实的五年多时间，也正是咱们合力，让公安法医的故事广为流传。

"守夜者"系列的故事很复杂，需要三本书才能还原清楚，老秦热切地希望，大家可以耐下心来，听我慢慢地把故事讲完。也真心希望，我的读者朋友们可以在阅读"守夜者"系列之后，汲取到哪怕是一点点的营养。

不多说了，《守夜者 2：黑暗潜能》是"守夜者"系列三部曲里承上启下的重要一环，也是整个系列的重中之重，很多重头戏都会在这本书里上演。

你们期待吗？

那我们开始吧！

2017 年 9 月 20 日

守夜者 2： 黑 暗 潜 能

目 录

引子

她必须活下去。那份死亡名单上，还剩下一个人的名字。

第一章 迷宫的死角

一个被世界遗忘的人，自然很容易找得到被城市遗忘的角落。

第二章 沙盘惊魂

大门一直锁闭着，对守夜者组织的年轻成员来说，这里就是一个神秘的所在。

第三章 高速鬼影

高速路上，惊现一个看不清躯干的白色人影，可怕的是，还披着一头乱蓬蓬的头发，顶着一张破碎的脸。

过去的四五个月里，萧望究竟去哪儿了？

十二岁的女孩在校长办公室里喝下了一杯水。之后，她就什么都不知道了。

运尸床上盖着一块白布。没有人知道，掀开这块白布之后，他们会看见什么。

这个意想不到的答案，让他一阵心悸……他从未想过，所有的秘密竟然就藏在自己眼皮底下。

Guardian of Light

引子

人生如衣物，如此容易被剥夺。

——（中国台湾）林奕含

1

"允儿，方允！快醒醒！"年轻的妈妈使劲晃醒了身边熟睡的女儿。

"妈妈。"三岁的方允翻身坐了起来，睡眼惺忪地咕哝着。

周围一片漆黑，妈妈的身影都有一些朦胧不清。

"嘘。"妈妈慌张地让方允不要出声。

渐渐清醒过来的方允，听见楼下似乎传来打斗的声音，又像是一个男人的呻吟。不，那明明就是爸爸的声音。

爸爸怎么了？懵懂的方允，压根儿想象不出来，她这个普通得不能再普通的家庭正在遭遇什么样的事情。

妈妈拉起方允的小手，一把将她从床上拖了下来。在方允的记忆里，妈妈从来没有用这么大的力气对待她，她不知道自己做错了什么，眼睛憋得通红，有点想哭。

妈妈并没有理会方允的情绪变化，拉开大衣柜的门，把她硬生生地塞了进去。

"大衣柜？"方允不能理解，为什么让自己一个人睡进大衣柜，难道是今天在幼儿园不吃饭，老师向妈妈告状了吗？

"妈妈要惩罚我吗？"

方允再次想哭。

可是她还没有来得及哭，大衣柜的门再次被打开了。妈妈，亲爱的妈妈，居然把熟睡的弟弟也塞了进来。大衣柜不大，只能容纳下两个小孩，而且呢子大衣的衣角搔挠着方允的鼻尖，让她想打喷嚏。

弟弟也不吃饭吗？方允摸着弟弟粉嫩的小手想。可是弟弟还在喝奶啊。

"允儿，照顾好你弟弟。"妈妈捧起方允的小脸，狠狠地亲了一口。

然后，她留下了那个让方允一生难忘的眼神。那是一个充满了不舍、眷恋、爱怜和惊慌的眼神，那是在方允的记忆中，妈妈最后的一个眼神。

那个眼神之后，妈妈关上了柜门。

更加漆黑一片了。

妈妈的脚步还没有走远，衣柜大门的中央，突然亮起了细细的一道亮线。好奇的方允把小脸凑近了看。原来，这是衣柜两门之间的一道缝隙，透过缝隙可以看到房间里的一角。这时房间的灯已经被打开了，房门口，是妈妈的背影。

妈妈手里紧紧握着卧室里的一只热水瓶，似乎想把它当成武器。但她的手抖得厉害，似乎已经承受不住那只热水瓶的重量，她慢慢地倒退，像是看见了什么恐怖的东西。突然，随着一声惊呼，妈妈手里的热水瓶还来不及砸出去，就已经摔在了地上。同时倒地的还有妈妈，她身上压着两个蓝色衣服的身影。

方允全身的汗毛都立了起来，她举起双手捂住了自己的眼睛。

不知道过了多久，方允没有再听见什么声音。她壮着胆子，再次从夹缝中向外看去。原本妈妈倒地的地方，空空如也。

方允完全不知道发生了什么，又根本没有胆子推开柜门去探个究竟。黑暗中，她只有紧紧攥着弟弟的小手，瑟瑟发抖。

不知道过了多久，她听见楼下传来了姑姑的声音。

虽然方允并不喜欢自己的姑姑，但此时却像是遇见了救星，她猛地冲出衣柜，大哭着，跪在了姑姑和姑父的面前。

听完小方允不太清晰的描述之后，姑姑和姑父突然狞笑了起来。

恐怖的笑声让小方允惊讶地抬起头来。

他们为什么会笑？

面前的姑姑和姑父确实正咧着嘴狞笑着，不过，他们的面容似乎有一些泛绿，那熟悉的面孔开始慢慢地变化。先是满脸长出了绿色的绒毛，然后是嘴角露出了两颗雪亮的獠牙。慢慢地，这两位亲人变成了面容恐怖的妖怪。

妖怪一步一步地向方允靠近，挥舞着爪牙，张开了血盆大口。

方允拼命地想从地上爬起来逃跑，可是她的一双腿根本就不听她自己的使唤，怎么也站不起来。她无力地瘫软在了地上，眼看着那血盆大口即将把她吞噬。

曹允一个骨碌从床上翻身坐起。狭小的床铺，让她差点儿跌落到旅馆的地上。她满头冷汗地环顾四周，窗外的霓虹灯透过窗帘映射进房间，把房间染上了一层暧昧的紫红色，她甚至可以清晰地看到天花板上即将脱落掉下的破旧墙皮，更不用说，那个躺在她身边鼾声如雷的胖男人。

这是一个破旧的旅社房间，湿漉漉的墙壁，肮脏的被套和枕巾，霉味和臭味夹杂在一起的气味，抛甩得满地都是的外衣和内衣。这一切，都和她睡着之前看到的情景一模一样。

被噩梦惊醒的曹允早已没有了睡意。

她从床上起身，拿起自己的连衣裙直接套上，坐在窗口的小沙发上点起了一根香烟。打火机亮起的那一瞬间，照亮了床上男人肚子上的赘肉。她完全不认识他，而且他是那么让人恶心，那让人窒息的狐臭，还有那张喷着臭气还拼命要吻上来的大嘴。但是，她忍住了想要呕吐的冲动，让那个腥臭的男人做完了他想做的事。没办法，她必须活下去，因为她还有应该去完成的事情没有完成。

2

刚才的噩梦，也不能完全称之为噩梦。因为，前半部分都是真实的。

三岁的时候，曹允经历了一场莫名其妙的灾难。而灾难的后果，就是她和刚出生六个月的弟弟一起成了孤儿。

她眼睁睁地看见两个身影扑倒了妈妈，她心惊胆战地度过了难熬的一夜。在那个时刻，弟弟的小手，就是支撑她没有崩溃的唯一力量。然而，那双温暖的手，她再也握不到了。

姑姑和姑父本来是来找曹允的父母商量曹允爷爷的遗产分割事宜的，可是当他们推开门，发现藏在衣柜里瑟瑟发抖的两个孩子时，曹允的父母却不见了踪影。

两个大活人就这么莫名其妙地失踪了，不报警肯定是不行的。不过，在报警之前，姑姑要求曹允对警方隐瞒她所看到的一切。她告诉曹允，如果警方知道了这些，就会把他们姐弟俩抓起来审问。三岁的曹允对自己唯一的救命稻草当然言听计从了。后来长大了的曹允渐渐明白姑姑让自己这样做是为了警方不要因此立案侦查，因为人失踪了是好事，父辈的遗产就没那么难分了。

在曹允模糊的记忆中，关于父母的失踪案，当时警方推测的结果是父亲涉及了一起什么案件，然后畏罪潜逃了。虽然畏罪潜逃前丢下两个亲生骨肉实在让人不能理解，但是丝毫没有线索和证据的警方，是无法对此案进行立案侦查的。时间一久，这一起失踪悬案也就不了了之了。

父母失踪后，"善良"的、没有生育能力的姑姑站了出来，表示愿意收养这一对可怜的姐弟，让他们免于被福利院收容。当然，方允理所当然地跟着姑父改名为曹允，而她弟弟的入户名则是曹刚。

幼小的曹允对这场变故的记忆是模糊的，但对母亲的记忆是深刻的。妈妈的声音、妈妈的面容和妈妈的身影，还有那个让曹允一想起来就痛心无比的妈妈的眼神。

但是，时间可以抹平一切。除了会经常思念妈妈以外，曹允的人生还将继续。

被收养的曹允从十岁开始，就承担起了所有的家务。姑父在外企工作，有着不错的收入，但嗜赌的姑姑经常几天见不着人，所以买菜、做饭、洗衣和拖地这些"小事"理所当然地落在了十岁的小曹允肩上。毕竟，姑姑说，七岁的弟弟更需要学习。

平静的人生，在小曹允十三岁的那一年开始变得波涛汹涌了。

那一天夜里，曹允在梦中迷迷糊糊地感受到了一种沉重的压迫感，当她睁开眼睛时，她发现噩梦仍在延续，白天那个衣冠楚楚的姑父，此时却正伏在她的身上，费力地做着什么。曹允一下子惊醒过来，对于性已经有所启蒙的她知道这意味着什么，于是挣扎着想要向隔壁房间的姑姑求救。

然而曹允的嘴被死死捂住了。一个柔弱少女的拼命抵抗，在一个强壮男人面前是多么苍白无力啊。曹允的抵抗，让姑父更加兴奋，他变本加厉，毫不留情地夺走了她的第一次，惨痛的第一次。

更惨痛的是，姑父离开房间之后，曹允看到了睡在同一个房间的另一张床上的弟弟。十岁的弟弟不知道什么时候已经醒了，他怔怔地靠着墙坐着，看着披头散发像鬼一样的姐姐。曹允的脸上还留着姑父的红指印，她在漆黑的房间里和弟弟对视着，想像小时候那样过去牵住弟弟的手，却最终什么都没做。

曹允不知道自己该怎么办。报警？她是不敢的。沉默？她又心有不甘。找媒体曝光？那弟弟怎么办？最好的办法，就是把这件事情告诉姑姑。

可姑姑是这样说的："小丫头你知道吗？要不是你姑父，你那天晚上就闷死在衣柜里了知道不知道？你们姐弟俩的命都是我们给的！更何况我们养活了你们十年！你知道养你们俩十年要花多少钱吗？现在你就付出了这么一点点，就不乐意了？给你姑父减压，也是你应尽的孝道！如果你以后能帮你姑父生个一男半女，给曹家留下点正宗的血脉，也算是涌泉之恩滴水相报了好不好？"

听着姑姑的话，曹允的表情越来越冷。她下意识地抠着手指，不知不觉，上面已经是血迹斑斑。

3

从那时起，曹允的床，也就成了姑父的床。曹允的身体，也就成了姑父的玩具。

噩梦持续了两年，终于停止了。

那一天，家里出了"意外"，发生了集体食物中毒事件。姑姑和姑父因为过量食用含有超量亚硝酸盐[1]的豆腐乳而毒发身亡，曹允轻微中毒住院治疗，曹刚因为随班级赴外地春游而逃过一劫。

在现场未发现任何疑点的警方，最终下达了《不予立案通知书》。

再次失去亲人的曹允、曹刚姐弟俩被福利院接纳，从此正式在福利院生活。福利院能保证姐弟俩的温饱，也能让他们接受最基本的义务教育，但这和曹允想要的相差还很远。忍辱负重的两年已经侵蚀了她对自己的所有期许，她把剩下的所有希望都放在了弟弟的身上。

她唯一的亲人，就是她的弟弟。

于是，十七岁那年，曹允果断辍了学，开始步入社会，打工赚钱。

"反正我已经脏了，很脏了，不怕更脏。"

在外人看来，曹允正值亭亭玉立的年纪，但曹允知道，自己早已经告别了青春纯真的世界，她的内心是一座冰冷的坟场，除了弟弟，没有任何的活物能在这里停留。她选择的打工方式也就不言而喻了。

曹允"打工"得来的钱款，一部分用于姐弟俩的生活开销，一部分用于曹刚的学费以及学习绘画等课外辅导费用。曹允把剩下的钱存在曹刚名下的账户里，希望给弟弟今后的事业提供启动资金。

总而言之，曹允用非法赚来的钱维持着弟弟曹刚的学业，并且"望弟成龙"似的给弟弟报了很多课外兴趣辅导班。前几年，弟弟曹刚也算没有辜负姐姐的期待，更是没有辜负自己的理想，顺利地考进了建筑工程大学，并且顺利地读了三年多大学。

曹允知道，自己二十四年的人生，唯一能谈得上快乐的，就是那三年。即便是在"工作"的时候，她都会忍不住露出笑容。

1　编者注：腌制食品中一般会含有少量的亚硝酸盐。如果人体摄入了过量的亚硝酸盐，则会使血液中正常携氧的低铁血红蛋白氧化成高铁血红蛋白，因而失去携氧能力而引起组织缺氧，从而致死。

然而，命运再次和她开了个玩笑，致命的玩笑。

对姐姐的遭遇，曹刚一直是沉默的。那个在黑暗中目睹了太多的男孩，面对姐姐的溺爱，始终抱着一种缄默的态度。但只有他自己知道，一些东西正在蠢蠢欲动。

事情发生在大四下学期实习归校之后。那一天夜里，曹刚潜伏在学校的公用女厕里，等到了一名刚刚下自习的大二女生。把女生击晕后，曹刚在厕所后面的荒地里，对女生进行了性侵。在性侵的过程中，女生惊醒并大叫，慌了神的曹刚用砖块反复击打女生的头颅，导致女生全颅崩裂[1]，当场死亡。

警方在现场发现了足迹、手印和精斑等关键证据，并且通过对曹刚两名同寝同学的调查，明确了曹刚之前存在偷盗女性内衣的变态行为。经过DNA检验，曹刚就是本案的重点嫌疑人。

事发当晚，曹刚彻夜未归。他惊惶失措，敲开了姐姐曹允的门。听完弟弟的自白，曹允感到一阵眩晕。但曹刚接着就紧紧握住了她的手，这是这么多年来，弟弟第一次主动的身体接触。就像小时候一样，弟弟眼里的泪光让她心里一阵酸楚。

曹允做出了决定。

曹刚在姐姐的安排下，踏上了逃离南安的路，但很快就被警方捉拿归案。曹允涉嫌包庇罪，也被警方追捕。这就让曹允陷入了危机，毕竟她平时的积蓄都存在弟弟名下，现在全部被冻结了。而且，被警方追捕的她，也不能公开招嫖。不过曹允毕竟在市井之间厮混了这么多年，在狐朋狗友的帮助之下，她暂且可以苟且偷安。除了用身体来回报狐朋狗友，她还在这段时间通过朋友私下的渠道疯狂招嫖、运毒，都是为了迅速攒够一大笔钱。

---

1 编者注：全颅崩裂，也叫作崩裂性骨折，指由巨大暴力作用于头部而造成广泛的粉碎性颅骨骨折，颅骨崩裂开、整体变形。

她并不是怕坐牢，而是想要拼死一搏。她不知道弟弟会不会杀人偿命，她希望自己可以想到办法保住弟弟的性命，花再多的钱，都在所不惜。

不久之后，传来了好消息，弟弟越狱了！

好消息没维持两天，噩耗又来了，弟弟曹刚在建筑工程研究院的一个实验区域内被割除生殖器后，焚烧致死。而那个杀死弟弟的混蛋，居然被网民视为英雄，还给他取了个绰号——"幽灵骑士"。

曹允世界里的唯一光亮，就在这一刻，彻底熄灭了。

在这个世界上，曹允已经没有继续生存的理由了。

但她不想就这样简单地结束自己的生命。父母失踪的时候，她还太小，什么都做不了。现在，她至少可以为死去的弟弟"做点什么"。

她在心里默默列好了一份名单。

名单上面有曹刚寝室那两个告密的同学。她每次去学校给曹刚送东西的时候，也热心地给他们带过好吃的，帮他们认真打扫过整个寝室，希望他们能替她照顾好她的弟弟。他们每次都笑眯眯地答应着，然后笑眯眯地从头到脚打量着自己。弟弟杀完人后，曾经哭着告诉自己，大学的生活并没有她想象的那么光鲜美好。她恨弟弟这么晚才告诉自己，她更恨那两个总是笑眯眯的同学。死的应该是他们，而不是她的弟弟。

"那就让他们去死。"曹允这样想着。毕竟，这不是她第一次为了弟弟杀人了。

看着鲜血从那两个男生的颈动脉喷涌而出的时候，曹允收获了有生以来第一次的快感，那种痛快淋漓的感觉让她流连忘返，甚至在现场留下了她的血指纹。

她杀死弟弟的两名大学室友之后，再次在狐朋狗友的帮助下隐藏了起来，继续用招嫖得来的钱维持着她自己的生活。

因为她还有一件事情没有做完——杀死名单上的最后一个人，那个

"幽灵骑士"。

　　这件事情很难，她不知道怎么下手。更何况，现在公安部门已经对她发出了Ａ级通缉令，她完全不能在公众场合现身。那么，如何才能完成未尽的夙愿呢？

　　只要完成了这个夙愿，她随时可以选择去阴曹地府和弟弟团聚。

　　直到昨天，她终于等来了机会，一次千载难逢的机会，一次找上门来的机会。

　　一根烟的工夫，曹允的脑海里像是放电影似的过了一遍自己二十四年的人生。她苦笑着掐灭了指间的烟头，在胖男人巨大的鼾声中，从连衣裙口袋里掏出了一张小字条。

　　上面是那个人的联系方式，曹允相信，那个人不会是个骗子。

第一章　迷宫的死角

遗忘比绝望更强有力。

—— （德国）叔本华

1

凌漠一把拽下程子墨腰间的钥匙串，紧紧握在了手心里，警惕地左顾右盼。还好，在这一片被遗忘的角落里，并没有多少行人走动，更没有人注意到凌漠这个细微的动作。在确认安全后，凌漠小心翼翼地把手心里的钥匙串塞进了他左胳膊的石膏筒里。其实凌漠的伤势并不严重，但是他还是在包扎了绷带的胳膊外面套上了一个石膏筒。

程子墨一脸惊讶，但仍然挽着凌漠的右胳膊，低声问："你干吗？"

凌漠保持着他踱步的速度，冷脸道："伪装。"

"嘿嘿嘿！"程子墨甩开凌漠的胳膊，抗议道。

凌漠赶紧做了个"嘘"的手势。

程子墨压低声音说："我这还不叫伪装？这套衣服估计是上个世纪九十年代的流行款吧？还有，我脸上抹的这些，看起来就一个村姑好不好？我都不敢照镜子了！"

凌漠弯起右胳膊，示意程子墨赶紧重新挽过来，说："把你的口香糖吐了。"

程子墨又想抗议，但却迎上了凌漠冷峻的警告眼神，于是悻悻地转头，装作吐痰似的把嘴里的口香糖吐了。

凌漠收回眼神，任由程子墨不情不愿地挽着，不动声色地对程子墨说："这个区域的房屋外侧没有配套的设施，窗外连一个空调外机都没有，窗帘都是麻布制的，说明这是一片贫民窟。穿着时髦的背带牛仔裤，嚼着口香糖，住在贫民窟里，你自己不觉得很奇怪吗？善于伪装是作为一名捕风者最起码的素质。"

程子墨自知理亏，想转移话题，低声说："那你抢我的钥匙干吗？我钥匙招你惹你了？"

她的话语中已经没有了针锋相对的语气，而更多的是询问。

凌漠用右手的中指伸进石膏筒里，把那一串钥匙掏了出来，挡在怀里，拔出其中的一把，给程子墨看。

"哦，手铐钥匙。"程子墨恍然大悟，"随身带着手铐钥匙有可能暴露咱们的身份，我还真没想到这一茬。不过，就是一串钥匙而已，谁能注意到这么细的细节？"

"永远不要低估我们的对手。"凌漠抬起头，重新把钥匙塞进了石膏筒里。

伪装成夫妻俩的凌漠和程子墨，顺着小区里的道路慢慢地走着。程子墨没了口香糖，顿时觉得百无聊赖，而凌漠则一直左看右看。

大约一顿饭的工夫，凌漠说："好了，差不多了，可以回去了。"

"啊？"程子墨被凌漠冷不丁的一句话惊了一下，说，"你看完了？看出什么来了？唐铠铠和我姐[1]的视频追踪做得准不准？"

"差不多。"凌漠说，"回去说。"

凌漠"拖"着一脸茫然的程子墨加速向小区门口走去。其实这个小区也没有什么正经八百的大门，或者说，这根本就不是什么正经八百的小区。只是在那破落的几栋楼之前，有一条唯一通向外界的通道罢了。

不远处的废墟旁边，"万斤顶"就停在那里。

万斤顶是部刑侦局为守夜者组织专门配备的两辆特种用车之一。另一辆是专门为天眼小组[2]配备的特种车辆，守夜者组织成员们称之为"皮卡丘"。

万斤顶是由一辆十七座的运兵车改装的，改装后的万斤顶通体漆黑，从外表看，像是一辆普通的保姆车。它的四周窗户全部被拉上了窗帘，就连正面的挡风玻璃也做了特殊处理，让人看不清车里的情况。但是，除了

1　编者注：程子墨的姐姐——程子砚，后文中有展开介绍。

2　编者注：天眼小组，守夜者的组成机构之一，后文中有展开介绍。

车内前部的几个座位，它的后部被设置成为储存各式各样装备的仓库，以及可以和总部进行即时通讯的联络间。车辆的周身铁皮和玻璃都做了特殊的钢化处理，可以说它的冲锋能力不亚于一辆军用装甲车。整车有将近七吨重，所以大家称之为"万斤顶"。不过，五升的排量让万斤顶的动力系统丝毫没有受到车重的影响。和万斤顶相比，皮卡丘要轻便许多。唐铠铠第一次走进皮卡丘的时候，着实被吓了一跳。车内的各种仪表、屏幕、按钮，看起来就像是宇宙飞船的驾驶室。皮卡丘因为全车被喷了黄色的油漆，并且车顶有两根可供即时通讯的粗天线而得名。皮卡丘上传下载数据的速度不亚于一个数据实验室；其讯号甄别、定位能力也是国内首屈一指的。当时，唐铠铠钻进车里，硬是"玩耍"了两个小时不愿意下来。

但此时此刻，唐铠铠还在守夜者大本营，在万斤顶车上等着凌漠和程子墨的是萧朗。和唐铠铠相比，身形高大的萧朗对这些特种用车的感情就复杂得多了，在车子里守候的每一分每一秒，他都有一种要被逼出幽闭恐惧症的感觉。

凌漠和程子墨低调地钻进了车子。

车内的几个人正焦急地等待，车内的广播开着，可能是为大家缓解心情。

"据南安都市报报道，我市新桥镇一幼儿在接种疫苗后出现昏迷的症状，幼儿家属大闹卫生院，导致一名医生和一名护士受轻伤。接到报警后，市公安局、卫计委和药监局组成联合调查组，对新桥卫生院进行调查。经查，本次事故可能与卫生院保存疫苗不当有关。目前，卫生院负责人已停职接受调查，当事幼儿已脱离生命危险。"

凌漠一关车门，将广播音量调到最小，然后拿出一张白纸开始画了起来。程子墨站在凌漠的身边，惊叹道："你是怎么做到的？就那么一小会儿，绕了一圈，就能把整个小区的地形画下来？"

"什么？什么？什么？"萧朗个子太高，在车内只能弓着身子，他一手拿着望远镜，一手扶着凌漠的座椅靠背，说，"这么久还叫'一小会儿'？都急死我了！你们找到没有？找到没有？"

"暂时没有。"凌漠头也不抬地说。

"没有？"萧朗擦了擦额头上的汗，说，"没找到你们怎么回来了？我说我去吧！说不定我去就直接给她擒回来了！"

"你去暴露吗？"凌漠冷冷地把萧朗怼了回去。

"就我这身手，有住户有什么关系？保证伤不到！"萧朗秀了秀胳膊上的肌肉，说，"不行，还是我去吧。"

说完，萧朗就要开门下车。

"回来。"凌漠伸手把萧朗拉住，说，"凶手虽然是女性，但是做事不计代价，她的前科就可以说明一切问题。另外，还不知道她从哪里得到了枪支。我们更不能确定她的住处会不会设置其他危险品，所以不能贸然行动。"

"老萧带着特警的人估计五分钟之内就会赶到，我要在他赶来之前抓住她。"萧朗说，"我们守夜者可不是吓唬人的。"

"不要个人英雄主义。"凌漠说，"老师说了，安全第一。你要是静不下心来，就再仔细看看背景调查报告。"

说完，凌漠把一叠红色封面的资料扔在了车前排的小桌子上。

萧朗还想辩驳，凌漠再次用冷峻的警告眼神看着萧朗，说："我才是指挥员。"

萧朗梗着脖子瞪了凌漠一会儿，还是败下阵来，背靠着副驾驶座位，坐在车门口，百无聊赖地翻起资料。

"这没什么好看的嘛，我都看了好几遍了。"还没看上一分钟，萧朗就等不及了，"曹允嘛，失足女，辗转待过好几个地方，就是这么回事。"

"没那么简单吧？"程子墨说，"经过一组刑警长达数月的工作，依旧没有发现曹允的行踪。可以肯定的是，曹允在杀死两名学生之后，寻找到一个可靠的藏身之处，喏，可能就是这里面，潜伏了起来。她没你想的那么简单。"

"当然不简单。"萧朗说，"我们抓住'幽灵骑士'这事，是警方高层的机密事件对吧？你不说，我不说，我们大家都不说，没几个人知道。可就给这么一个可怜又可恨的女人知道了，然后'幽灵骑士'就被这个可怜又可恨的女人给设计杀害了，还是在警方的眼皮子底下。要是我在，我直接当场就给她抓住了，你信不信？"

"你就拉倒吧。"程子墨乐了，"要不是凌漠记性好，把越狱犯 H 的名字——曹刚给记住了，怎么能联想到曹允去杀'幽灵骑士'的动机啊？"

"分析动机有什么用啊？"萧朗说，"要不是我抓回来的那几个人的交代，线索的头儿就没了。而且凌漠你知道'幽灵骑士'手心里那个'守夜者'的字条是啥意思不？"

"难道你知道？"程子墨问。

"行了行了，反正斗嘴的时候从来都没见你站在我这边过。"萧朗挥了挥手，没劲地说，"又不让我去抓人，又不让睡觉，两天没睡觉了都。"

"睡什么？"凌漠又破坏了萧朗的黄粱美梦。

一个小区的概览图，在凌漠手中的白纸上，慢慢地展现了出来。

"这还真是一个藏身的好地方。"凌漠轻轻地咬着笔尾，沉吟道。

萧朗听见凌漠终于开口，猛地一个弹射跳了起来，无奈脑袋狠狠地撞在了已经钢化处理过的车顶棚上，发出砰的一声闷响。在程子墨惊讶并且关切的目光中，萧朗仅是揉了揉脑袋，说："怎么说？怎么说？"

凌漠依旧没有抬头，咬着笔说："这里，曾经是一处矿场的宿舍。矿采没了，矿场就迁移了。既然矿场迁移了，在职的员工自然要跟着矿场走，所以留下来的，都是一些守着老房子的老弱病残了。"

"何以见得？"萧朗问，"警方的报告还没到。"

凌漠说："房屋虽然都老旧了，外墙的漆虽然都剥离了，但是我在一栋房屋的侧面，看见了'矿'字，而且你看我们现在旁边的这一片废墟，原来的框架就应该是一个矿场。你记得吗，今天凌晨的时候，我们还在考虑这个区域为什么没有派出所管辖？其实以前国有矿场都是有自己的公安保卫部门的，里面的民警属于企业公安[1]，企业公安管理自己企业区域内

---

1 编者注：在我国改革开放之前，一些国有企业里入驻了一批企业公安人员，企业公安人员和公安民警一样有制服、工作证、侦查权和讯问权等，工资福利在原企业拿，业务上归上一级别的公安机关管理。

的事件，地方公安无法涉足。可能是改制之后，这里的行政区划出现了问题，成了'三不管地带'。矿场基本都是国有企业，那么这些宿舍显然不能分配给个人。所以，大部分房屋都已经搬空了，留下的，自然就是老弱病残了。"

"你都没有进楼去看！"程子墨说。

"空置的房屋是没有窗帘的。"凌漠说，"只有五分之一的房屋窗户悬挂了窗帘。位置偏僻、有免费的空置房屋、行人稀少、邻居很难发现动静，这当然就是最好的藏身之地了。之前曹允消失的那段时间，很有可能就是潜伏在这里。"

萧朗拿起望远镜，朝远处的小区方向看了看，说："可是，有人居住的房屋也不少吧？我们怎么找？"

"就在这一栋。"凌漠指了指纸上的其中一栋房屋。

"你看见她了？"萧朗激动地问。

"显然没有。"凌漠扬了扬手，打断了萧朗接下来的问题，说，"我知道你想问什么。我只是单纯地觉得，如果是我，必然会选定这一栋楼。"

"好好好，你地形感好，行了吧？"萧朗不耐烦地说，"别卖关子了，快说。"

凌漠无奈地摇摇头，说："而且，我还知道，曹允肯定选择了这栋楼第三单元最西边的这一户。这栋楼，位于小区内道路咽喉的位置。只有第三单元西边的这一户，从南侧的两个窗户就可以完全监视到所有进出小区的人。这种绝佳的地形优势，她没道理不用。另外，这栋楼的北侧长了几株大树，如果单元口被警方封锁，只要她住的楼层不高，她完全可以利用其中一株贴近阳台的大树下楼逃窜。虽然出入小区的通道只有一条，但是如果她逃了出来，只要身手还可以，不排除有攀登废墟逃离的可能；又或者可以窜进其他有住户的屋子，警方接下来的工作就比较棘手了。前可监视，后可逃窜，这是黄金地形啊。"

"住的楼层不高？"程子墨问，"楼有六层，你的意思是……"

"下面四层。"凌漠说，"大树已经有四层楼高了。而且，我刚才说了，她很有可能选择没有邻居的屋子。根据刚才说的窗帘理论，有窗帘的这一户——三〇六，很有可能就是曹允的藏身之地。"

萧朗重新提起望远镜，调整焦距，向小区内看去。

"不用看了。"凌漠说，"如果我没记错的话，这一户的窗帘是用夹子夹上去的简易窗帘。我们知道，如果要正常安装窗帘，要有滑轨，保证窗帘能开能合。如果是曹允，她既然永远不会拉开窗帘，那么只需要一根铁丝和几个夹子就可以固定窗帘了。所以说，我的推论应该不会错，就是这个三〇六。"

"她怎么会找到这个区域？"萧朗说。

"一个被世界遗忘的人，自然很容易找得到被城市遗忘的角落。"凌漠耸了耸肩膀，一脸漠然。

"她会不会不在屋里了？"程子墨担心道。

"不在屋里会在哪儿呢？"凌漠想了想，说，"至少你姐姐敢保证她进入这个区域之后两天就没有再出来过了。只要在这个区域里，我敢断定她就在这个屋子里。"

"那还等什么？"萧朗拔出腰间的 92 式手枪，检查了一下弹夹，又把枪重新塞进枪套里，然后从装备库里抽出一支 JS9 毫米微型冲锋枪，一把装上了弹夹。

"等警方支援。"凌漠说，"行动前，必须封锁楼前楼后，这样即便曹允看见了我们的行动，也会让她放弃逃跑的希望。另外，最重要的一点是，我们需要先疏散群众。这里的群众没有工作，所以应该大多数都在家里，不疏散他们，还是会有很多未知危险的。"

"还好，他们已经到了。"程子墨指了指远方悄无声息地开过来的几辆依维柯。

"万事谨慎为先。"凌漠猜到了萧朗所想，安抚道，"瓮中之鳖，跑不掉了，不过，我们不能忽视她的狡猾。"

"即便再狡猾，不还是被我们轻而易举地锁定了吗？"萧朗自信地说。

2

确实，守夜者组织和警方已经明确是曹允杀害了"幽灵骑士"。

话说事发当天晚上，在萧朗和凌漠发现"幽灵骑士"已经死亡之时，萧朗就像箭一样蹿出了 ICU（重症加强护理病房）。

凌漠并不知道萧朗的用意是什么，他觉得自己的大脑一片空白。但很快凌漠就冷静了下来，拨通了傅元曼的手机。

可能是惊吓和内疚的双重作用，聂之轩苍白着脸靠在 ICU 的墙壁上，因为全身颤抖，他的假肢也被带动着微微颤抖。凌漠用手搭住聂之轩的肩膀，拉着他走出了病房。凌漠的意图很清楚，他要尽可能地保护现场，期待在现场找出关键的物证。而此时的聂之轩，显然是一个有嫌疑的人，所以凌漠的这个动作，看似在拉聂之轩离开，实则在控制他的行动。凌漠不愿意怀疑聂之轩，但是过往的经验告诉他，不要轻易相信任何一个人。

"幽灵骑士"被杀，事件大到让守夜者的导师、学员和警方在十分钟之内就全部到齐。萧闻天在傅元曼的授意下，了解大概情况之后，开始对现场调查工作进行布置，并要求所有人各司其职，在自己的能力范围之内，以最快的速度获取线索。

现场调查工作有三条重要的支线，一条是特警部门领命去追寻制造车祸的轿车和三轮车；一条是由唐铠铛带领几名警方的图侦人员对医院各个位置的监控进行调取，期待获取嫌疑人的影像；最后一条是由程子墨带领警方的刑事技术人员对"幽灵骑士"被杀案的现场——ICU 进行勘查。

没有给凌漠安排任务，是因为萧闻天带领众多警察赶到的时候，凌漠就悄然离开了。凌漠的观点和众人不一样，他注重的是犯罪分子究竟是怎么伪装自己、怎么获取公安局给医院核发的通行证的。所以，凌漠只身一人去护士办公室进行了调查。

护士的更衣室和办公室都在 ICU 对面的护士站的后方，有专门的通道可以进出。而更衣室和办公室之间，就是一个可以通往一楼的安全出口。这是一条病人不会知道、只有医护人员才知道的内部员工通道。

更衣室和办公室的门都没有上锁，医生和护士被警方叫去问话了。办公室的墙上有一排可以悬挂钥匙、毛巾等物品的挂钩，其中一个挂钩上是空的。凌漠推测，护士很有可能就是把通行证挂在了这里，所以很轻易地被犯罪分子顺手牵羊。

更衣室里是一个一个挨着的柜子，平时护士在这里更衣，大多数柜子都没有上锁。凌漠从口袋里拿出手套，挨个柜子打开。有些柜子里放着护士服，也有些柜子里放着便装，还有些柜子里是空的。他知道，当班的护士柜子里可能有换下来的便装，也有可能护士直接把护士服穿在便装外面，就会留下一个空的柜子。但是，不当班的护士的柜子里必然会有护士服。

凌漠微微一笑，凭着他在办公室里看见的值班表，把脑海里的名字和柜子上的名字一一对应起来。

唐铛铛组进展得很快，他们几人分工，把医院各处的监控录像都收集了起来，并且对监控进行了分析。唐铛铛还留了个心眼，让一名警察去调取了车祸发生现场——医院大门口附近的南安西一路的监控录像。

在唐铛铛的分析下，事件很快得到了还原。当天夜里九点三十一分，一辆轿车缓慢开进医院大门，后面跟着一辆坐有多人的电动斗篷三轮车。在进入医院后，轿车开往医院大楼侧面的停车场，因为没有监控，具体情况不明了。三轮车停在医院大门口的阶梯之下，陆续下来六个人，村民装扮，看起来都有不同程度受伤。六个人在医院大门口等待另外两个估计是从轿车上下来的人会合，之后，八个人一同走进医院大楼的一楼急诊中心大厅。从肢体动作上看，几个人应该是边走边在争吵。

接下来的时间里，八个人在急诊室里接受包扎，其间也发生了争吵。估计是争吵声过大，二楼ICU的医生、护士于九点四十分进入急诊室支援。监控里也看见了聂之轩的身影。九点四十五分，包扎完毕后，八个人离开了医院大厅，二楼医生、护士和聂之轩返回ICU。随后，医院大门口就看见凌漠和萧朗冲了进来。

而"幽灵骑士"被杀，应该就是在这五分钟之内发生的事情。

　　ICU附近的几个监控摄像探头没有发挥出重要的作用。凶手穿着护士服，戴着口罩进入了现场作案，大部分的监控都只记录下她的侧影和背影。因为录像质量的问题，图像缺帧严重，甚至无法看出凶手的步态。但从身形来看，基本可以确定是女性作案。从简单的几帧可以看到正脸的图像中，依稀可以看得到凶手的眉眼。

　　从监控里确实看不出什么可疑人员的线索，但是唐铠铠留下的心眼，却让警方获取了线索。根据调取的车祸现场的监控，警方还原了车祸的过程。一辆黑色大众宝来轿车在南安西一路上行驶的时候，路遇在对面车道上行驶的电动三轮车。轿车在两车即将相会的时候，突然调转车头冲入对面车道，将三轮车撞翻。轿车驾驶员下车，协助三轮车驾驶员把乘车人员从车内扶出，并把车辆扶正。从轿车驾驶员的动作来看，应该是要求三轮车驾驶员把伤者拉往南安医学院一附院，也就是事发医院。

　　轿车的突然转向显然是不正常的行为，而经过调查和监控可以知道，这条路上每天晚上九点多都会有大量电动斗篷三轮车去把在城里打工的人员拉回村里。所以萧闻天断定，三轮车是被随机选择的，是被动的，而轿车是主动制造事故的嫌疑车辆。

　　还有一个疑点就是，从唐铠铠处理出来的影像看，事发当时轿车内应该坐有三个人：男驾驶员、副驾驶上的女人和后座上的男人。而轿车抵达医院之后，只有两个男人进入了医院大厅。那么，剩下的那个女人可能是在车内等待，也有可能下车作案。所以，找到轿车司机，是本案的关键。

　　推理刚刚结束，没想到萧朗已经用手铐铐着两个人回到了医院。

　　原来萧朗在事发后，大概了解了车祸的经过，便驾驶汽车去寻找嫌疑车辆了。他先是找到了三轮车，盘问村民后，得知轿车司机一共赔偿了他们五千元钱私了。萧朗认为村民们没有嫌疑，于是问到了轿车的车牌，根据定位一路驾车狂追，终于在五公里外把轿车拦截了下来，并且一个人制伏了两名犯罪嫌疑人。

　　萧闻天在医院选择了一个闲置的病房，对两名犯罪嫌疑人进行了突击审讯。凌漠和萧朗主动要求参与旁听。

"我真是啥也不知道！我冤枉啊！我就是一个黑车司机，晚上开车不安全，就叫上了我的弟弟一起。"轿车司机说，"中间我们见一个穿着花毛衣的女人在拦车，以为她是打车的，结果她上车就问我有笔生意做不做。听她说起来也不复杂，撞一辆电动三轮车，把电动三轮车上的人喊去南医一附院治疗，最好在治疗的时候和那帮'刁民'再吵一架。她给了我们五万块钱，说三万给我们，一万作为医疗费，剩下一万让我们给村民私了。我想想，估计这娘儿们和某个村民有仇吧，想报复一下。这不杀人不放火的，能挣这么多钱，我没理由不接这活啊。到了医院，那女人就下车了，人不见了。毕竟钱已经拿到了，我也就没在意。哪知道你们来了个这么猛的警察，给我们一顿揣啊，我胳膊都快断了。"

"什么活都敢接，你活该。"萧朗瞪了瞪眼睛。

"是这一件花毛衣吗？"凌漠走出了临时审讯室，回来时手里拿着一个透明物证袋，里面装了一件女式毛线外套，黑色针织的，上面有大朵的牡丹图案。

"对对对，就是这个！"司机指着凌漠说。

"他们的证词一样。"审讯结束后，萧朗对凌漠说，"涉嫌故意伤害罪，可以刑拘了。"

"不错。"凌漠点头肯定，"从微表情来看，他们说的是真话。"

作为一个读心者，阅读对方的微表情是必备的能力之一。唐骏作为凌漠的导师，在这方面算是没少教他。

如果说在审讯的过程中，萧朗一直在想方设法地套他们的话，那么凌漠所做的，就是察言观色。

按照唐骏的理论，凌漠要求负责审讯的警官不要过于开门见山，先是问一些无关痛痒的问题。没对话几句，凌漠就已经摸清楚了两名被询问人的"基线反应"。基线反应是一个人自身的本能反应或者习惯性反应，简单地说，就是被读心人正常反应的参照物。只有把握住每个人的基线反应，才能准确地分析每个人不同微表情、微动作的含义。这也是分辨个体差异的一个重要环节。

在整个询问的过程中，被询问人的微表情、微动作发生着细微的变化，这被一旁的凌漠看得清清楚楚。

他们先是眼神失去光彩，身体整体呈弯曲、下坠趋势，面部肌肉松弛、下垂；在警官问到核心问题的时候，他们又眉毛上扬、上眼睑提升；随即在供述整个过程的时候，他们下巴微伸，身体前屈，面部肌肉松弛；在交代完事实之后，他们又都是主动转移了视线，头、身体和脚转向一边。

用唐骏的理论看，这就是从失败反应变成了冻结反应，再变成服从反应，最后是逃离反应。简单翻译一下就是，这两个人因为被萧朗"暴力"制伏，在刚开始谈话的时候，有明确的战败情绪。但一涉及核心问题，他们就因为警方对此事的高度重视而惊讶。既然警方高度重视，他们自然有明确的服从情绪，而这种服从情绪，从某种程度上就决定了他们所说的一切都是事实。尤其是交代完毕后的逃离反应，是为自己所犯错误的后果表示极度的担心，这更加印证了他们交代的确实就是事实。

凌漠把他们的反应都记录在案，这些数据即便是放到唐骏的面前，唐骏也一定会得出同样的结论。

"那你这个在哪里找到的？"萧朗抢过凌漠手里的物证袋，左看右看。

"更衣室。"凌漠说，"是她换下来的。"

"证据确凿啊，找到这个女人，一切谜团就解开了。"萧朗自信满满地说。

"证据确凿？靠那个还不够。"程子墨也加入了他们的对话，一边走，一边摘下头套，说，"还得看我这个的。"

"你这又是什么？"萧朗好奇地去看程子墨手中的物证袋。

"现场我们勘查过了，包括 ICU，包括凌漠找到衣服的更衣室。"程子墨说，"进入 ICU 前都要戴手套、头套、口罩和鞋套，和我们现场勘查差不多，所以什么有价值的线索都不可能被发现。更衣室则比较简陋，没有能够留下指纹或足迹的客体条件。"

"那你这是什么东西？"

"这是给被害人输液的点滴管。"程子墨说，"我在点滴管的悬壶上发现了一个三角形的针眼，针眼的旁边，看起来有人体油脂黏附上去的痕迹。"

"一般医院的注射器都是圆形针眼，三角形针眼不常见，看来这就是杀死'幽灵骑士'的关键东西。"凌漠沉吟道，"而且，注射的时候如果皮肤碰到了悬壶，就有可能留下皮脂腺[1]的痕迹，这是有望做出 DNA 的。"

"这个我懂，我妈肯定能给做出来。"萧朗打断了凌漠的话，朝程子墨竖了竖大拇指。

程子墨轻轻地吐了口香糖，骄傲地说："那是自然，我去找傅阿姨检验鉴定啦。"

"这个靠 DNA 数据库比对有戏吗？"萧朗又担心道。

"走，看看铛铛那边怎么样。"说完，凌漠率先向楼下的皮卡丘走去。

"等等，什么铛铛？你什么时候开始光喊名字不带姓了？你们什么时候变得那么熟了？喂！"萧朗追了出去。

二人刚走近皮卡丘，唐铛铛正好从车里钻了出来，手里举着一张刚刚打印出来的照片，看到凌漠就直接递了过去，说："凌漠，你快看看，这个人你有没有见过？"

"为什么先给他看？就不能先让我看吗？"萧朗一脸受了打击的模样，伸手想抢凌漠手里的照片。

"哎，别闹——你就一脸盲，先看了又有什么用嘛！"唐铛铛笑道，"这可是我从轿车监控的截图里好不容易挑出的坐在副驾驶位置上的女子的照片。这个高清摄像探头是从车祸现场到医院的一条路上的。虽然是晚上，拍摄条件差，但我还是把照片给还原到这么清楚，至少五官勉强可以看清了吧！是不是很棒？"

"太棒了，太棒了，我们家大小姐最棒了。"萧朗学着唐铛铛的口气，由衷地拍手道，探头看了看凌漠手里的照片，"看这眉眼，和 ICU 拍下的

---

1 编者注：皮脂腺，是附属于皮肤的一个重要腺体，它的分布很广，几乎遍布全身，可分泌皮脂。

凶手有点相似呀。"

凌漠没有吱声，一双犀利的眼睛盯着照片看了许久，说："我怎么觉得，她像 H？"

"H？"萧朗一脸茫然，"什么 H？"

"H 的 DNA 在库里应该有，快找傅主任，如果悬壶上的 DNA 和 H 有亲缘关系，整个案子就清楚了！"

<h1 style="text-align:center">3</h1>

"靠这些便衣特警慢慢地疏散人，要疏散到什么时候啊？"

在"万斤顶"里待命，萧朗很快就觉得无聊了。他一会儿看看远处楼房的动静，一会儿看看手表，都快把手中的望远镜给捏碎了。

"没办法，至少我们的疏散工作不能被曹允发现。"凌漠耸了耸肩膀。

"聂哥还在禁闭室里呢！说不定还要被提审。"萧朗说。

"对啊，你说这警方怎么就这么迂腐呢？"程子墨说，"所有证据都已经指向了曹允，监控也看得出来当时聂哥是下楼帮助医护人员处置突发事件了，为什么还要关他禁闭？为什么还要不停地调查他？"

"怕他是内鬼呗。"凌漠说，"而且，作为一个法医，聂哥确实缺乏一些侦查经验，他的行为是擅离职守了，给他处分也不为过。"

"我能理解聂哥的想法。"程子墨说，"当时这些村民和医生发生了争吵，冲突一触即发，聂哥是最看不得这些的了。有些极端的人认为医患关系不好是因为警察不作为，你说荒唐不荒唐？所以聂哥作为又是警察、又是医生的人，生怕在警察在场的情况下，出现了医患冲突，这样的心情我完全应该理解。"

"即便聂哥在，曹允伪装得那么好，他也看不出来啊！"萧朗说，"而且警方也有几个人在门口守着，不都没守住吗？"

"所以组织对聂哥的处罚，仅仅是禁闭。"凌漠说，"接受调查也是必然程序，至少要排除他是通过故意离岗来配合杀人行动的嫌疑。"

"你这话说得我就不爱听了。"萧朗说，"你怎么可以连聂哥都怀疑！我绝对相信他。"

"我有权怀疑所有人。"凌漠说。

"你……"萧朗被噎住了。

"不接受抬杠。警察就该有一颗随时怀疑别人的心，不能轻易相信任何人。"凌漠摊了摊双手。

不一会儿，"万斤顶"里的对讲机响了起来："各单位注意，居民已经有序疏散，现在进行进一步化妆侦查，确认周围有无闲散人员。"

"傅老爹说，这次的行动我是指挥参谋，但是具体抓捕进攻行动，你可以提供意见。"凌漠说。

"啊？我们不还是学员吗？这就已经是警察了？"萧朗喜上眉梢。

"傅老爹说，我们的手续都办完了，现在已经算是警察了。"程子墨说，"回头案子结束，还要进行一个补考核和补入警宣誓。"

"这可太带劲了！我来想想啊，我想想怎么攻进去。"萧朗一边说，一边钻去设备库，拿出一件防弹背心套在身上，指着胸前的"警察"二字说，"这不够，不够，回去咱们记得把这字改成'守夜者'。"

凌漠饶有兴趣地看着萧朗左折腾、右折腾，说："人这个物种，怕是最善变的了。不知道是谁，在三个月前，誓死也不愿意当警察。"

"不要说那些没用的，现在公事为重。"萧朗假装一脸严肃，拿起了对讲机，说，"各单位注意，现在听我指挥，现在听我指挥，黑豹突击队一分队，负责全面卡死小区通道；二分队对中心楼房南北两侧进行全面封锁；三分队我们一起从单元门进入。请注意，单元楼道狭窄，请注意安全，我打头阵，其他人断后。其余特警兄弟，分散包围小区周边。"

凌漠淡淡地笑了一下，虽然萧朗的这个措辞听起来大多是从电视剧里学来的，但这种进攻阵形的分配是没有丝毫问题的，可以说是三重保险。凌漠知道，让萧朗参与指挥只是进一步调动他的积极性，让他更热爱这份职业，这都是萧闻天的主意。其实，此时萧闻天正坐在离他们不远的一辆依维柯里，他才是真正的幕后总指挥，他们所有的命令意见，都是需要通过萧闻天来下达的。

"三分钟后行动。"萧朗说完，他们似乎听见了周围依维柯里传出枪上膛的声音。

"走，一起。"萧朗转头对程子墨和凌漠说道。

"我们？"凌漠故作吃惊状，"我顶多是个读心者，她就一寻迹者，我们可没必要跟着你卖命。"

"怕死啊你？"萧朗拿出两件防弹背心，不由分说，给凌漠、程子墨二人套上，又递上两把手枪，说，"练摊的时候，不是说好要一荣俱荣、一损俱损的吗？"

"有说过吗？"凌漠接过手枪。

"没那么夸张，抓个女人而已。"萧朗自信地指了指程子墨，道，"我还答应请她姐姐吃饭呢，抓到人以后立即请，这全靠她姐姐锁定目标啊。"

确实，程子砚和唐铛铛功不可没。

在调查阶段，警方在现场获取的所有物证都指向犯罪嫌疑人曹允。可是，就和杀死两名证人之后一样，这个曹允又莫名其妙地失踪了。

唐铛铛自知自己在图侦技术方面还是初窥门径者，毕竟图侦技术和网络安全技术是两个完全不同的概念，所以她找到了程子墨，希望程子墨可以请她在龙番市的姐姐程子砚出马，利用图侦技术对曹允进行寻找。

作为龙番市的图侦技术专家，在请示领导之后，程子砚乘警用直升机抵达了南安。

当时警方掌握的线索对图侦技术毫无帮助，而整个南安市有十几万个摄像探头，又不能确定曹允的准确通过时间，几乎是不可能寻找到曹允的踪迹的。

程子砚听萧朗大概介绍了案情，要了一张南安市地图研究了起来，凌漠站在一边，给程子砚介绍每条道路的监控设施情况以及道路周边的建筑物情况。凌漠的记忆力深深折服了程子砚，让她啧啧称奇。

程子砚无意中抬头看见妹妹正在沙发上嚼着口香糖发呆，于是责怪道："别人都在找线索，为什么你在那儿什么都不干？"

程子墨甩了甩短发，说："嘿，我是一个想做捕风者的寻迹者，这是觅踪者的事情，和我没有关系啊。"

"你明明是当寻迹者的好材料，却要天天跟着狩猎小组，而不跟着天眼小组。"凌漠无奈地摇头笑道，"是不是就因为司徒老师曾经夸过你是个做狙击手的好料子？"

"我才是好料子，我视力好！"萧朗说。

"司徒老师说了，狙击和视力关系没那么大，你的射击课成绩就是不如我。"程子墨说。

"那是司徒霸偏心，打人情分！"萧朗握着拳头抗议道，"我的靶子比你们的小一半！"

凌漠似乎没有听见二人的争吵，对程子砚说："程姐，你看有办法吗？"

程子砚皱起眉头，说："图侦技术有很多技术战法，但是这个案子还是比较特殊的。因为掌握的信息太少，无法明确曹允的出行习惯，就无法用实验论证法对整个逃离路线进行还原。"

"这个战法我知道，和侦查实验差不多对不对？"萧朗抢着说。

"如果用信息关联法，"程子砚没有被萧朗打断思路，说，"因为缺乏条件，也很难实现。你们还原的曹允作案过程是她乘黑车抵达医院，从没有监控的内部员工通道进入二楼的更衣室，脱去了自己的外套，然后换上护士服，去办公室拿了通行证，端着准备好的注射用具进入 ICU 作案。曹允在更衣室里脱掉了外套，而我们又不掌握曹允外套内的衣服，加之她又不可能穿着护士服到处跑，所以我们不可能在视频影像中找到服饰类似的目标。又因为医院监控缺帧，所以无法通过步态寻找目标。如果找一个类似体形的女性，那就是大海捞针了。信息无法关联，所以也不可能奏效。"

萧朗有些着急："不如你直接说能用的战法呗？说不定我也懂。"

程子砚却依旧十分冷静："情景分析法似乎更不行。看你们的报告，对曹允之前习惯的通行方式并不掌握。晚上九点多的时候，公交和地铁都还在运营，另外也有共享单车。我们既然不能推导出曹允可能使用的交通工具，那么就无法通过情景还原来寻找特定时间点的监控录像。"

"到底有没有能用的？"萧朗有些按捺不住自己的急性子。

萧朗中气十足，引得程子砚抬头看了他一眼，微笑着说："方法是有，用连线追踪法和圈踪拓展法。毕竟有一个关键点还是很有用的：曹允在杀害'幽灵骑士'之前，杀害了两名大学生，在此之后，警方想尽办法也没有能够寻找到曹允的藏身之处，而在今天晚上，她又出现了，并且利用了一辆黑车。好就好在我们知道曹允在乘坐黑车之前穿的是什么样的衣服，而且也能通过审讯知道她是从哪里上的车。"

"圈踪？"凌漠摸着下巴，说，"你的意思是，我们既然找不到曹允逃离的路线，不如就去找一下她来的路线？"

"对。"程子砚说，"既然是一个很保险的藏身之地，曹允自然不会轻易搬家。只要藏身之地不变，那她来的地方，自然也就是去的地方。"

"这个想法不错。"凌漠点头认可，"可是，她穿的衣服能被摄像探头找出来吗？毕竟是晚上。而且那么多摄像探头，那么多监控影像，如何去找啊，太花费时间了吧。"

"这就需要我说的两种方法并行使用了。"程子砚说，"圈踪拓展法，是以曹允上车点为中心，充分利用周围监控点的布局，向四周扩展搜索。在明确了曹允进入中心的方向之后，以她使用的交通方式的速度来计算，向该方向延伸，定时定位，各点连线，就能指出她来的方向，从而明确她藏匿的区域了。"

"用速度算。"凌漠若有所悟地点点头。

程子砚说："一般开车就按时速 60 公里算，电动车按时速 20 公里算，自行车按时速 15 公里算，步行就按时速 5 公里来算。"

"小学数学都学过。"萧朗说。

"不过，如果曹允住的地方很远的话，肯定是使用混合交通通行的方式抵达乘车点的。"程子砚说，"这么狡猾的一个犯罪嫌疑人，自然知道用不断变换交通方式的方法来逃避警方的侦查，所以我们在使用连线追踪法的时候，必须倒推她之前一步的交通方式，这样才能做到更高效率地在前一个监控点寻找到她的行踪。"

"需要多少人帮你？"凌漠说。

"人多也没用，两个助手就行了。"程子砚信心满满地抬起头看着妹妹。

"我不干，看监控多无聊，眼都能看瞎。"程子墨正靠在办公室的沙发上，嚼着口香糖。她使劲摇了摇头，把脑袋藏在臂弯里。

"我来吧。"唐铠铠小声说道。

"你那眼神不行，我来我来。"萧朗听程子墨说看监控伤眼，于是挡在唐铠铠的前面坐在了电脑前。

"我也可以帮忙。"凌漠默默地打开了电脑。

在接下来的七八个小时之内，整个办公室里非常安静，除了萧朗的哈欠声和大家的鼠标、键盘的声音以外，几乎没有别的声音。虽然整体气氛十分压抑，但是大家都铆足了劲儿，希望在天亮之前寻找到曹允的藏身之地。这么一个危险的罪犯在逃，对整个城市所有无辜的群众，都是一个极为危险的隐患。守夜者组织和警方都不允许她逃过明天。

因为电子地图不能全面展现南安市的情况，凌漠特地制作了一张三米多长的纸质地图贴在墙上，并且把每条路的监控点在地图上都做了标记。

随着监控录像审阅的字节数增加，大幅地图上慢慢开始出现了红点。这些红点就是程子砚在特定时间点、特定位置点上发现疑似曹允影像的记录。

红点从曹允乘坐黑车的地点（南安西一路北段三点五千米处）开始，一直向北偏西方向延伸，一直到南安北五路口处消失。

"这个挺好玩。"萧朗看着地图上的红点，说，"可是，到这里又能说明什么？这周围的区域可也不小啊。"

"这就需要'蓝点'了。"程子砚微笑着说，"既然红点到这里就没有再延伸了，说明目标地址离这里不远了。现在我们要找这一片区域所有的摄像探头，各个方向的都要找，为的是确定她没有从这些摄像探头之下离开，这就是在'圈踪'。确定的摄像探头越多越好，圈定的范围越少越好。"

凌漠点点头，说："我马上安排人去这个范围内采集民用摄像探头，加上交警、治安、天网和城管摄像探头，应该是有不少的。"

又是两三个小时过去，地图上像是有一个蓝色的气球，被红色的绳子牵着。经过大家的努力，嫌疑范围已经缩小到了方圆一公里的范围内，这对守夜者组织来说，实在是利好消息。

"既然我们已经通过连线追踪法发现了曹允出发时候的轨迹，那么我们就有办法通过蓝点圈定的范围里摄像探头的特定时间，来寻找疑似曹允归来的影像。"程子砚说。

"难道你找到了？"正在操作电脑的凌漠抬起头来，问道。

程子砚把电脑屏幕转向凌漠，说："你看这个人是不是？"

屏幕里是一个女人的背影，正在转头看向侧面。虽然因为医院的监控影像受到护士服的遮盖和监控本身质量的影响，从身形上不能判断进入ICU的人和这个影像是否同一，但是通过和曹允乘车之前的影像比对，发型、头型和肩型都是非常相似的。如果真的是曹允的话，她应该在医院作案完毕后，选择了另一条路逃离回归该区域。

让凌漠很担心的是，这个背影的背部，背着一个长条状的黑袋子，看起来有一米多长。如果这是一把长枪，那对抓捕行动来说，难度就大大增强了。

凌漠强行把自己从思绪里拉了出来，抖擞精神，从网上下载了嫌疑区域的卫星图，尽可能地放大，说："可是，这里看起来都是废墟啊。"

"越是废墟，越有价值。"程子砚微笑着说，"不过，全是废墟的话，可就不好了，说明我们可能做错了什么。"

"不，不全是。"凌漠激动地瞪大了眼睛，脸上的疤痕似乎都缩短了。

凌漠面前的显示屏上，卫星图因为放大而变得模糊，但是在模糊的图案之中，似乎可以看见好几栋破落的居民楼。

"这是哪个派出所的辖区？"凌漠的声音似乎都有一些颤抖。

"不知道为什么，这里好像没有被哪个派出所的辖区包含。"唐铠铠调出了派出所管辖区域的地理位置图，说。

"这可就奇怪了，这座城市里居然存在着无警管辖的地带！"萧朗惊讶道。

"去看看就知道了。"凌漠看了看外面泛着鱼肚白的天边，说，"这时候去化妆侦查的话最安全，曹允估计还在睡大觉吧！"

4

此时此刻，不知道曹允是否还在梦中。

随着萧朗的一声令下，数辆车里同时下来几队警察，向小区里各自的位置冲锋。

凌漠、程子墨随着萧朗直奔目标楼房。

凌漠之前的推拒其实并不由衷，他自认为还是比较了解萧朗的，萧朗虽然天赋异禀，论警务技能没有几个警察能和他匹敌，但是终究还是莽撞了一些。以防万一，凌漠决定还是自己跟着去，比较稳妥。

各个特警小队呈战斗队形迅速包围了小区的各个角落，萧朗等人带领着一队特警直接朝目标楼房的三单元发起冲锋。毕竟根据前期调查，曹允手上并不可能有人质，所以萧朗他们没有顾虑，在萧朗看来，他们直接踹门冲进去把曹允擒了，一切万事大吉。

特警小队训练有素地分批把守在三单元的各个楼层，而萧朗等人直奔三〇六室。狭窄的楼梯通道只能容得下萧朗一个人一马当先。小区果真是十分破旧，这个单元里好几家房屋连大门都已经残败，屋内更是不堪入目。三〇六的房门倒还完好，但是那破旧的木门显然不堪一击。

萧朗几乎没有停顿，在抵达三〇六大门口的时候，直接一脚把木门踢得木屑直飞，接着一个明显要干净很多的房间充分地暴露在眼前。不过，就在萧朗即将一脚跨入大门的时候，他直直地刹住了车。后面的凌漠因为惯性，硬生生地撞上了萧朗的后背，不过并没有把萧朗扑进屋内。凌漠很是诧异，这个家伙究竟是怎么克服惯性这个物理原理的？

眼前，这个小小的房屋几乎已经一览无余。这是一个一室的套房，显然是老旧的户型，大门打开之后，就是一条长约四米的过道，过道的两旁是卫生间和厨房，不过卫生间和厨房的门都在过道的尽头，和卧室的门呈三门相邻的状态。站在大门口，就可以通过打开的卧室的大门，大概窥见屋内的全部状况。

卧室的床上有一些凌乱，但是并没有人躺在上面睡觉。正对大门的窗户旁边有一块白板，上面用吸铁石固定着一些照片。房间的东西两侧因为有墙壁的遮挡而看不真切，但是即使变换角度，也看不见屋内有人员的踪迹。

"没人？"凌漠小声说道。

萧朗则并没有往屋内观察，反而一手端着微冲[1]，一手指着地板说："为什么我觉得这个过道的地板比屋内地面高出一点，就像是垫了一块铁板？"

听萧朗这么一说，凌漠才低头看去。果真，过道的地面虽然看起来就是普通垫着地板革[2]的地面，但是确实要高出门槛一块。凌漠暗自叹服，自己之前对萧朗的不放心其实都是多余的，他的观察力超群，反倒若是自己冲在前面，根本就顾及不到这么细微的异常。

程子墨趴到地上，从地面高出来的间隙向里面窥望，似乎看不清什么，于是又拿出强光手电往间隙里照去。

"好像是有几条长、短杠杆，还有电子元件。"程子墨因为趴在地上，声音有些不太清楚。

"什么东西？"萧朗持枪警戒，同时问道。

"我也不知道。"程子墨说，"但，如果把上面的这块假地板当成是承

1　编者注：微冲，是微型冲锋枪的简称，是一种便携的自动枪械。

2　编者注：地板革，是一种铺地面的材料。

重板的话，下面的这些杠杆看起来就像是一个台秤的内部组件。不过，为什么有电子元件和电线呢？嗯……电线的走向，好像是通往卧室的。"

"重力炸弹？"凌漠的汗毛直立。

"什么？什么玩意儿？"萧朗问。

"嗯，可以这样理解。"凌漠小声解释，"因为犯罪嫌疑人是一个瘦小女性，所以她有可能制造这个重力炸弹来防备外人。所谓的重力炸弹，就是只要比犯罪嫌疑人体重更重的人经过这块类似于台秤的承重板，就会触发下面的电子设备，从而引爆炸弹。萧朗，你救了我们一命！"

"居然还有这么高深的东西？"萧朗也吓了一跳，他探头往屋内看去，确实看不见人的踪迹，说，"人确实应该不在屋内，她故意引我们来这里，掉入她的陷阱，太阴险了。"

"怎么办？"凌漠说，"如果曹允再次失踪，我们不得不利用这个屋里的线索来判断她的第二个藏身之处。要不，我们呼叫指挥中心派拆弹专家来吧？"

"也只有这样了。"萧朗回头看了看身后狭窄的过道，说，"没有助跑，我也没把握能跳过这么长的过道。屋顶没有搭手的地方，也没办法荡过去。"

"有我呢！无视我的存在吗？"程子墨甩了甩短发，拨开二人，说，"我就九十斤，我就不信这个女人还能比我瘦。"

凌漠还没来得及拉住程子墨，她已经踏上了承重板。空气似乎在这一刻凝结了。三个人在门口愣了半晌，什么也没有发生。

"我说吧，"程子墨自信地一笑，"我是真的只有九十斤！"

凌漠摊了摊手表示无奈，只能提醒她做好警戒。

程子墨端着手中的 77 式手枪，沿着承重板向卧室进发。在进入卧室的时候，她迅速持枪指向两侧视野盲区，但很快都解除了戒备。

"看来是证据确凿了。"程子墨说，"这白板上的照片，都是一附院的内部通道照片和 ICU 的内部结构图啊，看起来她是做了充分的准备的！"

话音刚落，程子墨像是发现了什么，她走到白板下方，上下左右地看着平台上的一个塑料袋。这个塑料袋里，装着的是一个形状有些奇特的注射器。这一发现，让程子墨更加精神抖擞，她连忙把手枪揣进腰间的枪套里，从口袋里掏出一双棉纱手套，小心地打开塑料袋，拿出了那一支拥有一个三角形针头的注射器。

与此同时，程子墨背后衣柜的布帘一角慢慢地被掀开了。从掀开的布帘一角，慢慢地伸出一支黑色的枪管。因为衣柜处于卧室墙壁的内侧，正好是大门的视野盲区，而此时的程子墨正在专心观察手中的注射器，并没有注意到衣柜的动静。

可是，正当枪管对准程子墨的后脑，即将端平之时，程子墨像是后脑勺上长了眼睛一般，整个人直直地向后弹射了出去。这猛的一撞击，衣柜里的人连人带枪直接被撞了进去。

程子墨是呈现出一个"后倒"的姿态撞进了衣柜，可是她一进入衣柜，就暗忖不好！衣柜里堆积着几床被子，被子的下方显然是有一些桶装物。从衣柜里刺鼻的汽油味来判断，曹允在桶里灌满了汽油！而此时，因为重力压迫，桶里的汽油已经冲破了桶盖，浸湿了被子。程子墨吓了一大跳，这要是丢了小命也就罢了，要是汽油燃爆把自己给毁了容，那可就惨到家了。

无奈，程子墨身体陷在被子里，一时半会儿无法站立起来。好在同样陷在被子里的曹允，因为持的是一柄长枪，在狭小的衣柜里也端不起来。两个陷在衣柜里的女人，开始短兵相接起来。

这突如其来的变故让萧朗和凌漠惊呆了，萧朗在门口直跺脚："我们进不去！"

"想办法！"凌漠像是在命令萧朗，又像是在命令自己。

萧朗按住对讲机，大声说："目标在屋内，和守夜者组织成员程子墨纠缠，门口有重力炸弹，屋内有汽油味！我们进不去！请求派遣蜘蛛人[1]，请求派遣蜘蛛人！"

1　编者注：蜘蛛人，这里指利用索降执行特种任务的特种警察。

萧朗一时半会儿想不到救出程子墨的办法，现在唯一的希望就是特警的蜘蛛人可以从天而降，突破卧室的窗户进入现场。不过，看着对面已经在内部被钢制铆条封死的窗户，萧朗知道，即便蜘蛛人抵达，也不是一时半会儿就能进入现场的。

凌漠也冷静了下来，如果他冲动行事，不仅救不了程子墨，更有可能让他们这个守夜者组织的三人小组全军覆没。此时此刻，只有靠程子墨自己了。

衣柜里的曹允，不知道从哪里找到一把匕首，直直地朝程子墨插去。程子墨一扭头，匕首没入了衣柜壁，她左手握着曹允的右手，拼死抵抗。此时的曹允就像是死亡前的疯癫，她一边歇斯底里似的叫喊着，一边口齿不清地叫道："那两个人是该死！你们不要对我赶尽杀绝！我没有收到消息，不然我和你们同归于尽！"

而程子墨已经完全没有力气继续纠缠，她的右手此时拿着刚刚准备放进物证袋的注射器。突然，她灵机一动，拿着注射器狠狠地向曹允的颈部刺去。毫无防备的曹允硬生生地挨了这一下，注射器的针头全部没入了曹允的颈部。

曹允疯了一样地惨叫，用双手去护住颈部。

程子墨知道，"幽灵骑士"的颈部挨了一枪，都没有致命，这细细的注射器插入颈部更不可能要了曹允的小命。程子墨紧紧握着注射器，又把它拔了出来，因为她知道，这个注射器是证明曹允犯罪的重要证据，不能就这样丢弃了。

可能是注射器伤到了曹允的气管和食管，她惨叫着吐出了一口血，更说不清话语了。曹允瞪着通红的双眼，捂着颈部，龇牙咧嘴。这一张原本就充满凶戾之气的面庞，更加扭曲可怖。

程子墨趁着这个空隙，一个翻滚，从衣柜里逃了出来，总算是摆脱了在棉被里连站都站不起来的尴尬，而且，她终于重新看到了站在门口正急得团团转的萧朗和凌漠。

看见程子墨重新出现在视野中，萧朗和凌漠更加振奋，呼叫着她赶紧撤出，毕竟蜘蛛人已经开始索降[1]了。

在程子墨连滚带爬地重新站立起来，准备向大门口撤退之时，她身后出现了端着长枪的曹允的身影。

"嗒嗒嗒嗒嗒。"

"嘭。"

两种枪声同时响起。

屋内的曹允，因为胸口连中萧朗的五枪，笔挺挺地倒地，胸口呼呼地往外冒血。而被霰弹枪击中的程子墨，因为巨大的冲击力作用，被硬生生地抛了出去。

这一抛不要紧，程子墨整个身体都结结实实地摔在了承重板上。撞击力超过了程子墨本身身体的重力，随着砰的一声撞击，地板下方突然发出吱吱的声音，这是电路被接通的声音。

刺耳的电流声把萧朗刺激得更加清醒，他大喊一声："卧倒！"

凌漠下意识的一个鱼跃，把程子墨扑到承重板外。

不过爆炸并没有发生。

"假的？"凌漠诧异道，赶紧检查程子墨的伤势。

曹允持的是一支霰弹猎枪，虽然在近距离范围内，这种猎枪的威力惊人，但终究没有穿透守夜者组织的特制防弹背心。只是巨大的冲击力把程子墨抛出，导致她头部磕碰到承重板而暂时晕厥罢了。

不过，重力炸弹并不是假的，电流通到衣柜里的汽油桶底座，引燃了汽油。但因为之前汽油桶已经被曹允和程子墨压扁，汽油都溢出来浸湿了棉被，所以这一引燃，也只是引燃而已，并没有引发燃爆。

放下心来的凌漠已经恢复了理智，他看到火焰越来越大，甚至开始阻挡卧室的大门了，于是大喊："子墨没事！萧朗进来背她出去！"

而凌漠自己，则冲过卧室门口的火苗，进入了卧室。

---

1 编者注：索降，就是用绳索进行降落。

"凌漠，你找死啊！"萧朗一边骂着，一边冲到程子墨旁边，把她扶到自己的背上。萧朗心里暗叹，这个小姑娘还真是不简单，连晕了过去都狠狠地攥着手里的物证袋。

萧朗背着程子墨一路小跑跑出单元门，一边把程子墨交给特警，一边挥手让各小队撤离，而自己又重新返回单元门里去接应凌漠。

凌漠冲进卧室的时候，发现卧室的火势已经不小了，更要命的是，卧室里隐藏的汽油桶并不仅衣柜里有，床下、柜子下都有隐藏的、密封的汽油桶。一旦火势蔓延到这些地方，汽油桶必然会发生燃爆。

凌漠来不及多想，顺手脱下外套，把白板上的诸多照片全部包裹住，转头向大门口跑去。就在他跑到过道中间之时，整个房间内的汽油桶发生了燃爆。巨大的气浪把凌漠硬生生抛了出去，正好撞在了刚刚跑上楼来的萧朗身上。

好在曹允并没有在过道里设置燃爆点，所以跌坐在地上的萧朗和凌漠呆呆地看着卧室里的熊熊大火，看着曹允的尸体在大火中慢慢地变成了一堆焦炭。

消防队的水龙把三〇六的大火慢慢扑灭，留下烧得漆黑的窗户，还有从屋内不断往外翻滚的黑色烟雾。

十几名刚刚被疏散的群众在小区内议论纷纷，有的在毫无边际地猜测，而有的则表示了自己的后怕。

靠在"万斤顶"里座位上的程子墨醒了过来，摸着自己的背部说："哎哟，刚才是谁撞的我？腰都要断了。"

"难道脑袋不疼吗？"凌漠轻声问。

"脑袋也疼。"程子墨挥手制止了正准备发话的萧朗，说，"行了，不用复述了，我记起来了。"

"不会是装晕吧？"萧朗偷笑。

程子墨说："有一种晕是可以意识清楚的。"

"晕还能意识清楚？"萧朗对程子墨左看右看，"你不是摔傻了吧？"

程子墨懒得理他，比画了几下，感觉身体应该没有大碍，感激地看了一眼凌漠，然后换了个话题说："总之，从今天的表现来看，我怎么着都应该是个捕风者吧？寻迹者不适合我。"

凌漠摆弄着手中装有注射器的物证袋，转脸问萧朗："什么感觉？"

萧朗眯着眼睛靠在座位上，双手抱着后脑勺，说："不知道，说不出的感觉。"

"她说的那句，你听见了吧？"凌漠问。

"你都能听见，我怎么就听不见？我比你听力至少好十倍。"萧朗说。

"你们在说什么呢？"程子墨挥挥手，切断两个男人相对的视线，打岔道，"你们在说我吗？我说什么了？要当捕风者吗？你们会不会给我美言几句啊？哦，对了，曹允怎么样了？抓住没？"

"我觉得，疑点重重。"凌漠说。

"我也是。"萧朗说。

"喂！你们当我是空气啊？"程子墨抗议道，"我问你们呢，曹允抓住没？"

话音刚落，两名工作人员抬着一个担架从小区里走了出来，正好经过"万斤顶"的前面。担架上，是一个白色的尸袋。阳光穿过了尸袋，把尸袋里那一团黑乎乎的轮廓映射了出来。

第二章　沙盘惊魂

除非你有勇气到达看不到岸边的地方，否则你永远不可能跨越大洋。

——（意大利）哥伦布

1

"姥爷，我真的觉得是有疑点的，凌漠也这样觉得。"萧朗说。

"是，没那么简单。"凌漠点头道。

在守夜者组织的主官办公室里，傅元曼微微地靠在椅子上，对面端坐着衣着整齐的凌漠和萧朗。

"可是警方已经结案了。"傅元曼微笑着看着眼前的两个年轻人，"而且，从报告上来看，证据链是很完善的。"

"那……警方的报告是怎么写的？"萧朗问。

傅元曼依旧是一脸微笑，翻看身边的文件夹，说："警方首先是需要分析动机的。曹允从小和曹刚相依为命，自己不惜出卖肉体来为曹刚换取学费，结果，曹刚被捕、被杀。曹允连两个作为证人的大学生都要残忍杀害，为什么不会去杀直接杀死弟弟的'幽灵骑士'呢？而且这个'幽灵骑士'用极其残忍的'官刑'和焚烧来处死了曹刚。我想，这等于是把曹允的心给猛然踏碎吧？对了，曹允杀死两名大学生的案子，你们觉得有问题吗？她是一个很残暴的女人，这一点没问题吧？"

"没问题。"萧朗坚定地点头，"杀害大学生那案子，已经证据确凿，毫无疑点了；曹允杀人不眨眼我也认可。我甚至怀疑，曹允、曹刚的姑姑和姑父，都是被曹允下毒杀害的。正是因为有了杀人经验，她之后作案才毫无顾忌。"

"那就好。"傅元曼说，"动机是一切罪案的开端。但仅仅有动机也只能是怀疑，可是警方认为这个动机被很多证据证实了。比如，通过视频追踪，可以确定是曹允乘坐事发轿车制造车祸；黑车的两个驾驶员也都通过辨认照片确定是曹允策划了这一起车祸。"

"这个我也认可。"凌漠点了点头。

"根据监控视频，曹允乘车进入医院后，便不见了踪迹。"傅元曼说，"随后五分钟之内，'幽灵骑士'被杀害。从'幽灵骑士'被杀的现场，你们提取到了一枚三角形的针眼和一处皮脂腺的痕迹。通过 DNA 检验，可以确定在针眼旁边留下这处痕迹证据的，就是之前杀死两名大学生的曹允。"

"嗯。"萧朗说，"虽然医院监控看不清凶手的模样和身形，但是从凶手的眉眼看，那就是曹允。而且，凌漠在更衣室里发现的被凶手换下来的针织外套，就是监控录像里显示的曹允穿着的那一件，这件衣服也经两名黑车司机辨认确认了。"

"是，这也是重要证据之一。"傅元曼说，"在你们击毙曹允的现场，发现了大量在医院踩点的照片，发现了跟案发现场一模一样的带三角形针头的注射器。无论从动机分析、视频证据、DNA 证据、其他物证，还是从人员口供来看，这个案子完全可以形成一个完整的证据链了。而且，据我所知，在现场搏斗的时候，曹允好像也通过言语认罪了吧。"

"真正的思考就是从这里开始的。"凌漠缓缓道来，"萧朗你还记得她说了什么吧？"

"那两个人是该死！你们不要对我赶尽杀绝！我没有收到消息，不然我和你们同归于尽！"萧朗学着曹允的语气说道。

"嗯，一字不差。"凌漠说，"她的这句话里，有两个信息，第一，她只杀了两个人，就是那两个大学生，而不是三个人；第二，她似乎在等待着什么讯息。"

"嗯，你接着说。"傅元曼并没有震惊的表情，而依旧一脸微笑。

"对啊对啊。"萧朗说，"直到听见曹允的这一句话，我才基本确定，此事有蹊跷。其实，最早的疑点，是凌漠告诉我，曹允在医院的行走路线有问题。她从停车场出发，一路奔跑到员工通道，上二楼，换衣服，拿通行证，再进入 ICU，完成一系列机器电路的接线，注射导致'幽灵骑士'

死亡，再逃离，这整个过程只花费了五分钟，几乎是不可能的。即便是对更衣室、通行证放置的位置都非常熟悉的人，也很难完成。"

"从照片看，白天的时候，她应该对医院进行了调查，甚至进行了演练，所以轻车熟路呢？"傅元曼说。

凌漠点点头，说："其实这只是其中一个疑点。如果说您刚才说的诸多证据，都是证明曹允杀人的主要证据的话，那这些证据分别都有疑点。"

"愿闻其详。"傅元曼说。

萧朗掰起手指头，抢着说："这些疑点我也知道！先从物证上开始说，本案我们掌握的两项关键物证，就是针织外套和三角形针眼以及针眼附近的 DNA 证据。我们先说针织外套，它本身就是疑点重重的。在提取回这件针织外套的时候，我们就立即把外套送去了我妈那里进行 DNA 鉴定。我们知道，在人经常穿着的外套上，很有可能在领口或者袖口上发现穿着人的 DNA。可是我妈说，衣服上确定没有发现 DNA 证据。要么这件衣服是刚刚清洗过，要么本身就是新的。"

"对啊，穿着时间不长，完全可以解释啊。"傅元曼说。

"可是如果曹允穿着这件衣服长途奔袭几十公里，不留下任何 DNA 的概率确实很小。当然这只是疑点的其中一部分。"凌漠补充道，"我去医院看了看更衣室和内部员工通道的结构，通道和更衣室是相连的，非常顺路。既然凶手逃离的路线显然也是走内部员工通道，因为这里没有监控，那么，她精心筹划刺杀事件，为什么却百密一疏忘记了关键的外套？她完全可以换上外套离开，或者拿着外套离开，为什么要给警方留下比对影像的关键证据？还有，现在是初冬，天气已经转冷，这件针织外套并不宽松，也不占地方，为什么凶手一定要脱下外套换护士服，而不是直接把护士服穿在外面？我见医院的护士很多都是把护士服套在外面的，除非是穿着大衣、风衣之类的，会有个换装过程。"

"嗯，这个观点很有意思。"傅元曼一脸微笑，摸着下巴上的胡茬儿，说道。

"还有那个三角形的针眼。"萧朗接着说，"针孔本身没有什么疑问，这很有可能是犯罪分子偶然间购买到的特征性的东西，并没有必然性。但是，这个针眼的位置却非常奇怪。我们知道，'幽灵骑士'当时躺在ICU里，为了输液方便，护士给他打开了静脉通道[1]并且留下了多头留置针[2]。留置针的一头是海绵，也就是说，只要在留置针上扎毒针，海绵回缩的话，根本就不会看得出来有过注射的痕迹。而凶手却在最最显眼的悬壶上扎针，恰恰针孔又是特别的，可以认定作为证据的，这不是傻吗？"

"你的意思是说，凶手其实唯恐警方发现不了针孔，刻意留下了证据？"傅元曼问，"那针眼附近的接触性痕迹呢？"

"这……"萧朗语塞。

凌漠接过话题，说："这个留下来的DNA证据就更奇怪了，我让程子墨看过，后来不放心，聂哥从禁闭室里出来之后，又让他看了一下，他俩的结论是一样的：这一处DNA证据，并没有皮纹的痕迹。也就是说，这不像是人体皮肤接触上去留下来的。那么我们不得不去考虑，会不会是有人故意把曹允的DNA证据给拓上去的呢？毕竟，这只是接触痕迹，而不是难以转移的指纹。"

"哦，针管内的成分虽然微量，但是还是比较复杂的。"萧朗说，"聂哥会同市局正在检验。"

"还有口供。"凌漠说。

萧朗抢着说："对对对，还有口供。据两名黑车司机说，曹允给了他们五万块钱，对吧？这就奇怪了，如果我没有记错的话，警方之前对曹允进行调查的时候，确定她赚的钱一方面给弟弟上学用，另一方面存在弟弟名下的一个账户里，而在曹允杀害两名大学生之后，警方就冻结了这笔资金。那么，曹允的钱从哪里来？"

"可能并没有全部存在曹刚的名下呢？"傅元曼说。

凌漠点点头，说："是，这确实是一种可能性。但警方前期就对曹允

1　编者注：静脉通道，指在体表或者中心静脉建立输液通道，以便于抢救、补充血容量、快速输入急救药品、维持生命必需的营养，给予抗生素等。

2　编者注：留置针是为了减少重复扎针而使用的一种医疗工具，留置针的针头端留在患者的血管内。

的经济状况进行了全面的调查，并没有发现她拥有其他账户。而这个收入本来就不稳定的人，会未卜先知地在身边放着这么大一笔资金吗？这并不正常。"

"这勉强也算是一个疑点。"傅元曼说。

"这疑点不勉强好不好啊，姥爷！"萧朗说，"那你看抓捕的时候。抓捕的时候，我们在曹允的家里发现了很多医院的照片。看起来，她是对医院进行了深入调查之后，才会那么轻车熟路的，这个从逻辑上可以说得通。但是，姥爷你知道吗？我们为了通过监控寻找曹允，甚至请来了程子墨的姐姐，才勉强找到一些零碎的截图和线索。如果曹允之前就来医院踩过点，为什么我们没有获得更多的影像？如果没有踩点，为什么会有照片？"

"会不会是她花钱雇人来踩点的？"傅元曼说。

"好吧，你又要说这也勉强算是一个疑点。"萧朗说，"但是，这些凌漠从曹允家的大火里抢救出来的照片，经过聂哥的判断，上面确定没有发现任何一枚指纹。您觉得，一个凶手在家里研究犯罪过程的时候，还会戴着手套吗？"

"你的意思，这是有人戴着手套放上去嫁祸的？"傅元曼的眼睛微微睁大了一些。

凌漠认可道："很有可能。另外，曹允的家里，居然有'重力炸弹'。这是一个结构非常复杂的装置，您认为一个从初中开始就辍学的女人，有可能拥有这样的技能吗？"

"说不定后期经过培训呢？"

"好，就算是后期经过培训，但是她的这个炸弹设计得很是不合理。"萧朗说，"过道里的承重板一旦承受 60 公斤以上的重力作用，就会启动连接的电子装置，这个电子装置会输送一股电流至卧室的衣柜里。衣柜里的棉被下方盖着几个盛满汽油的塑料桶，一旦受到电流的热作用，就会发生燃爆，继而引燃棉被，造成全卧室的火灾。卧室其他位置也藏有油桶，接着就会发生二次燃爆。但这些破坏装置并没有累及过道和门口，我们看起来，就觉得这些装置是为了自毁或者自杀，而不是为了伤害警察。我们在破门的时候，曹允正是藏在第一燃爆点——衣柜里，也就是说，只要我们一踏进过道，她会立即被烧死。这种模式的装置，如果和曹允准备杀害子墨的行为，还有曹允那一段死得并不甘心的话语放在一起看，不是很矛盾吗？"

"一个看起来并不想现在就死的人，却制造了一个自杀自毁式的装置。"傅元曼把手中的文件卷成一个纸筒，抵在下巴上说，"听你这么一分析，确实有问题。"

"我觉得，设置这个装置是为了让曹允死的同时，摧毁屋内所有的物证。"萧朗见傅元曼似乎要被说服，顿时来了劲，"说到曹允是否具备专业知识，我还要补充一下。杀死'幽灵骑士'的一个关键环节是给生命监护仪接上伪信号，这个我都不会，曹允能会？"

"你不会的东西多了去了。"傅元曼用手上的纸筒拍了一下萧朗的脑袋。

"萧朗说的这几点都很关键，现在看起来，警方确立的每个证据似乎都显得不是那么牢靠了。"凌漠说，"而且，整个案子从宏观上看，也有很多疑点。"

"哦？宏观？"傅元曼的眼神中充满了满意和欣赏，"你倒是说说看，如何从宏观上判断。"

"总体来说，这个案子最大的疑点其实是……"凌漠故意停顿了一下，"从整体来看，凶手经过了精心的策划，知道医院的具体情况，知道特定地点一定会有超载的三轮车，事先准备充分，对自己家的改造也很高级，这一切可能都是为了躲避警方的追查。可是，我们却并没有花费多大的力气就锁定了她，也没有花费多少力气就找到了她。精心策划，却易于被揭露，这并不是说我们的敌人有多蠢，而很有可能就是一招烟幕弹。"

"很好，你接着说。"傅元曼把文件重新摊平。

"再就是我们之前的推断。"凌漠说，"开始我们觉得有很多人协助凶手杀死'幽灵骑士'，说明凶手的背后有一个我们并不掌握的神秘组织在作祟。可是，破案以后，我们发现，这么多人，其实都是简单地被金钱利用和收买的，并没有所谓的神秘组织。"

"警方也是这么确定的。"傅元曼说，"并没有所谓的组织，而是曹允的个人行为，是她自己为了报私仇而做出的一系列犯罪行为。"

"好，既然没有组织，那么配合'幽灵骑士'用大货车撞击看守所外墙的是谁？又是谁去看守所下水道的外口，从外面打开了防护栅栏？"萧朗翻出了旧账，问道。

"那可能只是'幽灵骑士'背后有组织。"傅元曼说，"而曹允没有。"

"事情一定没有那么简单，因为我们不能忘记，'幽灵骑士'的手心里，握着一个写有'守夜者'字样的字条。"凌漠说，"我不知道守夜者组织和'幽灵骑士'有什么关系，但是至少说明杀害'幽灵骑士'的人和守夜者组织有着千丝万缕的联系。如果认定曹允是凶手，那么如果曹允没有组织，又如何和我们的组织有着千丝万缕的联系？"

"是啊。"萧朗插嘴道，"如果凶手是曹允，那么在'幽灵骑士'手心里塞字条的这个行为，根本就是让人无法理解的嘛！"

"好，既然你们两个难得意见这么统一，现在你们大胆分析一下，你们认为真实的作案过程是什么样的？"傅元曼说。

凌漠看了看萧朗，萧朗毫不客气地抢先说道："我认为，杀害'幽灵骑士'的，另有其人，而这个人的背后可能有一个组织，这个组织也有可能就是派员帮助'幽灵骑士'越狱的组织，也是留下字条挑衅我们守夜者的组织。但是，这个组织为什么要处决'幽灵骑士'，现在我也摸不到头绪。这个人从最开始策划杀害'幽灵骑士'的行动，就已经想好了要把警方的视线引到在逃犯罪嫌疑人曹允的身上，因为曹允有杀死'幽灵骑士'的现实动机。他们配备了两件一模一样的衣服，准备好了大笔现金，让曹允穿着这件衣服雇佣黑车去撞击三轮车，然后伺机在医院制造混乱。在轿车抵达医院后，曹允下车不是去杀人，而是直接去逃窜。在医院二楼ICU的凶手其实早已换装完毕，也把并没有穿着的针织外套放到了更衣室，甚至拿到了通行证，就等着混乱的发生。这样就可以解释衣服和时间的疑点了。"

"嗯。"傅元曼渐渐收起了笑容。

萧朗接着说："凶手在进入 ICU 后，熟练地接好线路，在最显眼的地方留下了注射毒物的针眼，并且把沾有曹允 DNA 的载体接触到悬壶上，让证据坐实。与此同时，另一拨人去曹允的住处进行了改造，布下了可以毁灭现场和杀死曹允的汽油桶，只要警察进入现场，曹允必然很快葬身火海，死无对证，还给人畏罪自杀的感觉。因为大火是阶段性燃爆，所以在大火完全吞没现场之前，警察很有可能注意到照片和注射器，如果能有勇猛的警察，比如我，获取到这些证据，那就更加坐实了曹允杀人的嫌疑；即使没有救出这些证据，现有的证据也足以给曹允定罪。当然，这个组织里更有人在曹允逃离的时候，给了她一柄长枪，指了一条可以被某一监控录像记录下背影的路线让她回家。嗯，说不定，还告诉她，让她在家里等待一些她所期待的好消息。如果我是凶手，我会用杀死'幽灵骑士'的消息来诱惑她。因此，曹允临死前说她等的信息，自然就是'幽灵骑士'成功被杀的信息。但这个组织显然并没有打算让她知道这一信息，因为曹允只是一枚棋子。"

"既然曹允本身就有愿望去杀死'幽灵骑士'，那为什么不让曹允直接去杀'幽灵骑士'，而要这么煞费周章地嫁祸给曹允呢？"傅元曼问。

"因为我们守夜者以及警方的严密把守，以曹允的能力根本就不具备杀死'幽灵骑士'并全身而退的条件。"凌漠说，"毕竟关于曹刚死亡和'幽灵骑士'所有的线索和信息都是这个神秘组织透露给曹允的，他们当然不能让曹允活着进公安局。"

"很不错。"傅元曼满意地点了点头，"最后一个问题。既然你说的这个组织帮助了'幽灵骑士'越狱，又为什么要杀了他？"

"因为'幽灵骑士'进了我们手里，这个组织不想暴露，即便他们知道被枪击颈部，能活下来成为植物人都是幸运的，但他们也绝对不能冒这个险。"萧朗说。

"既然不想暴露，不想和我们守夜者或者警方针锋相对，"傅元曼狡黠一笑，"那为什么会留下写着'守夜者'字样的字条？还有，医院 ICU 的监控拍摄的凶手脸型、眉眼，看起来就是曹允啊，如果真正的凶手和有作案动机的替罪羊曹允本身长得就很相似，这是不是太巧合了？"

对傅元曼的问题，萧朗和凌漠并没有想好怎么回答，于是陷入了一阵沉默。但是他们知道，只有这种推论，才能把现有的所有资料连接起来，才是最科学、最有依据的推论。虽然他们不知道这个神秘的组织究竟有什么目的，和守夜者组织又有什么渊源，但是他们内心暗自肯定的是，接下来的时间，他们要竭尽全力把这个神秘组织给挖掘出来。虽然"幽灵骑士"案已经结案，警方也没有更多的证据去证明这个神秘的组织存在，毕竟"幽灵骑士"也有可能利用金钱收买别人协助越狱，但是萧朗和凌漠相信靠着他们守夜者队员们，一定可以解开这个谜团。

傅元曼没有逼着他们回答这个问题，甚至鼓励他们在完成日常任务的同时，可以进行相关的调查，这让他们十分振奋。因为他们知道，傅元曼为人精明，正是因为赞同他们的观点，才会默许他们的行动。

振奋过后，萧朗对下一步工作倒是没了想法。

不过在凌漠看来，挖出这个神秘组织的关键，现在有一条线显得非常重要。

刚刚两人长篇大论说了接近一个小时，现在凌漠突然又恢复了冷漠脸。他转脸看看萧朗，说："你，可以回避一下吗？"

"回……回避？"萧朗有些意外，"为什么要回避？你有什么瞒着我？哦，我知道了！你又在怀疑我哥是内鬼了对不对？"

"既然你猜到了，就不用回避了。"凌漠转脸盯着傅元曼的双眼。

傅元曼和凌漠对视了十秒钟后，突然笑了起来，说："哈哈，你这次又有什么依据呢？"

"这次不需要依据。"凌漠说，"消失数月，偶有联系，组织内的机密不断泄露，以我的直觉判断，萧望可疑。"

萧朗咬着牙扬了扬拳头，说："是不是又要打一架？"

"并不是因为我是他们的外公。"傅元曼哈哈大笑，说，"我以我的人格担保，萧望并不是内鬼。不过通过你们俩这次的表现，我和相信萧望一样相信你们俩。"

"嗯？"萧朗冲上去抓住傅元曼的衣袖，说，"姥爷是不是知道我哥的下落？是不是？"

傅元曼盯着眼前的两个年轻人许久，像是做了一个决定，他用手轻轻推开萧朗的手，说："我只能告诉你们，萧望现在安全，正在执行秘密任务。嗯，秘密等级，最高。"

"我就知道！"萧朗狠狠地打了一个响指。

凌漠阴沉着脸，片刻后，说："好，那是我多疑了。"

"很多事情，不要心急，总有水落石出的时候。"傅元曼站了起来，走到凌漠的身边，拍了拍他的肩膀，说，"现在不要想那么多。守夜者有守夜者的职责、任务和行事规矩，慢慢地你们就知道了。时间不早了，我们该开会了！"

凌漠和萧朗点头出门，傅元曼面带微笑地把刚刚卷成纸筒的文件重新摊开，放在桌子上。

这是一份关于"南安市系列婴儿被盗案"的总体报告，是几个月前萧望总结出来的。原本报告的后面附了所有丢失婴儿的基本材料，而现在，后面附着的只有其中一个被盗婴儿的材料。材料里婴儿的生活照片被放大数倍，画面聚焦在他的左耳上。这是一个耳朵患有先天性萎缩的婴儿，他的左耳只有右耳三分之一大小，剩下的部分像是一个 U 形的肉疙瘩挂在脑袋的左边。

报告的最后，还附着两张照片。其中一张照片的背景是沈阳北站的广场，广场之上，有一个戴着棒球帽的男人的背影，虽然看不清眉目，但是依稀可以看见男人头部的左侧，并没有像右边那样有正常的耳朵轮廓。接下来的一张照片，是男人头部照片的放大特写。从这张照片可以看出，他的左耳是萎缩成一个 U 形肉疙瘩的。照片上，男人的左耳被人用红笔圈了出来，并且在一旁写着"豁耳朵"三个字。

这三个字的字体，和总体报告上"是否可以向省厅、公安部报告，成立专门处置特大、疑难、涉密案件的行动小组？集精英人才及警界资源为一体，高效工作，既可节约警力，又可攻坚克难"这句话的字体完全一致，是出于萧望之手。

2

经过三个月的筛选，守夜者组织的大会议室的第一排，整齐地坐着十一名剩下来的学员。学员们在会前被叫入组织更衣室，每个人的柜子里，都放着一套整齐的 99 式春秋警用常服。每个人根据资历的不同，也有不同的警衔。另外，每个柜子里都有一个黑色的六角形徽章，徽章的中央写着"守夜者"三个金色的字。

穿上警服的十一个人知道自己已经被守夜者组织录取，各个精神抖擞、斗志昂扬。

不一会儿，讲台后面的小门打开了，走出了依旧穿着二级警监制服的傅元曼。

傅元曼走上讲台，拿着一摞档案袋，目光如炬。

"我相信，"傅元曼说，"你们会是守夜者组织的骄傲。"

"部刑侦局是很谨慎的，在录用你们之前，对你们进行了充分的调查，并且调阅了你们在守夜者组织前三个月的培训成绩。"傅元曼说，"我希望你们都要珍惜在守夜者的时光，认真完成组织上交与的任务。"

"坚决完成组织上交与的任务，守护万家灯火平安夜。"声音虽然不是很整齐，但是很响亮。

傅元曼挥挥手让大家重新落座，说："我再重申一下守夜者组织的结构。我们的组织，人数会不断增长，但是总体按照大家的特长分为策划者、捕风者、读心者、伏击者、寻迹者和觅踪者六个专业类型。前四种专业类型组成守夜者组织的狩猎小组；后两种专业类型组成守夜者组织的天眼小组。目前，我们的组织对大众和普通警员保密，只执行特殊任务。这些特殊任务，主要是指参与侦破现行的特大、疑难、有广泛社会影响的案件，或者按照组织要求侦破积压的悬案。当然，今后我们组织会不会有新的定位，这需要上级的权衡。在执行完特定任务后，我们将会把大家派遣到公安局最基层的科、所、队进行工作，在组织需要时，公布临时调令，调你们回到组织。"

傅元曼的语气坚定而有气势，说得台下十一个人群情振奋。

傅元曼接着说："我们组织是公安部刑侦局下属机构，你们在座的各位，是警界精英，也是普通警员。我们随时要以警察纪律约束自己，因为你们代表了我们的神圣组织；同时，我们守夜者组织也有更高的要求和标准，这些都写在《守夜者组织纪律》里发给了大家，请认真学习。现在，我们有两件事情要做。"

听说居然不是直接被分配到科、所、队，而是又有任务，大家的情绪更加高涨了起来。

"第一件事情，我们进入守夜者组织是特批的，但是特批不是免试。"傅元曼说，"接下来的时间，我们会对大家进行一个突击考核。考核只有两个目的，第一，看看你们究竟具不具备留在守夜者组织的条件；第二，我们要根据你们的特长，对你们的岗位专业进行确定。当然，确定你们的专业，也会结合你们的志愿。"

一听到要考试，萧朗立即耷拉下了脑袋。

"第二件事情，也很重要。"傅元曼突然提高了声调，"全体起立。"

训练有素的十一名学员，齐刷刷地站了起来。

讲台上的 LED 大屏幕突然亮了，出现了一枚金光闪闪的警徽。

"现在，请举起你们的右拳，和我一起进行入警宣誓。"傅元曼说道。

成员们纷纷举起了自己的右拳，置于太阳穴旁。

"我宣誓：我志愿成为中华人民共和国人民警察，献身于崇高的人民公安事业，坚决做到对党忠诚、服务人民、执法公正、纪律严明，矢志不渝做中国特色社会主义事业的建设者、捍卫者，为维护社会大局稳定、促进社会公平正义、保障人民安居乐业而努力奋斗！"

虽然只有十余个人的声音，但却格外嘹亮，格外坚定，在守夜者组织的大会议室里久久回荡。

背对着十一人的傅元曼在念完誓词之后许久没有转过身来，他利用放下右拳的机会，偷偷用袖口擦了擦眼角，背对着成员们下令："休息十分钟，大沙盘门口集合，解散。"

十一人陆续走出大会议室，面颊都因为振奋显得红扑扑的。

"萧朗你说，我们都成为守夜者正式成员了，望哥这么久到底去哪儿了？望哥还能回到组织里来吗？"看着其他兴奋的成员，唐铛铛却略微有些情绪低落。

萧朗安慰地一笑，低声说："铛铛，我现在只能跟你保证，我哥很安全，总有一天，他会跟我们站在一起奋斗的！"萧朗虽然平时不太靠谱，此时的许诺却显得如此郑重，唐铛铛虽然不知道他到底得到了什么信息，却也感到了一丝安心。她抬头问萧朗："那你呢？三个月到了，你是准备留在守夜者了吗？"

萧朗一愣。他不知道自己究竟是怎么了，作为一个十几年来坚决不愿意当警察的人，他这次居然一马当先地参与了破案，又兴高采烈地穿上了合身的制服，更是顺畅流利地和大家一起朗诵了誓词。要不是听说马上要考试，他还能更高兴一些。

发过誓了，是不是就不能打退堂鼓了？唐铛铛的问题把萧朗拉回了现实当中，他尴尬地摸了摸后脑勺，说："暂时的，暂时的，这不是哥哥没回来嘛，没人照顾你哪行？"

"嘿嘿。"唐铛铛莞尔一笑，说，"真希望现在就能看见望哥的身影，好久不见，我都快不记得他长什么样了。"

"嘿，你多看我两眼，然后想象一下，就是我哥了。"萧朗觍着脸说。

"别贫了，先通过考核吧。"唐铛铛说，"通不过考核，你还得脱了你的制服。"

守夜者组织的警体馆矗立在训练场的另一端，位于之前成员们经常进行战术训练的战术训练馆的后方。从外形上来看，警体馆的外墙比战术训练馆更加老旧，但是占地面积却比战术训练馆大了不止两倍。

在此之前，因为长时间锁闭大门，对于守夜者组织的成员们来说，这个警体馆就是一个神秘的存在。

警体馆的大门打开之时，成员们知道，这个警体馆在这三个月内，也被精心地翻修过了，里面的设施一应俱全。

警体馆像是一个框架结构的巨大厂房，里面沿着四周墙壁建有一些类似休息室、茶歇室、监控室、考核室、机房和仓库之类的小隔间，但是，其主体的结构还是正中央超过八千平方米的开阔地带。这么大的室内空间，不仅可以容纳学员在任何天气下进行训练，更让训练有了一定的私密性。

警体馆的屋顶大约有十米高，屋顶上有结构复杂的滑轨，滑轨上载有电动起重设备。通过电脑编程，可以操纵这些起重设备迅速搭建出一个虚拟的外部环境，供成员们训练使用。不仅如此，这套设备甚至可以在一个小时之内按照特定现场环境搭建出一个虚拟的现场，作为沙盘来使用。

所以傅元曼称呼这个警体馆为"大沙盘"。

此时大沙盘的地面上堆积着一些木料、钢材之类的东西，起重设备正在繁忙地工作着。十一名成员列着队被傅元曼直接带进了一侧的休息室。

"现在都是高科技了，这些东西我也搞不懂，所以我请来了唐骏教授，来给你们讲解设备的使用情况。"傅元曼说完，微笑着对身后的唐骏点头。

唐骏点头示意后，走到了队伍的前面，一手拎着一副类似于潜水眼镜的设备，另一手拎着遍布电线的马甲。

"这就是我们使用大沙盘所必须佩戴的设备。"唐骏说，"请阿布上来，我来给大家做示范。"

阿布是十一名守夜者组织成员中擅长绘画的成员，在之前侦破"幽灵骑士"被杀案中，他根据监控录像，用画笔栩栩如生地画出了曹允的模样，这也让萧朗等人在第一眼看到曹允的时候，就确定了她的身份。

阿布是一个瘦弱的男孩，正因为这样，高大的唐骏在他身上试穿装备也就会显得容易许多，如果是让萧朗试穿，唐骏还得踮起脚尖。

"首先，我们穿上马甲后，要将马甲领口的金属贴片吸附在对应颈动脉皮肤的位置。"唐骏说，"这个金属贴片会把你们在整个训练过程中的身体各项指标、指数实时传输回我们的系统。另外，马甲腰部的这个红色按钮也要打开。打开红色按钮，意味着这套系统会对你们整个训练过程进行立体录像。"

唐骏为阿布戴上眼镜，说："眼镜戴上以后，需要将这个游离的电线插口插入马甲上接收仪的插口，这样，眼镜就和马甲联通了。我们指挥中心往马甲上的接收仪上发布的讯息，会在眼镜里呈现出和现实不一样的景象，再结合我们搭建的虚拟沙盘，就完成了对现场进行虚拟再现的过程。你们需要穿戴这一套装备，在虚拟的现场里完成你们应该去做的事情。"

戴着眼镜的阿布，看起来就像是一个蛙人。可能因为眼镜透光率有限，阿布不断地动着脑袋去调整角度，期待可以看到对面成员们的表情。

"现在，我们就来试一下。"唐骏说完，用鼠标点击了一下电脑屏幕的某个地方。

"哎呀我去！"阿布立即叫了起来。

"你们看，他的各项生命体征都在波动。心率和血压都有所升高，肾上腺素也突然飙高。"唐骏指了指电脑上的一个图谱，图谱里各种颜色的曲线正在不断变化和交叉。

"啊，这是什么！我最害怕马蜂了！能不能停一下？停一下！"阿布两只手不断地在眼前挥动，像是要赶走些什么。

成员们看见阿布滑稽的动作都忍俊不禁。

"真的这么逼真啊？"唐铛铛面露难色，"每个人都要测试吗？"

萧朗听唐铛铛这么一说，立即从前仰后合的状态里镇定了下来，装出一副大哥哥的模样，拍了拍唐铛铛的肩膀，说："真是笑死人了，这不就是 VR 眼镜吗？你没玩过 VR 游戏吗？这有什么好稀奇的？更没什么可怕的好不好！"

唐骏显然是从笑声之中听见了萧朗的话，他点击停止了对阿布的"折磨"，说："萧朗说得对，这就是公安部第一、第二研究所基于现有的 VR 技术，联合研制出的'警用模拟沙盘系统'。但是，这套系统无论是从操纵性、逼真度，还是实用性上来说，都比普通的 VR 游戏要高出不止一个档次。一会儿等场景搭建完毕，我们才能携带设备从这个房间出去，对虚拟场景的陌生，才能让训练更有效果。"

3

"那么，谁先来？"唐骏微笑着举起了手里的装备。

"我先来，我先来。你早说是这种考试啊！害得我虚惊一场！"萧朗第一个冲上前去，一把抢过唐骏手里的装备。继而，他又看了看缩在队伍后面的唐铛铛，说，"对了，这必须一个一个进吗？"

"那倒不必，你们可以自由组合。"傅元曼笑着说，"主要是看你们进入现场后的第一反应是不是一名优秀侦查员应该具备的反应。"

"那我和铛铛一起。"萧朗走到队伍里，一把抓住铛铛的手，一起举了起来。

"那我也一起吧。"凌漠举了举手。

"嘿嘿嘿，你瞎凑什么热闹。"萧朗把凌漠举起的手给拽了下来，小声对他说，"你下一批，下一批，二人世界你懂不懂？"

唐铛铛听见了萧朗和凌漠的对话，白了萧朗一眼，但并没有提出反对意见。

凌漠无奈地退了一步。

萧朗先帮助唐铛铛穿好了装备、戴好了眼镜，然后自己麻利地装备好，带着唐铛铛走到了沙盘的入口处。

"准备好了，姥爷，啊，不，组长。"萧朗朗声说道。

沙盘入口的大门依旧紧闭着。萧朗看了一眼唐铛铛，此时的 VR 眼镜还没有启动，正常透视情况下，萧朗看到唐铛铛紧张到身体都有点儿僵硬了，便嬉笑着说："大小姐，有我在旁边，而且这都是游戏，怕啥？"

唐铠铠轻轻咳了一声，说："谁说我害怕了，你才害怕呢。"

随即，唐铠铠清了清嗓子，朗声说道："准备好了，组长。"

哗啦一声闷响，沙盘入口处的大门打开了。

两人的 VR 眼镜两旁突然亮起了两束强光，把入口通道照得雪亮。与此同时，VR 眼镜的镜片也开始映射出了影像，萧朗和唐铠铠知道，测试开始了。只是令他们没想到的是，这个 VR 眼镜映射出的影像居然那么逼真，让他们瞬间感到身临其境了。

现场是一条高速公路，公路的两旁是并不高的山坡，显然，这是一座开山修葺的高速公路，其位置恰恰正是小山的咽喉处。

现场正下着倾盆大雨，从道路两侧的小树摇摆情况，可以看出风力也不小。不过，萧朗和唐铠铠此时正处于一个"上帝视角"，并没有直接感受到雨滴和大风。

他们面前的高速公路的影像很昏暗，显然是在晚间拍摄的。除了路上白色隔离线还能看得清楚以外，道路两旁的隔离桩都只能看得见一个影子。路上没有车辆的行驶，倒是能听见呜呜的声音，就像是恶鬼正在哭泣；路侧的小树不停地摇摆，像是群魔正在乱舞。

就这样过了十几秒钟，现场呜呜的声音更加清晰，吓得唐铠铠不自觉地靠近了萧朗。一头雾水的萧朗正在观察着前方的情况，感觉到唐铠铠靠近，于是一手揽住她的肩膀，轻轻地拍了拍。

又过了十几秒钟，路面突然开始亮了起来，道路两侧隔离桩上的反光灯也发出了淡淡的橘色，隔离白线也更加清晰。

"有车来了。"萧朗全身肌肉紧绷了起来，说，"不过，我们的视角是在天上，是不是不需要躲避？"

话音刚落，一辆黄色的柯斯达面包车出现在视野里，向前开去，夹杂着胎噪的声音和溅起的水花。车子经过的时候，路旁的景象都被暂时照亮。

"这是什么意思啊？"萧朗扶了扶 VR 眼镜，一脸疑惑的表情。

车辆行驶到视野上端边缘的时候，突然急打方向，因为重心较高，车辆向右侧猛烈偏移，并且在偏移的过程中发生侧翻。车侧着地后，和地面摩擦形成的火星四溅。因为惯性作用，车辆一侧着地滑行着，向右侧的隔离桩冲去。很快，车头撞击了隔离桩，把隔离桩硬生生撞断，车辆猛地冲出了隔离桩，从视野中消失了。

"你看到没有，刚才车前窗亮了一下。"萧朗指着眼前跳脚道。

"没有啊，什么亮了一下？"唐铛铛见萧朗总是关注一些并不重要的东西，有一些无奈。

"好吧，算了，没啥意义。"萧朗憨笑着摸了摸后脑勺，说，"这就完事儿了？考验我们啥啊？交通事故处置？不会吧！让我去当交警吗？那我要退学，我要回去学考古。"

突然，两人的眼镜前一亮，出现一排小字："即将进入下一场景，5，4，3，2，1……"

唐铛铛又下意识地抓紧了萧朗的胳膊。

眼镜重新亮起的时候，萧朗和唐铛铛才知道，相对于刚才的场景，这才是真正的身临其境。

几乎是与眼镜重新亮起的同时，倾盆大雨自上而下把两个人瞬间浇透。

"哎呀我去，还是5D的！早说我就穿雨衣来了。"萧朗抹了一把下巴上正在往下滴落的水珠，又挪了挪身上全是电线的马甲，说，"这玩意儿防水不？不会漏电吧？我可不想还没战死沙场，就被这破玩意儿电死了。"

大雨是伴着狂风一起到来的，吹得唐铛铛摇摇欲坠，萧朗赶紧伸手扶住了她。

两个人现在所处的场景，是一处山坳里。萧朗挺直身板向四周看了看，他们正站在被撞断的隔离桩旁边，应该是到了车祸的现场，只是前方黑乎乎的，看不清状况。此时，耳后呜呜的声音更明显了，就像是背后站着一只张开血盆大口的鬼怪。

"有……有灯吗？"唐铛铛发抖的声音在大风的掩盖下变得模糊不清。

她颤抖着去触碰 VR 眼镜的镜腿部分，这一碰，果真出现两束强光照射到了前方。

萧朗一见，觉得新奇，也打开了眼镜灯。

眼前的地面上，侧卧着一辆柯斯达，车子的周围都是低矮的灌木丛。

"我去，真让我们处置交通事故啊！守夜者组织是骗人的吗？"萧朗心怀不忿，跳下了路肩，又回转身去，张开双臂，示意唐铠铠也跳下来。

"要，要下去吗？"唐铠铠不知道是因为浑身淋透而发冷，还是因为周围黑乎乎的环境而害怕，声音愈发颤抖。

"不下来怎么考试啊？"萧朗说，"虽然我也没想明白，为什么要用一起交通事故来考我们。"

唐铠铠先是坐在了路肩上，然后鼓起勇气，闭眼一跳，跳进了萧朗的怀抱。

两人踏着灌木丛，向柯斯达靠近，萧朗不断动着自己的耳朵想探听到汽车内的声响。可是，在狂风暴雨当中，似乎一点异样的动静都没有。

"车里会不会有死人啊？"唐铠铠怯生生地说。

"没死人要我们来干吗啊？"萧朗笑道。

"那你先进去看。"唐铠铠环顾了一下漆黑的四周，立即改变了主意，"不，我要和你一起进去。"

"能不能进去还不一定呢。"萧朗走到了侧翻着的柯斯达的旁边，左看右看。

这辆柯斯达是两门车，出入口只有左侧的司机门和右侧的乘客门。副驾驶的车窗和乘客门因为车辆的右侧翻而被压在车身之下，又因为光线和灌木的遮盖，看不清那一面的情况。前挡风玻璃上有喷溅状的血迹，但也因为光线问题，无法看清车内的情况。

"有血！"萧朗从外面指着挡风玻璃，说，"我说吧，要没死人，我们来干吗？"

"这句台词是聂哥的。"唐铠铠整理了一下被淋湿的头发。

前后窗的玻璃都是完好的，车顶也没有损伤，看起来，想进入车内，就只有上到车辆的左侧面去了，从驾驶门进入——如果驾驶门还是好的话。

柯斯达的车宽达两米，侧翻后想上到车左侧面去，就要攀登两米的高度。不过这个高度对于萧朗来说实在是很简单。他双手搭住车上沿，轻轻一个燕子翻身就上了车左侧，然后伸手去拉唐铠铠。唐铠铠的小体格，被萧朗轻轻一拉，就双脚腾空上来了。

"你要多吃点，越来越瘦。"萧朗拍了拍巴掌，说。

"长那么多肉干吗？"唐铠铠蹲在柯斯达的左侧车厢铁皮上，说道。一来这个高度有点高，车子又在摇摇晃晃的，让唐铠铠不敢轻易站立；二来黑洞洞的车窗里面，还不知道有什么可怕的东西呢。

萧朗走到车窗旁边，用手指关节敲了敲车窗，发出砰砰砰的声音，说："车窗都是完好无损的，我就说这不可能嘛，弄了半天，这车窗户是经过钢化处理的，有钱人的专用座驾吧。"

"那我们还进吗？"唐铠铠问。

"进啊，不进怎么了解案情啊？"萧朗像是拉开窨井盖一样拉开驾驶座门，探头进去看了看，说，"什么也看不到，驾驶座没人，后面好像也没人，你先进？"

唐铠铠缩在一旁摇了摇头。

"那我下去了？"萧朗指了指车里。

唐铠铠又摇了摇头，说："你下去，门就自动关上了。"

"那你撑着门，我先下，你接着下。"萧朗让开一边。唐铠铠双手试了试，门很重，所以向下关闭的力量很大，她显然撑不住。

萧朗叹了口气，摇摇头，说："来，抱着我的脖子。"

两个人像是老猴子带小猴子一样进入了车里，VR 眼镜的光束瞬间把车内照亮。在 VR 眼镜的后面，唐铠铠偷偷眯着眼睛，生怕自己看见可怕的事物。

可是，车内空无一人。

"哎呀我去，姥爷还真是不按常理出牌。"萧朗踩着座椅靠背，弓着腰在车里走了一圈，说，"还真是没有死人。"

"可是，车子怎么会是无人驾驶？"唐锴锴细思极恐。

"是啊，奇怪。"萧朗依旧是走来走去。

柯斯达被压在下方的右侧面上散落着一些杂物，比如散落的工具箱、纸巾、茶杯、皮包、眼镜什么的。萧朗伸手去拿，没想到还真的拿起个什么物件。萧朗低头仔细一看，拿在手里的是一个皮包，皮包里的证件和钞票一应俱全，什么都不缺。

除了挡风玻璃上少量的喷溅状血迹以外，其他部位都没有再看见血迹了。

一个没有伤者和尸体的车祸现场，导师们究竟要考我们什么？萧朗想。

唐锴锴见车内并没有什么恐怖的事物，也平静了下来。她站在副驾驶靠背的侧面，探头看悬挂在车顶的一个黑色匣子。

"黑匣子？"萧朗被唐锴锴的目光吸引了过来，"这车上还有黑匣子啊？"

"什么黑匣子？飞机的黑匣子才不是黑色的，是橙红色的！"唐锴锴抿嘴笑了笑，说，"这应该是这辆车的行车记录仪。"

"记录仪有什么用？"萧朗不以为意，"刚才我们看见了路面的监控，这车本来就是莫名其妙地转向翻车的，前面并没有什么遮挡物或者障碍物，也没有路障。哦，不过如果这个记录仪是照向车里的，说不准有什么线索。"

"不，镜头就是朝向车前面的。"唐锴锴遗憾地摇摇头，说，"不过我爸说了，现场勘查本来就是要抱着'死马当成活马医'的态度，任何线索都不轻易放手，才能组建出清晰的证据链和线索。"

"好啊，你爸给你开小灶。"萧朗嬉笑道。

"说不定有录音什么的呢？"唐锴锴说完，想去卸下行车记录仪。

"我来帮你。"萧朗正准备伸手去摘记录仪，突然停了下来。

"摘啊。"唐锴锴盯着记录仪，对它的安装方式百思不得其解。

"嘘。"萧朗神神道道地做了个嘘声的手势。

"别想吓唬我。"唐铠铠不屑一顾地说。

萧朗站在原地入定了几秒，猛地趴上柯斯达左侧的窗户，向上方看去。两束白光透过车玻璃，照向一侧的山坡，影影绰绰，看不清什么。

"不好！山体滑坡！"萧朗大声喊道，"快逃！"

"这个还没拿下来。"唐铠铠并未发现异常，依旧在想办法卸下行车记录仪。

"来不及了。"萧朗无奈地冲到唐铠铠的身边，用手中的扳手一把敲碎了行车记录仪的外壳，伸手把盒子里的电子组件一把扯了下来。

"哎，你这样我还得花工夫恢复。"唐铠铠夺过了萧朗手里的电子组件，端详着。

"再不跑，别人就要花工夫参加我们的追悼会了。"萧朗边急切地叫喊着，边去拉驾驶座的门把手，可是无论怎么拉扯，驾驶座的大门就是没能被开启。

"不好！儿童锁在翻车过程中落锁了。"萧朗几步合成一步跨到车厢中部的钢化玻璃窗处，想一把拉开窗户。可是，窗户并没有被拉开。

已经急得满脸通红的萧朗，一拳击打在窗户锁的位置，随着砰的一声巨响，窗户锁炸裂了，碎屑擦着唐铠铠的头发飞了出去。萧朗见窗锁已毁，一把拉开了窗户。

整个过程中，唐铠铠一直蒙在那里。

"走了！"萧朗一把拽过唐铠铠，连抱带托把她塞出了窗外，然后自己双手一撑也逃出了车外。大雨又重新浇落在他俩的头上。

"是不是要保护证据？"唐铠铠问道。

"先保护小命。"萧朗把唐铠铠抱起来扛在了肩膀上。

此时地面已经开始剧烈地抖动起来，车旁的山坡上正在往下滚着大小不一的石块和泥土。仅仅三秒钟的时间，更巨大的石块开始从坡顶往下滚落，带动着周围的泥土不断飞溅起来。

"哦，这就是山体滑坡啊，以前只在电视上看过。"唐铠铠趴在萧朗的肩头淡定地说道。

萧朗则是踏着车窗跳下车体，踩着低矮的灌木，一路狂奔，转眼就来到了高速公路旁边的路肩之下。而也就是半分钟的时间，滚滚而下的泥土和大石，在萧朗的背后疯狂地砸击着侧卧着的柯斯达，玻璃的碎裂声、钢铁被压变形的声音不绝于耳。萧朗和唐铠铠翻上隔离桩再回头探望的时候，早已看不见柯斯达的影子了。

"太可怕了。"萧朗放下唐铠铠，擦了擦额头上的汗，手腕碰到了 VR 眼镜，才想起，这不过是一场测试，所有的声光动效，其实都是电脑模拟出来的。

想到这里，发现唐铠铠正在眼含笑意地望着他，萧朗尴尬地笑了笑，说："我知道是假的，不过我这就是认真参加考试的态度。"

"行车记录仪电子元件已经损毁，是否存在修复的可能？"两人的耳机里突然传出傅元曼的声音。

"哪儿啊？哪儿啊？不是在铠铠手上吗？"萧朗的眼镜里并没有出现影像，所以他盯着唐铠铠手里的电子元件，说。

而唐铠铠的 VR 眼镜里呈现出了一堆碎片。

唐铠铠快速地转动着眼球，良久，她说："可以通过芯片焊接来实现数据重组。不过，要想完全恢复里面的数据，我也只有……六成把握。"

"我把铠铠提供的破解方案送去请教了我们警界最顶尖的电子物证专家，他们对铠铠是大为赞赏啊，说铠铠发明的这个方法，是全新的方法，可以大大缩短数据被破解、恢复的时间。在专家们看来，用这种方法取得成功是必然的，铠铠说的六成把握，实属谦虚之言了。"站在操控室大屏幕前的傅元曼满意地看着屏幕里的唐铠铠，说，"唐骏啊，你是培养出了一个极其出众的女儿啊。"

"她自己的喜好而已，我可没想让她来当警察。"唐骏无奈地耸了耸肩，说，"你的外孙不也是这样？这一连贯的负重逃脱的数据，还有发现滑坡的敏锐听觉，怕是部队里的战狼突击队员们都望尘莫及吧。"

"守夜者有希望了？"傅元曼郑重地盯着唐骏。

唐骏的眼神黯淡了一些，没有直面傅元曼的问题，他朗声说道："唐铠铠抵达现场第一时间寻找关键电子物证，并且在险境中将电子物证带回。经图像识别，唐铠铠有能力较高概率复原行车记录仪里的数据。这些能力特征符合守夜者组织中觅踪者的能力条件，考核准予通过，授予觅踪者职位衔。"

说完，他在档案袋上啪啪地盖上了两个大印，一个写着"通过"，一个写着"觅踪者"。

"萧朗在现场及时发现紧急警情，并且在第一时间携同伴成功逃脱危险，以其敏锐的感官以及警体方面的特长，结合之前三个月的表现，我们认为他符合守夜者组织中伏击者的能力条件，考核准予通过，授予伏击者职位衔。"

说完，又是啪啪两声盖印的声音。

操控室后排的座位上噼里啪啦地响起了掌声，原来守夜者组织的导师们都已经到场了。

萧朗和唐铠铠浑身湿透地走出沙盘，唐骏拿着一块大毛巾，立即给唐铠铠裹了起来。

"宝宝快回宿舍洗澡，别冻着了。"唐骏关切地说。

"爸——我不是宝宝了。"唐铠铠看了一眼正在憋着笑的萧朗，不好意思地嗔怪道。

"我的毛巾呢？"萧朗甩了甩湿漉漉的头发，伸手找唐骏要毛巾。

"你一个大小伙子怕什么冻？"唐骏没理萧朗，转身离开。

"喂喂喂，这也太不公平了吧？不仅开小灶，还塞毛巾。"萧朗嬉笑道，"宝宝也怕冷，宝宝也要毛巾嘛。"

"你好烦。"被大毛巾包裹着的唐铠铠踢了萧朗一脚。

"下一组准备。"广播里传来傅元曼的声音。

在准备室的其他学员并不知道萧朗和唐铠铠发生了什么，经过半小时的等待之后，终于又听见组长的声音，不禁都开始骚动了起来。

"哎哟，车祸啊。"程子墨嚼着口香糖说道。

"这车祸很蹊跷啊。"凌漠说，"这条高速路前面什么都没有，为什么会翻车？"

"人，本身就是个很神奇的生物。"聂之轩举起了他的假肢，"现实推理的精髓就是，'不以己度人，不先入为主'。"

"聂哥你这是在抗议自己被关了几天禁闭吗？"程子墨笑道。

"没有，没有。"聂之轩笑道，"我只是说，通过车辆的异常情况，并不能直接推理出车内人员的状况，必须结合现场勘查和尸体检验情况综合判断。"

凌漠没有说话。

"这样的撞击、侧翻，如果不是很寸的话，不一定会死人呢。"聂之轩踮起脚尖，试图从眼前的屏幕里看见已经冲出了视野的柯斯达面包车。

"哈哈，你踮脚有什么用？"程子墨笑话道，"这是个监控，车子冲出了高速路，就离开了高速视野。估计下一步，是让我们勘查现场了吧？"

"有道理，可是连个勘查箱都没有，怎么勘查现场啊？"聂之轩看看自己的身边，还有自己空空如也的双手，看来沙盘系统并没有准备给他们一套勘查设备。

"车到山前必有路。"程子墨在出现倒计时的时候这样说道，但其实她的心里也在打着鼓。

很快，眼前的景象进行了切换，并且有倾盆大雨从天而降。

"不好，大雨会严重破坏现场物证。"聂之轩的假肢并不影响他的活动，他三步并成两步，翻过高速隔离桩，跳到了柯斯达的旁边。

"我们好像丝毫没有办法。"同是现场勘查员出身的程子墨说，"连一块雨布都没有，根本实现不了对现场的保护。"

凌漠紧跟着聂之轩步入现场，一言不发围着柯斯达转了起来。

"不对啊！车内居然没人！"这一奇特的发现，让聂之轩的好奇心立即被激发了起来。他找不到勘查装备，于是用自己的右手假肢拉开了车门，直接跳进了车内。

"车胎完好，没有被破胎的迹象；底盘、悬架一切正常，没有明显的车辆故障。那么，这又是为什么呢？"凌漠一边自言自语似的念叨着，一边爬上了车的左侧面。

"子墨，你先下去吗？"凌漠拉开车门指了指车内。

"嘿，不要用手直接接触门把手啊。"聂之轩在车内喊着，随即转念一想，又说，"唉，不过雨下成这个样子，也确实没有保护的意义了。"

而站在车侧的程子墨一直没有挪动身子，左看右看地不知道在想些什么。直到凌漠又叫了她一声，她才反应过来，连忙说："不，我们不能都进去。还有，我要去这片小树林里看看。"

大家的注意力都被这一辆侧翻的柯斯达所吸引，甚至没有人注意到车侧的小山坡上，有一片密集的小树林。

凌漠转念一想，认为程子墨的决策是非常正确的，于是独自跳进了车里。

车里的聂之轩不知道从哪里找来了一个纸袋子，正在将车里散落的各种杂物往纸袋子里装。

"好在有只没有指纹的手，不然都不知道怎么收集这些物证了。"聂之轩自嘲道，"可惜没有相机，不能固定物证具体所在的位置。"

"没关系，我都记住了。"凌漠自信地说。

"快来啊！"

两个人隐隐约约地听见车外程子墨的叫喊声。

凌漠一个转身冲到车门旁，发现门居然是无法从内侧打开的，说："子墨的选择是对的，如果我们都进了车内，真遇到危险，我们就被困在车里了。"

"赶紧看看车窗锁有没有坏。"聂之轩看了看车窗内侧的卡锁，说，"车窗是从内侧锁上的，但我要试一试能不能打开，只是苦于没有开锁工具。"

话音刚落，车门被人一把从外面拉开了。程子墨探进来半张脸，看着一脸蒙的聂之轩和凌漠，说："你们快去看看，小树林里有一具尸体。"

"尸体？"聂之轩惊道，"驾驶员吗？"

"那就不知道了。"程子墨费劲地支撑了一下车门，说，"门好重，你们动作快一点。"

三人从车上跳了出来，快步跑到了小树林里。果然，小树林的深处，一棵小树的枝丫上，悬吊着一个人。

"车祸后自杀？"程子墨说，"有点不可思议。"

雨越下越大。

"聂哥，这么大雨，你的……你的手脚行吗？"凌漠关切地问。

聂之轩围着尸体绕了两圈，说："不生锈的，好用得很。"

说完，他把尸体从树丫上放了下来，并且把悬吊尸体用的绳索装进了纸袋。

"这个沙盘模拟的效果真好，在摸到尸体之前，我一直都觉得自己真的是在一个大雨中的现场。"聂之轩说，"不过碰到尸体，就知道是假的了。虽然导师们很努力地把尸体做得更加手感逼真。"

把"尸体"放下来后，聂之轩检查了一下死者的颈部索沟[1]，看了看死者的眼睑和口唇，又把"尸体"的衣服掀起来看了看躯干部。

"肋骨骨折。"聂之轩说，"胸腹部弧形皮下出血，这是方向盘损伤。"

"也就是说，他就是驾驶员？"凌漠问。

聂之轩点了点头："会不会给我们造一个虚拟的解剖室？不然这连工具都没有，怎么解剖检验啊？用'手刀'吗？"

聂之轩用右手比画成"刀"的样子，朝尸体的胸腹腔"切"了一下。他知道这是沙盘演习，说不定这样比画一下，就能出现一个虚拟解剖的影像了。可是，眼前的尸体并没有发生什么变化。

"我还以为真的有那么高科技呢！"聂之轩哑然失笑，"我得和组长建议一下，这个沙盘系统里，一定要加入法医的虚拟解剖，这样才带劲嘛！"

---

1 编者注：索沟，俗称绳印，指绳索压迫人体软组织留下的痕迹。

"聂哥你动作要快一点，我们现在很危险。嗯，大雨的山坡下，是很危险的地方。"程子墨说。

"你是说，泥石流？"凌漠抬头看了看坡顶，巨大的黑幕和雨雾遮挡了视线。

判断地形、警示危险，这些都是捕风者应该具备的技能。作为负责化妆侦查、潜伏卧底、收集线索的捕风者，最重要的能力就是可以"预知"危险的存在，并且设定好脱险的方案。但是守夜者组织里的退休导师中，还真就没有捕风者。因此，在过去三个月的培训中，对于捕风者的课程，学员们也没有涉猎。

"这些知识，你是跟谁学的？"凌漠问。

"这还用学吗？女人的第六感啊。"程子墨甩了甩头发，吐了口香糖，莞尔一笑。

突然，一颗小石子打在了程子墨的马甲上，发出了"啪"的声音。几个人同时愣了一愣。

"不会是，说曹操，曹操就到了吧？"凌漠低声说。

"跑啊！真滑坡了！"程子墨转身就跑。

凌漠和聂之轩下意识地跟着程子墨往高速方向跑，跑了几步，聂之轩又转头返回了尸体旁边，而凌漠则突然转向，跑向了柯斯达。

"嘿，你们俩干吗啊？给石头砸了肯定就不合格了。"程子墨站在高速旁边挥着手。

此时，山体滑坡的声音越来越大，山石扬起的灰尘和空中的雨滴发生了激烈的对抗。眼看着滑坡已接近了小树林，聂之轩终于冲出了树林，扛着一具"尸体"向程子墨跑了过来，另一边的凌漠也浑身湿透地跑了回来。

"生死关头还救'尸体'啊？"程子墨惊讶地看着气喘吁吁的聂之轩说。

"尸体不仅仅是物证。"聂之轩把"尸体"横放在高速路肩上，从口袋里掏出一个手帕，盖在了尸体的脸上，蹲在地上喘了半天，说，"这更是一个需要被尊重的圣物。作为一名法医，如果不知道怎么去尊重一具尸体，就不会懂得怎么解读它的语言。"

程子墨郑重地点了点头。三个人低头站在路肩上，听着远处山体滑坡的轰轰作响，像是在为逝者默哀。

在滑坡的泥石流掩盖住柯斯达的时候，眼前的景象戛然而止。

"请学员到宿舍区沐浴更衣，待全体学员考核结束后，在大会议室集合。"傅元曼的声音响了起来。

"这……这就结束了？我们考了什么？尸体还没解剖呢！一会儿要是问死因我怎么答？"聂之轩挥舞着他的假肢，不知所措。

"哎呀，行啦。"程子墨挽住聂之轩的右胳膊，拉着他离开了沙盘，"行还是不行，一会儿不就知道了吗？"

"咱们的这次考核，好像并没有把我徒弟的特长发挥出来。"唐骏微微一笑，说，"作为一个读心者，居然不给他设置一个活人，怎么读人心啊。"

"你这个读心者，是故意的吧？"傅元曼放下话筒，哈哈一笑，"读心者可远远没有读个心那么简单。要想真正成为一名读心者，除了有超高的情商，以及心理分析的技能以外，还需要有超常的记忆力和逻辑推理能力。我看啊，咱们这个组织，就是读心者最不好当了。"

"那您看，凌漠行吗？"

"他在最短的时间内，观看了全车的外表和内部情况，甚至可以记住聂之轩所有提取回来的物证的位置和形态。"傅元曼摸了摸下巴上的胡茬儿，说，"而且在危急关头，他还回去仔细观察了副驾驶座上的喷溅状血迹形态。我相信，这个时候的凌漠，应该是正在通过绘画来还原现场吧。"

"您的意思是，他通过了？"唐骏拿起了刻有"通过"的大印。

傅元曼微笑着点头，说："凌漠是我见过的为数不多的、很有天资的好孩子。不过，我觉得他对地形的判断力以及他善于伪装的能力，更适合做捕风者。"

"嘿，老爹，他可是我的徒弟！谁也抢不走！"唐骏一边抗议，一边抢过"读心者"的大印，抢先一步盖在了凌漠的档案袋上。

"还带你这样的？"傅元曼举着"捕风者"的印，哈哈大笑，然后眼神闪了一闪，说，"不过，这么看起来，你对捕风者这个名号，还是有点情绪的嘛。"

"没有啊。"唐骏躲闪开傅元曼的眼神，说，"刚才最早发出预警，第一时间发现险情的，其实都是程子墨。我觉得这个小丫头既然不甘心做幕后的寻迹者，又那么喜欢枪械，枪法又精准，她才是捕风者的最好人选。而她的志愿，也是捕风者。"

说完，唐骏拿起"捕风者"的大印，比画着看着傅元曼。

傅元曼默默地点了点头，说："继老董之后，捕风者空缺了二十多年，现在也算是后继有人了。哦，对了，老朱，程子墨是你的徒弟，你没什么意见吧？"

患有帕金森综合征的退休寻迹者朱力山点了点头，费劲地说："廉颇……老矣，年轻人，随她去吧，还有，还有之……之轩。"

"一个合格的寻迹者，绝对不仅仅是表象上的严谨、细致、明察秋毫，更是精神层面上对生命的敬畏。"傅元曼说，"不骄不躁、不枉不纵的聂之轩，当之无愧。"

看着傅元曼郑重地在聂之轩的档案袋上盖下了大印，唐骏微笑着拿起话筒："下一组学员准备。"

又经过了三组的角逐，十一名学员全部测试完毕。让所有导师们欣慰的是，每名学员都顺利地通过了考核，也通过此次考核展示了自己的特长。

傅元曼还剩下最后一项工作，就是调取每名学员在整个考试过程中的身体体征变化图谱，根据他们身体体征的变化，比如血压、心率、呼吸和肾上腺素水平，来判断每名学员在不同情景状态下的心理状态。

这项工作按规矩，是守夜者组织的负责人去做的。所以，傅元曼请离了其他的导师，把十一份图谱并列摆在了自己的面前，慢慢地戴上老花镜，仔细地看了起来，边看，边不停地点头微笑。

直到他看到其中一张图谱，上面所有的曲线都很平直，没有任何大起大落，和其他的十份图谱有着明显的区别，傅元曼皱了皱眉头，低头思考了一下，默默地站了起来。

他把十一名学员的各项考核材料逐一重新装进了档案袋，小心地把每一个档案袋密封起来，用蓝色的中性笔在其中一份档案袋的"通过"二字旁边，慢慢地画出一个问号。

十一份档案袋堆在一起，有半米多高，傅元曼艰难地抱起所有的档案袋，放进了他办公室的保险箱里，认真地上了锁。

当傅元曼走到大会议室门口的时候，所有的导师列队和傅元曼握手，大家的喜悦之情都洋溢在脸上。

最后握住傅元曼宽厚手掌的，是唐骏，他指了指大会议室说："组织成员们已经准备完毕，整装待发。嗯，恭喜老爹，恭喜守夜者组织，重启了。"

这一句话让已经七十三岁的傅元曼心潮澎湃，他强忍住就要夺眶而出的泪水，双手使劲推开了会议室大门。

守夜者组织会议室的第一排，坐着十一名穿着警用制服、胸口佩戴守夜者组织标识的年轻人，他们齐刷刷地起立，并高喊："组——长——好！"

第三章　高速鬼影

我大声呼喊，连名带姓地喊。喊声落在旷野里，好像给吞吃了似的，没留下一点依稀仿佛的音响。

——（中国）杨绛

1

傅元曼站在讲台之上，恢复了威严的表情，他扫视了一圈，示意大家坐下，接着说："通过这次考试，你们对这一起案件有什么看法吗？"

"基层警察不容易啊。"萧朗故作深沉地说。

"组长显然不是问这个。"坐在萧朗一侧的聂之轩笑着说。

"侧翻原因很重要吧。"凌漠说。

"那你们有什么看法呢？"傅元曼问。

"很蹊跷。"凌漠说，"道路上并没有异常。"

"侧翻前车子的前挡风玻璃亮了一下，会不会是车子有问题？"萧朗说。

"不会。"凌漠说，"我看了车辆的底盘，没有问题，轮胎也没有问题。排挡杆也在档位上，方向盘是向右打死的。这样的情况，一般都是避让行人才会出现的。"

"可是并没有行人。"萧朗说，"这一点，监控上可以看得清清楚楚。会不会是驾驶员玩手机啊？"

凌漠耸了耸肩膀，没说话。

"如果能复原行车记录仪，说不定会有一些线索。"唐铠铠细细的声音，险些被这几个老爷儿们的声音盖住。

"可是行车记录仪只能照向前方，而车辆的前方情况，从监控上就可以清清楚楚看到。"萧朗说，"行车记录仪不能记录车内的情况呀。"

"有的记录仪有录音。"凌漠说，"目前看，这是最靠谱的一种做法。"

本来被萧朗否定后有些尴尬的唐铠铠，认可并感激地朝凌漠点了点头，萧朗则瞪了凌漠一眼。

"其他问题呢？"傅元曼打断了对侧翻原因的讨论。

"车内不止一个人。"凌漠说完，从口袋里拿出一张纸，说，"这是我复原的车辆内部物证情况，看起来并不属于一个人所有的物品。"

图纸上详细标识了车内散落物品的位置，物品里有两副脱落的眼镜，茶杯和皮包放置的位置也都不同，说明至少有三个人坐在柯斯达的后座。

"但驾驶员可以肯定就是死者。"聂之轩说，"小树林里缢死的那个人，就是驾驶员，这一点可以从死者身上典型的方向盘损伤来确定。"

"车内既然有其他人，却失踪了，而驾驶员死于缢死，这又能说明什么问题呢？"傅元曼问。

"说明什么问题不好说，但是这肯定不是一起简单的意外。"凌漠说，"因为事发后，现场车外是有其他人的。"

"怎么说？"傅元曼微笑着点头。

"车辆在侧翻的一瞬间，车门损坏了，只能从外面打开，内侧打不开。"凌漠说，"而车窗都是从内侧锁闭的，没有打开车窗的痕迹。那么，车内的人，是怎么到车外去的呢？"

"只有一条路，就是有人从外面打开了车门。"萧朗竖起了一根手指，抢先说道。

"幸亏门打开了，不然岂不是得全部葬身泥石流？"程子墨说。

萧朗摇摇头，说："开窗就好了，我就是开窗出来的。"

"你那是破坏窗，哪是开窗？"唐铠铠掩嘴笑道。

"杀人，还是救人？"傅元曼问，"荒山野岭的，车外的又是什么人？"

大家都在沉默，一时不知道如何回答。

"莫名其妙的车辆侧翻，莫名其妙的离开车辆的方式，莫名其妙的多人失踪，莫名其妙的司机死亡。"傅元曼扳着手指头，说，"那么，如果要解开这个谜团，换作你们，该如何去调查？"

"掌握的信息量太少了点吧，这也太为难我们了。"萧朗说，"这辆车上高速总有卡口[1]照片吧？还有，车上的乘客身份也应该能搞清楚吧？"

"我看到车牌是'南A232G2'，应该很好找源头。"凌漠说。

"问题很好。"傅元曼说，"其实，这是一起发生在两天前的真实案件，因为公安部刑侦局下达了指示，要求我们守夜者协助警方查清事实，所以我们导师决定，先将警方目前已经获得的线索制作成沙盘模拟影像，作为考核的内容。一来看看你们在面对这个案件现场的真实反应，二来也可以更加直观地感受到事发时的状况。"

"泥石流也是真的？"程子墨举手问道。

傅元曼沉重地点了点头，说："现在，我背后大屏幕上这两张照片中的人，就是在处置本次事件中，牺牲的两名基层交警。大家请全体起立，默哀一分钟。"

屏幕上出现了两张年轻的笑脸，他们穿着整齐的制服，帽子上的警徽闪闪发亮。

十一名守夜者组织成员，以及能站得起来的导师们全体起立，把帽子摘下，捧在左臂，低头默哀了一分钟。

"现在，我就来具体介绍一下本次事件的相关情况。"傅元曼示意大家坐下。

两天前，是南安市矿业协会开年会的日子。南安市周边几个县有一些煤矿资源，除了国有的矿场之外，还有一些私人承包的小煤矿。这些私人煤矿的老板，共同成立了一个"南安市矿业协会"，作为技术交流、生意洽谈、经验介绍的平台。

每年的下半年，协会秘书长都会召集各县的会员单位来参会，今年也不例外。根据调查，今年的年会也是很正常地召开，没有任何异常所在。

当天年会的晚宴结束后，协会秘书处租赁了七辆柯斯达面包车，将七个县的参会代表分别送回各县。这七辆面包车和七名驾驶员都属于南安龙

1　编者注：卡口是高速道路上的特定场所，如收费站、交通或治安检查站等，卡口处设有监控系统，对所有通过该卡口点的机动车辆进行拍摄、记录与处理。

岸汽车租赁公司，这是南安最大、最规范的汽车租赁公司，驾驶员也都是四十岁以上的专职驾驶员。

事发路段是从南安市通往安桥县的高速公路。安桥县隶属于南安市，因为有其他三条可以直达市区的快速公路，所以这条非跨省、非跨市的高速公路就显得格外冷清。绝大多数不赶时间的司机，都会为了省去三十元的高速过路费而选择走快速公路。

据调查，这条高速冷清的另一个原因是，有司机曾经在这条路上遇见了"鬼打墙"的事件，声称自己在高速公路行至两山之间的时候，开不出去了，最后整整开了两个多小时，才从两山之间脱离。而两个多小时的时间，足够从南安市到安桥县之间往返一次了。因为这个传言，很多司机更不愿意走这一条高速了。

这些传言也引起了警方的注意，并且在两山之间的高速路上安装了监控装置。不过，在安装监控装置后的两个多月时间里，并没有发现什么异常情况。

然而，两天前的那一场事故，恰恰就发生在两山之间。

事发当晚，协会秘书处的一名职员负责送车。吃过饭后，安桥县的五名煤老板醉醺醺地被职员送上了柯斯达面包车。根据该职员的回忆，五名老板分别坐在柯斯达的第二排和第三排。这五个人因为饮酒不少，所以一上车就处于闭目养神的状态。职员向司机简单叮嘱几句后，就目送柯斯达离开了。

根据职员的叙述，他和司机交流的大概内容是，他要求司机将五名老板送进县城后分别送到各自的小区。司机称正在下大雨，他抵达安桥县就比较晚了，出于安全考虑，希望雇主可以给他解决在安桥县居住一晚的住宿费用。毕竟矿业协会资金充足，职员就答应了司机的请求。另外，其中一名老板提出，大雨的夜晚行驶在快速公路上会有极大的安全隐患，希望可以走高速公路；司机也立即表达了希望雇主能报销高速公路过路费的愿望。出于安全考虑，职员也同意了这个提议。

虽然大雨瓢泼，但毕竟是有二十年驾龄的老司机在驾车，所以柯斯达只用了半小时穿越了拥堵的南安市中心，接着抵达了南安至安桥高速公路的收费口。从后期警方调出的视频来看，司机正常通过自动发卡通道，取卡，进入高速。因为柯斯达的挡风玻璃较大，从监控录像里可以看到副驾驶没人，但后排是有人乘坐的，这和职员的口供相吻合。

在随后的几个监控摄像探头拍到的影像中可以看到，柯斯达以一百码的速度匀速在大雨里行进，状态一切正常。直到柯斯达开进了两山之间，进入了那台新架设的监控摄像探头的范围之内，突然猛打方向，整车因为失去重心而侧翻，直接冲出了隔离桩，离开了监控视野，掉落至山坡之下。

这段监控录像，被守夜者组织的导师们直接拷贝回来，做成沙盘模拟影像，成为学员们考核内容的第一段影像。

南安至安桥的高速公路，其实是南安至上海的高速公路的延长段，整条高速在南安市辖区内的部分，都受南安市公安局高速交警支队的直接管辖。因为整条高速上的监控点很多，不可能每个摄像探头都有人实时观看，所以在事故发生后半小时之内，并没有人发现警情。好在当晚交警支队指挥室的民警很负责任，在接班后，开始对每个监控摄像探头之前的影像进行快进观看，无意中看到了这一起事故。

因为在事故发生后半个多小时的时间内，没有其他车辆通过事发路段，所以若不是这名交警发现，可能这起事故就这样被隐藏了。

指挥室的民警在发现事故后，立即通知高速交警支队下属的铁骑大队派员火速赶往现场确认情况，并通知120派员赶往现场救护伤员。在大雨之中，赶赴偏僻的高速公路现场，铁骑警察就充分发挥出他们的机动性了。两名警员驾驶两辆摩托车从最近的入口驶入高速，一路闪着警灯抵达了现场。

抵达现场后，两名警员在柯斯达的附近进行了观察，立即发现了异样——车内空无一人。对于交警而言，他们的第一反应就是驾驶员可能存在酒后驾驶的情况，在车辆出现事故之后，逃离了现场。于是，两名警察取消了指派120的指令，并向指挥中心报告，请求进入车内进行勘查，以期在第一时间提取相关证据，证明驾驶员可能存在的违法或犯罪行为。在指挥中心下达同意的指令之后，较为年长的警察进入车内进行勘查，较为年轻的警察在附近进行初步搜索。

电台声："指挥中心，铁骑027号请求查询车辆信息。"

人声："收到。"

电台声："车辆号牌：南A232G2，重复，南A232G2，应该是真实号牌，号牌防盗螺丝正常。"

人声："车辆属于南安龙岸汽车租赁公司，已通知辖区派出所派员进行溯源。"

电台声："收到，铁骑027号正在巡查周围现场。"

电台声："指挥中心，铁骑013号警员进入柯斯达面包车内，确认车内无人。"

人声："请确认车内物品情况及车辆损伤情况。"

电台声："车内有一些随身物品，皮包、笔记本、茶杯、眼镜等，看起来不应该只有驾驶员一人。"

人声："铁骑013号，你是否开启执法记录仪？"

电台声："已开启，正在拍摄物品具体方位。"

人声："继续确认车辆情况。"

电台声："车辆在档，钥匙在位，方向盘右打死，车窗玻璃完好。"

过了大约五分钟的样子，出现了极为紧迫的电台声："报告指挥中心，距离中心现场大约二十米的树林内发现一具尸体！一具男性尸体！收到请回复，收到请回复！"

人声："收到，请妥善保护现场，我们马上通知刑警支队派员前往现场。"

又过了一会儿，电台再次出现声音，此时已经开始有很嘈杂的背景音，以及铁骑027号警员急促的呼吸声："指挥中心！突发山体滑坡，我腿部被落石击中，不能行动。"

急切的人声："013号，立即赶往救援。"

电台里焦急的声音："013号收到！"

受到严重电磁干扰以及强烈嘈杂背景声影响的电台声："不行了，滑坡了，013号快跑！王奇你他妈的快跑！快！"

砰的一声，电台声中断。

焦急的人声："027号！指挥中心呼叫027号，请回话。"

电台声："现场车辆车门损坏，我出不去，我来试试车窗！"

歇斯底里的人声："立即离开车辆！立即！"

电台吱吱地响了一会儿，没有发出声音。此时正在指挥中心里的人拍着桌子喊道："快！通知最近的消防、派出所、120，全给我上！快！"

怒喝的人声："013号！回答！"

电台再次响起，里面的人声不那么急促了，而是用悲恸的语气说："车窗被落石堵塞，我出不去了。车体要塌了，请组织照顾好我们的家人。"

"不要放弃！寻找死角躲避！"指挥中心的人声已经完全崩溃，"狗日的赵强生，你给我撑住！救援马上就到！马上就到！"

没有回音。

"撑住！给我撑住！"

指挥中心的人声几乎已经变成了哭腔。

接下来的十分钟，铁骑警员的电台声再也没有响起，只能听见指挥中心的人声一遍一遍地用哭腔喊着："013，027，收到回答！收到回答！"

十分钟后，电台重新响起，却不是来自于两名铁骑警员。

"指挥中心，消防支队二大队一中队抵达事故现场，山体滑坡已停止，现场被、被完全掩埋，两名同事，怕是，没有生还希望了。"

又是砰的一声，听起来是指挥长瘫倒在座椅上的声音。

良久，人声缓慢而低沉地响起："全力挖掘！全力救援！"

啪的一声响，笼罩会场的声音戛然而止。关闭好音箱的傅元曼缓缓地从讲台后站了起来，说："这就是两名战友最后时刻的录音。"

整个会场的气氛沉重无比，每个人都面色凝重、两眼无神，程子墨双眼湿润，而唐铛铛此时已经完全遏制不住奔涌而出的泪水。

"现场被山体滑坡、大雨以及挖掘救援工作完全破坏，找到的车辆、尸体都已经支离破碎。"傅元曼说，"但令我们尊敬的是，两名战友在临走之前，拼死保护的，都是他们肩膀上的执法记录仪。也就是说，虽然尸体都遭到了山体滑坡的破坏，但是我们却完整提取到了两名战友的执法记录仪的记录。之前你们考核中看到的影像，都是根据两名战友的执法记录仪拍摄的影像制作出来的。留给我们的关键线索，也是在这两段视频里面。"

傅元曼的一席话，加重了大家的悲痛情绪，会场气氛进一步低沉。

"逝者已矣。"傅元曼叹息了一声，"但我们不能让战友白白牺牲！我们的职责，就是查清事件的全部真相，给两名战友在天之灵一个交代！你们，有没有信心？"

"有！"整齐划一的声音在会议室上空回荡，萧朗的声音最大。

"现在挖掘救援工作已经结束了。"傅元曼说，"车辆的残部，以及两名战友、一名司机的遗体都在附近的仓库和殡仪馆里保存。相关的检验鉴定工作南安市公安局正在紧张有序地展开。现在需要我们的力量，汇入警方的力量，共同寻找事实真相！"

2

因为目前的守夜者组织里暂时缺乏策划者，于是傅元曼亲自上阵指挥此事件的调查工作。

守夜者成员们接到的第一个指令，就是前往事件真实的案发现场亲身体验，对尸体和物证进行观察，接收需要的物证资料，然后再回组织进行全方位分析。

实际上，这一段高速并没有想象中那么恐怖，大白天到了高速路边，发现这段高速和其他高速并没有什么区别。不过因为它位于两山之间的咽喉处，周围视野受到山体的阻隔而不够宽阔罢了。

现场的挖掘工作已经完成，挖掘机已经撤离，留下高速公路路基下方的数条履带痕迹，和被挖掘机挖出的大坑。机器挖掘工作完成，但人力搜索工作还在继续，南安市公安局的几名技术员正穿戴整齐地对大坑周围的土壤进行更细致的筛查。毕竟车辆被碎石、泥土压塌，诸多物证在事故发生时和挖掘工作时被抛出车外，散落在土壤中。

好在牺牲的013号铁骑警员的执法记录仪拍摄了车内的情况，不至于有物证的遗漏。

为了防止悲剧再次发生，市政部门已经安排人员在高速两边的山坡上进行作业，制造水泥喷浆护坡，来防止山体滑坡再次出现。

山坡周围都已经被乱石和泥土摧毁得一片狼藉，原来山坡另一边的道路也都被覆盖，看不清痕迹。但是程子墨还是不听劝阻，登上了正在施工作业的山坡，站在高处，看了一下地形。

现场已经被完全毁坏，没有更多的价值了。

万斤顶和皮卡丘把组织成员们拉到了殡仪馆。殡仪馆的隔壁，就是一间汽车维修厂，警方租用了维修厂的仓库，把车辆的残骸以及相关物证保存在里面。

车辆已经被巨石砸毁，车体支离破碎，车辆的底盘都已经变形。警方把车辆扶正，并且把寻找到的车内物证按照顺序放在车侧，以方便标识、检验。

"车辆的情况基本就这样了。"萧闻天亲自上阵给成员们介绍情况，"车辆的前挡风玻璃是经过改装的强化钢化玻璃，根据牺牲警员的执法记录仪，车辆发生侧翻后，玻璃是完好无损的，仅是车头有变形。因为天气冷，车辆上高速时车内可能开了暖风空调，车窗都是从内锁闭的。不过，在发生山体滑坡之后，车辆四周的玻璃都已经粉碎，技术人员正在根据玻璃的形状，把从废墟里寻找到的碎玻璃进行重组。"

车辆的四周，有一些像拼图一样的碎玻璃组成的整面玻璃，虽然有所缺损，但是大多数都已经重组完成。

萧闻天走到车辆左侧的第二排位置，说："在第二排左列最左侧的座椅套上，夹下了一些带毛囊的毛发，经过 DNA 认定，这头发属于一名叫作陈蛮子的煤老板；第二排左列右侧的座位扶手侧面的口袋里，放了一个皮包，根据对皮包里物件的检验，属于一名叫作叶照坤的煤老板；第二排右列单独座位上，有一副眼镜，经过调查，属于一名叫作顾星的煤老板；第三排左列应该坐了两个人，因为他们前面，也就是第二排座椅后背的储物袋里，分别放置着两个不锈钢保温茶杯，这两个茶杯经过对杯口进行的 DNA 检验，和当事人员家属的 DNA 比对，都验证了，一名叫作王十二，另一名叫作陆七花，都是当天上车的煤老板。"

"你就简单说嘛，五名失踪人员的身份，以及其分别就座的位置都查清楚了，对吧？"萧朗问。

"后来我们再次和送车的职员进行确认，他也认为这个定位没有错。"萧闻天没理小儿子，直接说，"另外，车内还有笔记本和散落在其他位置的手提包，都已经找到了其所有人。可能是在车辆侧翻过程中，物品发生位移，导致散落在其他地方。"

"没有疑点对吧？"萧朗说。

凌漠摇摇头，沉吟道："我记得，副驾驶挡风玻璃上是有喷溅状血迹的。"

"那有可能是后排的人喷到前面的，或者驾驶员喷过来的吧？"被凌漠怼了，萧朗有些着急。

"你小子，比起人家凌漠差远了。"萧闻天瞪了瞪萧朗。

"唉，术业有专攻、能力各有所长，不要打击我们成员的积极性。"傅元曼及时出来护犊子。

萧闻天没再说什么，走到车辆残骸的前部，指着地上说："这是经过重组的车辆前挡风玻璃。虽然玻璃破碎后有水浸泡玻璃内侧，但还是可以看得清楚疑似血迹的喷溅方向。"

聂之轩蹲在重组后的挡风玻璃前，说："嗯，血迹很少，且位于靠右侧边缘的玻璃上，喷溅方向是自下而上的。如果是驾驶员的，血迹应该从左向右；如果是后排的人的，因为距离摆在那里，血迹喷溅过来的时候呈一条抛物线，落在玻璃上应该是自上向下的。所以，这一定是坐在副驾驶位置上的人，受了轻伤而溅出的血迹。"

"果真，有第七个人存在！"凌漠说。

"那也不一定，说不定是坐在后排的人，挪到了前排来坐呢？就一定要来新人吗？"萧朗不服气地说。

"警方通过 DNA 血迹分析后，确定这些喷溅血迹不属于死去的驾驶员；血迹和五名失踪人员的妻儿进行亲子认定，也都排除了。"萧闻天盯着萧朗说道。

萧朗在自己的父亲面前，特别是在唐铠铠面前被连续"打脸"，憋得满脸通红。

"果真是有别人上车。"凌漠说，"而且还是在高速卡口之后上的车，因为高速卡口拍摄的照片显示，副驾驶座位上并没有人。"

"什么人会在高速公路边招手叫停车啊？"程子墨嚼着口香糖思考着。

"即便是副驾驶上坐了人，和翻车、人员失踪有什么关系啊？"萧朗继续岔开话题。

"萧朗提得好。"傅元曼"挺"了萧朗一把，"如果我们连事件发生的性质、动机，以及车辆侧翻的原因都还搞不清楚的话，在这里分析车上有几个人，并无意义。"

萧朗挺了挺胸脯。

"是，动机也不清楚。"萧闻天说，"警方现在在全面排查五名企业家的社会矛盾关系，以及驾驶员的相关社会矛盾关系。但是，煤矿这个行业，确实是关系错综复杂，很难查出什么头绪。"

"活不见人，死不见尸，会是什么动机呢？"聂之轩整理着他的假肢。

"如果是因仇杀人，不至于全杀了，而且把尸体拿走吧？"萧朗说，"如果是抢劫，车里居然还有装有钱的皮包，单这皮包本身也值不少钱啊。如果是绑架勒索，居然家里人到现在也没接到个勒索电话什么的。"

"这些人名下的账户都已经在第一时间被警方监控了吧？"凌漠说。

萧闻天点点头，说："不错，这两天并没有什么动静。"

"会不会这些人的尸体都在树林子里啊？被山体滑坡掩盖了？"萧朗猜测道。

"民警是在事故发生后四十分钟之内抵达现场的，而且对树林进行了搜索。"萧闻天说，"如果是掩埋五具尸体，时间来不及，如果不加掩埋，会被轻易发现，而且把死者弄出车外处决没有什么意义。再说，后期我们对现场也进行了挖掘，如果有尸体应该发现了。你的猜测没可能。"

"老萧！话不能说得太满。"萧朗抗议道。

"我见到过新闻报道，说是有人在高速上设置钉子，扎破车辆轮胎，逼停车辆实施抢劫。"程子墨说。

"不可能，车辆轮胎和底盘都是好的。"凌漠说。

"高速路上也没东西。"萧朗说。

"会不会是雨天侧滑引起的侧翻？"聂之轩说。

"又或者是，副驾驶座上有人争夺方向盘？"程子墨说。

"不会，不会。"萧朗摇头道，"驾驶，我是有经验的。无论是车辆涉水侧滑，还是有人争夺方向盘，又或者是疲劳驾驶睡着了，车辆出现事故前都应该是摇摆不定的。这是因为无论出现上述哪种问题，驾驶员都会下意识地反打方向，以控制车辆的稳定性。如果控制不住，就会出现方向连续左偏再右偏，车辆来回扭动，甚至翻车。而从这个案子的监控我们可以看到，车子明明就是主动性地急打右方向盘，这是在躲避什么东西的时候会发生的情况。奇怪就奇怪在，我们从监控里看高速上并没有什么好躲避的。"

"萧朗说得对。"萧闻天说。

"哎，对了，老萧，你终于点头了。"萧朗顽皮地说道，"批评了你就有改进，不错，不错。"

萧闻天瞪了萧朗一眼，不过此时大家正在碰撞思路，他没时间训斥这个没大没小的兔崽子。

"这个驾驶员，有没有什么问题？"聂之轩的假肢吱吱地运作着。

"从调查上看，毫无问题。"萧闻天说，"社会关系、家庭关系正常，也没有什么仇人；没有不良嗜好，精神状况很好，驾驶经验也是非常丰富的；他对工作的态度也非常认真。嗯，事发当晚，驾驶员没有饮酒，也充分休息了。"

"如果不是驾驶员的问题，这个侧翻还真就不好解释了。"聂之轩举起假肢指了指解剖室，说，"市局法医正在进行尸表检验，我也去看看吧，看能不能从尸体上发现什么线索。"

"好的，这很关键。"傅元曼说。

看着聂之轩离开，傅元曼说道："分析来，分析去，对于事件的性质、动机，以及车辆侧翻原因，我们都是丈二和尚摸不着头脑，而这两点，却是此事件处置中最重要的部分。该掌握的信息我们都掌握了，如果我们还是没有头绪，怕是不好交代。"

"还有个信息。"一直没说话的唐铠铠举起右手，说，"不是说，车子的行车记录仪需要我来修复吗？"

从殡仪馆归来后，成员们便分组行动了。

聂之轩留在解剖室和市局法医们一起对尸体进行检验；萧朗自告奋勇陪唐铠铠去皮卡丘里修复行车记录仪芯片，并还原数据，因为唐铠铠听了恐怖高速路的故事后，有一些害怕；凌漠和程子墨则提出要去现场周边走一走，再看一看环境。

唐铠铠最近因为牵挂萧望，日渐消瘦。萧朗很是心疼，也很担心哥哥，但是他总能感觉到哥哥没有事。从小到大，哥哥在他的心目中都是一个小大人的形象，萧朗相信，哥哥一定会保护好自己。不过，无论萧朗怎么去安慰铠铠，总是会引得她哭得梨花带雨，这让萧朗很是烦恼。因此，只要唐铠铠不主动提起，萧朗也干脆不提起哥哥，大家心照不宣。

唐铠铠是一个很简单的女孩，只要她一进入工作状态，就可以暂时忘却对萧望的牵挂。这一点，萧朗也是知道的，所以他很乐意陪她一起工作。

整个下午，唐铠铠都在攻坚。该如何把芯片焊接好，是一个很艰难的任务。好在有萧朗帮忙，这个视觉能力超越常人的汉子，可以把微小的电子元件精确地恢复到原始的位置，这大大提高了唐铛铛的工作效率。

在唐铛铛看来比登天还难的事情，一边打闹一边工作的萧朗几分钟就完成了。萧朗说他可以看得清楚每个电子元件断裂层面的样子，因此也就可以很容易地把断裂的断端给复原上去了。开始唐铛铛也不相信，但是在萧朗恢复了好几个电子元件之后，唐铛铛彻底服了。

一直工作到夜里，整个行车记录仪已经复原，通电之后，可以正常使用了。不过，因为电子元件的损坏，部分数据被自动抹去了，接下来的工作，就要依靠唐铛铛这个电子物证高手来恢复丢失掉的数据了。

萧朗的任务完成了，也累了，尤其是在这种四周一片漆黑的车里，唐铛铛敲击键盘的声音更加催眠，如果这时候还不睡，那就不是萧朗了。

萧朗这样想着，也就自然而然地沉沉睡去。

也不知道过了多久，电脑显示屏上缺损的程序符号被唐铛铛慢慢复原。她自己测验了一遍又一遍，不断地更改着填补进去的数据程序，终于，画面亮了起来。

唐铛铛兴奋地"耶"了一声，不过这没有惊醒沉睡着的萧朗。

视频开始播放的时候，唐铛铛就知道这个行车记录仪并没有设置录音功能，所以所有的画面都是无声的。这虽然是一个遗憾，但是能看得到事发时间段的视频，已经足够了。

视频是从司机在租赁公司开车出库开始记录的。可想而知，这是一家正规的租赁公司，会在每次回车之后，拷贝下行车记录仪里的数据，并且将行车记录仪清空。这次复原的视频，也正是这次租赁活动开始时的视频。

广角镜头，时间标记是2017年11月7日18：00。车辆从车库驶出，一路平稳地向矿业协会年会召开地南安国际大酒店进发。

19：03，车子驶入南安国际大酒店的停车场，停稳之后，行车记录仪依旧保持运行，看起来，此时司机并没有熄火。

20：21，等待了一个多小时之后，车头前面出现了送车职员的身影，职员走近柯斯达，并且在副驾驶门外和驾驶员进行了简短的交流。此时，摄像探头拍摄的画面开始不断颤抖，说明有人正在登车。

在职员和驾驶员沟通完毕之后，职员经过摄像探头拍摄区域，来到车辆右侧的车门处。摄像探头再次颤抖，提示职员登车检查人数。

不一会儿，职员重新出现在摄像探头的一侧，并招手示意车辆可以开出。

20：30，大雨里的南安市，交通状况还不错。柯斯达一路正常行驶到高速收费站，在发卡通道停留十五秒。此时，从视频中可以看到司机伸出手去取卡。很快，车辆又正常在高速上开始行驶。

唐铠铠知道，在此之前，车辆应该一切正常。现在她所需要关注的是，车辆在什么地方停车上人，记录仪是否记录了上来的人的身形姿态；还有就是车辆为什么会侧翻。

于是，在车辆进入高速之后，唐铠铠将视频框调整到最大，皱起眉头、目不转睛地盯着屏幕。

车辆在不停地行驶，时间也在不断地跳动。

唐铠铠早已测算过，从高速卡口正常行驶三十分钟，就会抵达事发路段。

时间在一分一秒地过去，唐铠铠甚至不敢加快播放速度，生怕错过了什么。可是时间已经过去了三十多分钟，车辆一直在大雨中匀速行驶，根本没有停车的迹象。

从影像里可以看出，车辆已经在一点点接近事发路段了，但整个过程中，并没有停车上来其他人。

"难道是在不停车的情况下上人？"唐铠铠想着，但是很快她就意识到，那只是出现在美国电影里的情节，并不可能在现实中发生。

突然，一个白影自左向右闪入了记录仪的视野。

用"闪"字并不贴切，因为白影的速度并不快，算是"飘"入了视野。

因为速度不快，唐铠铠可以清晰地看到白影的样子：那是一个看不清躯干、手脚的人形物，所有部分统统被笼罩在白影之内。白影有着一头乱蓬蓬的头发，面部惨白，但是不完整——是一张破碎有缺损的脸。

无论怎么看，这都不是个人。

屏气凝神看到这一幕的唐铠铠，吓得尖叫了一声，差点儿把刚修复好的记录仪掀飞出去。

3

这一声尖叫，让萧朗瞬间从睡梦中惊醒，像是弹簧一样跳起身来，一头撞在了车顶，发出砰的一声巨响。

"嗷……我们组织的车早晚要被我弄成敞篷的。"萧朗揉着脑袋，看向唐铠铠的电脑屏幕，此时已经完全黑屏了。萧朗拍了拍小脸煞白的唐铠铠，问："大小姐，您怎么了这是？"

唐铠铠紧紧抓住了萧朗的胳膊，头扭到一边，勉强抬起手来指了指电脑屏幕。

"大小姐，你至于吗？"萧朗不以为然地把进度条往回拖了一点。

车辆在大雨中奔驰，不一会儿，一个白影真真切切地自左向右出现在柯斯达的挡风玻璃前。

"哎哟。"萧朗叫了一声，"这鬼不知道高速上不能横穿吗？"

几乎是和白影出现的同一时间，车辆前面的景象迅速发生了变化，这说明车辆已经向右打死了方向盘，并且逐渐失去重心而导致侧翻。在车辆还没有完全翻车的时候，屏幕突然黑屏了。这说明在车辆的侧翻过程中，行车记录仪的取电插口脱离了，因为断电而停止了摄录。

"看着没，看着没？"萧朗喜气洋洋地说，"我分析得不错吧？侧翻的原因就是看见鬼了！他这是在避让鬼呢！这是一个老司机对驾驶技术有充分掌握，才能如此精确地分析出事故的原因！"

"你不怕吗？"唐铠铠勉强把头转回来，看着萧朗，声音里还有点儿小颤抖。

"这有什么好怕的？"萧朗嬉笑着把进度条再次拖了回去，等到白影再次出现的时候，连续按下了屏幕截图键。

"模模糊糊的，大小姐，你能不能把这图弄清楚一点？"萧朗说。

"我……我不敢。"唐锴锴用手背挡在了眼睛前面，小声说道。

"那你能不能教我？"萧朗托着下巴，卖萌似的眼巴巴地盯着唐锴锴。

"你那么笨。"唐锴锴被萧朗的模样逗乐了，放下了手掌，深深吸了一口气，说，"还是我来吧。"

"就是啊，这有什么好怕的？我在你旁边你怕什么？鬼来杀鬼，妖来杀妖。"萧朗比画着说道。

"你别说了，越说我越害怕。"唐锴锴说是这么说，但是灵活的手指却像是在键盘上跳舞。

屏幕上的截图越来越清晰，甚至可以看得清楚"鬼"的面孔了——那是一个面皮不全、龇牙咧嘴的白衣男鬼。

在唐锴锴用光了所有勇气，再次扭开头去的时候，萧朗却笑得前仰后合。

"啥破玩意儿啊，学人家装鬼就有点新意、有点创意好不好！"萧朗捧着肚子说，"这完全是仿造《加勒比海盗5》里的萨拉查船长的模样设计的啊，而且，这也太山寨了，哈哈哈！"

"你是说，这是在'装神弄鬼'？"傅元曼问道。

"姥爷，你不会真的相信这世上有什么鬼吧？"萧朗还是笑得停不下来。

守夜者组织听说唐锴锴恢复了行车记录仪里的数据，便在深夜时分紧急召开会议，研究下一步工作。

"那你说说，这个'装神弄鬼'是怎么做到的？"傅元曼问。

萧朗的笑声戛然而止："哦，也是个问题啊。"

"在高速上扮鬼，风险太大了。"凌漠说，"而且监控里并没看到什么鬼影。"

屏幕上的行车记录仪画面播放完了，画面定格在唐锴锴处理过的"鬼"的正面照上。

　　问题很尖锐，一时半会儿也没有人能回答上来，大家姿态各异地坐在自己的位置上思考着各种可能性。

　　在一个没有鬼神的世界上，又是怎么出现了这么一张鬼脸呢？

　　"这张照片看起来，鬼脸上东缺一块、西少一块的，这是怎么做到的？"傅元曼继续发问。

　　"特效化妆很难做到。"唐铛铛说，"我估计是电脑后期特效制作，和电影的制作原理是一样的。"

　　"哎？"萧朗坐直了身子，说，"既然你说这是后期特效制作出的东西，那会不会也和电影一样，只是一个影像，并非有真实的东西在那里？"

　　"全息投影？"唐铛铛和凌漠异口同声。

　　"会不会？"萧朗说。

　　"全息投影技术现在是很成熟了。"唐铛铛说，"不过，那需要一台全息投影仪，投射到全息板上，才可以做出逼真的三维影像。在狭小的汽车空间里，还是很难做得到的。"

　　"我以前玩过一个全息影像的游戏。"萧朗说，"其实所谓的全息板，自己用塑料板就可以做了。所以，我想，如果在便携式投影仪的前端加装一个什么设置，只要能利用好光的干涉和衍射原理就可以了，再用车辆挡风玻璃作为载体，是不是也就可以完成全息投影了呢？"

　　"不是不可能啊。"凌漠说，"毕竟鬼影只是一闪而过，也无须高清，对载体的要求并不是很高。"

　　"对对对，我想起来了。"萧朗拍了一下额头，说，"你们记得吗？我们看监控录像的时候，看到汽车在侧翻之前，车挡风玻璃前面亮了一下！这就是投影仪开始工作了呀！"

　　"那个亮了一下，只有你看出来了。"唐铛铛笑着说。

　　"不仅仅是这一点啊。"萧朗风风火火地跑上讲台，拉下移动式黑板，在黑板上画了一辆汽车的截面图，接着说，"你们看，车上除了司机，一共五个乘客，其中有四个坐在车辆的左列，这些位置因为受到座椅背和驾驶员的遮挡，不可能完成投影。坐在右列的一个人，同样，因为驾驶员的遮挡，不可能把影像投射到车辆挡风玻璃的最左边。鬼影是自左向右的嘛。所以，投影的人，要么就是驾驶员，要么就是副驾驶位置上的人！"

"副驾驶的血迹。"凌漠沉吟道。

"正是因为副驾驶座上坐了个人，所以车辆侧翻的时候，他受伤了，才会把血溅到挡风玻璃上。"萧朗信心满满，"这个副驾驶座上的人，应该就是始作俑者。他希望用投影出来的影像来逼停汽车，或者制造轻微车祸。即便是不能逼停汽车，他也可以用争抢方向盘等其他方式达到目的。可是，因为当时现场正在下大雨，加上司机本身的原因，造成了车辆严重侧滑并侧翻，甚至撞出了隔离桩，冲下了路基。这一切都是意料之外，包括作案人的意外受伤。"

"有同伙守候在此路段，车里的内应伺机在此路段逼停汽车，以方便作案。"凌漠说。

"对，就是这样！"萧朗激动地砸掉了手中的粉笔，说，"这一招，高就高在，即便警方有监控、有行车记录仪影像，给警方的错觉也是在闹鬼，并非有人作案。在车辆急剧右打方向盘被逼停后，车一定是靠到路边，脱离监控；一旦熄火，车辆停止对行车记录仪的供电，记录仪关闭，就可以放心作案了。这口锅，就要被这个'鬼'背着了。我的天哪，我就是一神探啊！"

"恰好这个路段，有闹鬼的传说，这确实很容易被人利用。"凌漠附和道，"这事情给我一个启示：在科学不能解释的情况下，我们就要及时换一条思考的路子，不然就容易钻进死胡同。"

"在不是真的有鬼的情况下，这是最合理的解释了。"傅元曼说，"不过，我提醒一下大家，目前掌握的情况是，副驾驶确实有人流血，不过这并不是驾驶员以及五名乘客中的任何一人。而且，刚才我们可以看到，车辆行驶在高速上的整个过程中，并没有停车上客。"

"也是啊，这又是一个问题。"萧朗坐回自己的位置，托腮思考。

"会不会是汽车在酒店等人，或者从公司出来的时候，车里就潜伏了一个人？"唐铠铠说。

"司机肯定会对车辆进行检查的。"萧朗摇着头说,"即便司机是同伙,你们可还记得,在往安桥县行驶之前,那个送车的职员上了车来检查人数。我是了解的,柯斯达车体宽阔,视野很好,有没有藏人,站在车门口就一目了然了,如果有其他人,职员不可能发现不了。再极端一点,即便是司机、职员都是同伙,这五个老板也不是傻子,上来一个陌生人不会有所警觉吗?"

"而且车辆在酒店停车的位置是靠墙的,也就是说,所有人上车都是要经过车前面的行车记录仪的,并没有其他可疑人上车。当时司机一直把车保持在发动状态,所以记录仪一直在工作。如果司机是同伙,这个时候肯定会熄火或者关闭记录仪。"凌漠说,"这是犯罪者的正常心理。"

"那就是在停车拿卡的时候,有人上车了?"坐在拐角处的阿布继续猜测。

"不可能。"萧朗说,"还是基于之前的理论,即便司机是同伙,给开门,其他人也会提出异议的。这个老司机停车拿卡的动作一气呵成,一共只有十几秒的时间。而且,柯斯达的悬挂[1]比较软,只要有人上车,车体就会有颤动,这一点在之前几个老板上车的时候,记录仪的晃动可以证实。在司机停车拿卡的时候,记录仪并没有晃动,说明没人上车。"

"那就奇怪了。"阿布继续插话说,"之前不可能有人潜伏,之后没停车不能上人,那这个'第七人'是怎么进入车里的?"

"哟,这么晚了你们还在开会啊。"聂之轩推开大会议室虚掩的门,走了进来。

聂之轩明显有了黑眼圈,面色也稍显倦怠。

"刚结束尸检吗?你来说说你那边的进展。"傅元曼挥手让聂之轩坐了过来。

"这尸检,还真是难得很。"聂之轩苦笑了一下,坐在自己的位置上,说,"尸体损坏得太重了。"

---

1 编者注:悬挂,指的是由车身与轮胎间的弹簧和避震器组成的整个支持系统。

"次生损伤[1]？"凌漠问。

聂之轩点了点头，说："死者的头颈部被巨石击中，基本上是形成'全颅崩裂'了；肢体也因为泥石流的挤压而形成了大量的次生损伤；尸体的内部，器官和骨骼复合型损伤，甚至很多都看不出是生前伤还是死后伤了。"

"那究竟还能不能看得出死因了呀？"萧朗急不可待地说。

"我们几个法医把死者的颈部皮肤给复原了，损伤很复杂。"聂之轩说，"死者颈部索沟确实是有'提空[2]'的现象，说明是缢死，不是勒死。但是从颈部皮肤下面的肌肉组织损伤以及甲状软骨[3]广泛性骨折来看，缢死死者的工具应该是一个宽度大于五厘米的软质绳索。"

"哪有那么宽的绳子啊？"萧朗说。

"安全带。"凌漠说。

"对。"聂之轩说，"我们分析，死者就是被安全带缢死的。"

"出车祸的时候？"萧朗翻着白眼，在脑海里还原当时的情景。

"不会。"凌漠说，"无论怎么侧翻，都不应该形成缢死。而且，发现尸体的现场不可能有安全带，尸体是被杀死后移动到二十米之外的。"

"是啊，正是因为这样考虑，我们又仔细检查了死者的四肢。果然，在死者的脚踝处发现了环形的皮下出血。"聂之轩说，"我们法医称这种损伤为'约束伤'。"

"有人在上方用安全带缢颈，还有人在下方通过'拉脚'的方式增加缢死的力量。"凌漠说。

"老师说过缢死的案件性质一般都是自杀和意外，罕见于他杀。"萧朗说，"这个就是那部分罕见的吧。"

"对。"聂之轩说，"正是因为在一个有安全带的车里，车辆发生右侧

---

1 编者注：次生损伤，指的是受伤或死亡后，再次受到损伤。

2 编者注：缢死的索沟深浅不均、八字不交叉的现象称之为提空，是和勒死作为区别的征象。

3 编者注：甲状软骨，指的是位于喉的前壁和侧壁的软骨，由前缘相互愈着的呈四边形的左、右软骨板组成。

翻，驾驶座位于空间的上方，这才形成了一个具备他绲作案的特殊环境。"

"系安全带的司机在发生侧翻之后，被固定在座位上，这个时候如果打开安全带，就可以直接用安全带绕颈来杀人。如果司机的位置发生改变了，那么再给吊起来就很难了；如果司机的位置没有改变，那么他堵住了车内外的唯一通道——驾驶座车门，里面的人出不去，外面的人进不来。所以，杀死司机的至少是两个人，一个人在车门外悬挂他，另一个人在车内拽脚踝加压，里应外合，更方便杀人。这就印证了我们之前的推断，这个副驾驶位置上的人，是杀人凶手之一。"傅元曼把话题拉了回来。

"这样看，还真是绑架啊？里应外合的绑架。"萧朗说，"不过绑架就绑架，为什么在实施绑架之前，要先杀一个人啊？"

"一是杀鸡儆猴，让几个老板放弃抵抗；二是直接除去闲杂人等，灭口匿迹；三是还可以制造一个自杀现场，让人感觉这个驾驶员是不是有什么精神方面的问题，最好能和'闹鬼'事件结合一下，制造更加玄幻的效果。"凌漠掰着手指说道。

"闹鬼？闹什么鬼？"聂之轩顿时精神了。

傅元曼把唐铠铠复原的行车记录仪影像重新播放了一遍，并且把之前组织成员们集思广益得出来的结论和聂之轩说了一遍。

"你们的猜测还真是非常有道理，有可能啊！"聂之轩竖了竖大拇指，说，"不过'闹鬼'这个事太搞笑了，鬼还能喷溅出血迹吗？"

"对了聂哥，你见过那么多死人，有没有见过鬼？"唐铠铠小心翼翼地问道。

"如果我能见得着鬼，那我不就是神探了吗？直接问他怎么回事不就好了？"聂之轩笑着说。

聂之轩轻松的话语倒是引得唐铠铠起了一片鸡皮疙瘩，她缩了缩肩膀，没再说话。

"可是，大家都解释不了在未停车的情况下，犯罪分子如何上车的问题。"傅元曼摊了摊手，说。

"DNA检验不能作为王牌。"聂之轩揉着头发，说，"有无数种情形都会导致 DNA 结果的误差性，也是出于这种考虑，我又去找傅姐确认了一下。"

"傅姐？什么傅姐！那是你阿姨！"萧朗挥着拳头说。

聂之轩淡淡一笑，接着说："傅主任调出了原始检验的图谱，甚至我们又重新把检材做了一遍检验，结论还真是没错。后来我也是灵机一动，和傅主任一起对检材的 Y-str 进行了检验。"

"说中文。"萧朗说。

"家系里的男性才有的 Y 染色体遗传，父亲的和儿子、兄弟所拥有的都是一样的。"聂之轩解释说，"我们还真的找出了线索！这个副驾驶的血迹啊，应该属于五名企业家之一的顾星的亲兄弟。"

"怪不得和顾星的妻、子的 DNA 亲子鉴定比对排除了呢。"凌漠说。

"顾星，就是那个坐在车辆右列的人对吧？"萧朗翻着笔记本。

凌漠点了点头，说："五个企业家中资产最少的，也是最年轻的，只有 31 岁。"

"这个年纪，不应该都是独生子女吗？"萧朗说。

"你不还有个哥哥吗？"凌漠反问道。

"我爸妈那是双独政策！"萧朗再次挥舞了一下拳头，旋即又关切地看向唐铠铠。

唐铠铠缩着肩膀陷在座椅里，眼神暗淡无光。

"问题还是没有解决。"傅元曼摊了摊手，"他是怎么上车的？"

"不急，知道这一条线索之后，子墨和警方同事们一起去调查了。"聂之轩说，"抓住了顾某的兄弟，一切都迎刃而解了。"

4

"查到了。"

在大家静静地坐在会议室里等待了将近一个小时之后，程子墨推门走了进来。

从她的表情中可以看出，她带回来的，并不是什么好消息。

"没抓到？"聂之轩转头问程子墨。

"调查了一大圈，并没有这个人存在。"程子墨耸了耸肩膀。

"这，怎么可能？"聂之轩很是讶异。

"七组警员，就围绕这个顾某的兄弟进行调查。"程子墨说，"只能查出，顾某曾经有个哥哥，在三十年前游泳淹死了，那个时候顾某刚出生不久。其他的，绝对没有什么兄弟。几方面都印证了这个结论，不会错。"

"三十年前！"聂之轩说，"没有其他兄弟了？"

程子墨摇了摇头，扔了一粒口香糖进嘴里。

空气瞬间凝结了，大家都在皱眉思考。

"难道，真的有鬼？"依旧是唐铠铠怯生生的声音。

"还是个能流出血来的鬼。"凌漠说。

"你们在说什么？"程子墨一副丈二和尚摸不着头脑的样子，然而并没有人回答她的问题，都在思考着如何用科学来解释这一起案件。

"车辆未停，不可能上来新人；顾某没有哥哥，不可能留下DNA。"聂之轩说。

"我刚才说了，如果遇见科学不能解释的情况，我们就要赶紧换侦案思路。"凌漠说。

聂之轩从口袋里拿出手机，像是在网络上查了什么文献，说："如果要把这两个重要的疑点合在一起，嗯，倒还是有一种可以用科学解释的可能。"

"哦？有什么可能？"萧朗直接越过凌漠，跳到了聂之轩的身边。

"车辆上没有上来其他的人，血迹就是顾某的。"聂之轩说。

"那不太可能吧，我妈不是做了好几遍吗？"萧朗摇着头又回到了自己的座位，"我妈的技术我相信，她从世界上有DNA这个技术的时候，就开始做这份工作了。"

"当然不会是傅姐，啊不，傅主任的问题。"聂之轩说，"但曾经有文献报道过，我们人类当中，有一部分'嵌合体'，我怀疑，这个顾某就是个嵌合体。"

"说普通话。"萧朗又越过凌漠跳到了聂之轩的旁边。

凌漠一脸无奈。

"就是说，有那么一种人，他的体内存在两种遗传物质。"聂之轩说，"有一种说法是，细胞在受精时期，形成了一对受精卵，可是，在发育时期，其中一个胚胎'吃'掉了另一个胚胎。实际上，就是两个胚胎的一种融合和交换。两种遗传物质在一个胚胎之中发育成不同器官，造成了一个人身上有两种 DNA 的情况。"

"所以那个被吃掉的胚胎，就是顾某的兄弟了。"凌漠说。

"不错。"聂之轩说，"假如顾某的性器官 DNA 是他兄弟的，那么他生出来的孩子，自然是和他兄弟的 DNA 相匹配，而不是和他的匹配。但是他的造血器官是自己的 DNA，流出来的血自然就是他自己的 DNA 了。"

"被他兄弟给戴了绿帽子。"萧朗笑得前仰后合，乍一眼看见唐铛铛依旧茫然的眼神，瞬间停止下来。

"也就是说，和那个三十年前死去的顾某哥哥毫无干系。"凌漠说，"虽然是两种 DNA，但作案人应该就是顾某本人。"

"我说过，DNA 不是王牌，因为 DNA 可能造成误导的可能性还是有的。"聂之轩说，"如果真的是这种情况，我们之前的疑点就全部解决了。"

"基因这个东西，还真是神奇啊。"凌漠沉吟道。

"那这是不是极小概率事件？就被我们碰上了？"萧朗说。

"其实有文献说，这种情况并不少见。"聂之轩说，"只不过我们人一辈子，只有极少数人才会进行不同部位的 DNA 检验，所以，被报道出来的也就少了。"

"这就是能解释整个过程的唯一一种科学解释吗？"傅元曼说。

"在我的知识领域内，应该是的。"聂之轩答道。

"而且，我觉得这种说法，是有佐证的。"程子墨边嚼着口香糖边翻着笔记本，说，"根据警方的反馈，在企业家们上车以后，职员和司机有一个沟通。然后一个企业家提出，天黑路滑，走高速才安全，这个企业家，就是顾星。"

"嗯，我也记得介绍案情的时候，有这么一个情节。"萧朗说。

"不经意间，就制造了作案条件啊。"凌漠说，"看来，侦破案件中及时转变思路很重要。"

"现场看，也是这样。"聂之轩说，"坐在汽车左列的四个人，随身物品都还在相应的位置，有的是头发，有的是皮包，还有的是茶杯，这些都可以固定这些人的位置。而坐在右列的顾星，只留下了一副眼镜。如果他坐在副驾驶，那么侧翻过程中，眼镜被抛去右列座位的位置，也是完全有可能的。"

"关键是动机。"傅元曼点拨道。

"对对对。"萧朗跳起来说，"如果是其他人，这不像寻仇，不像抢劫，也不像绑架的，说不过去。但如果是行内人，就好说了，人家说了，同行是冤家，这个姓顾的，有一万种理由可以绑走他们。"

"你说说哪一万种？"凌漠现场打脸。

萧朗一时语塞，憋得脸通红。

"前期，警方对五个企业家和一个司机的背景都进行了深入的调查。"傅元曼说，"但确实没有发现这六个人有什么异常情况。"

"调查情况我也看了。"凌漠说，"基本上覆盖了所有的社会关系、通讯联络、近期表现等情况。但那个时候毕竟没有特定的目标，也没有把这六个人当成嫌疑人去调查，还是有调查空白区的。"

"你说的是？"傅元曼问。

"电子物证。"凌漠说。

"网络通讯记录基本都查了。"傅元曼说，"但是网络活动轨迹没查，毕竟没有相关手续，无法扣押当事人的电脑。"

"就是想看看，这个顾某会不会通过网络研究全息投影的技术。"凌漠说。

"有道理。"傅元曼看了看窗外已经渐亮的天，说，"现在多项线索都指向顾某，检查他的电脑应该不是问题。我马上给萧局长打电话，让铛铛配合警方电子物证部门检查顾某的电脑！"

唐铠铠领命出门，萧朗又想陪同，却被傅元曼制止了。

"萧朗你给我留下，我们要研究下一步工作。"傅元曼说，"他们藏身何处，我们现在还一无所知。"

"南安七区九县，你留下我，我也找不到啊。"萧朗看着唐铠铠消失的背影，沮丧地说。

"自然和现场是有关系的。"凌漠走上讲台，在 LED 显示屏上打开了两张图。

一张图是南安市的航拍地图，另一张图是被泥石流掩盖的现场图。

"昨天下午，我和子墨去现场看了看地形。"凌漠指着第二张图说，"这是我们在现场拍摄的，基本已经完全掩盖了原貌，看不出有什么可以通行的小路。所以，我们调出了几天前的谷歌地图，好在这张地图正巧是泥石流发生之前拍摄的。"

"有路吗？"萧朗看着第一张图一脸茫然。

"可惜谷歌地图的清晰度有限。"凌漠接着说，"但我们结合勘查地形之后的结论，可以确信，山体滑坡之前，从现场位置有三条小路可以离开。"

"哦，你是说，凶手劫持人质之后，肯定会走小路离开。"萧朗说。

"那当然，重新回到高速上，就会进入我们的监控视野。"凌漠说。

"劫持四个人，不容易啊。"萧朗说。

"可是，我们从卫星图上看到的三条小路，都只有不到一米宽。"凌漠将地图放大，并且加上了比例标尺。

"那就是说，通不了车。"萧朗说。

凌漠点了点头。

"如果凶手的帮凶人数不够多的话，怎么控制四个大男人？"聂之轩提出了问题。

"是啊，顾某本人受伤了，而且眼镜丢了。他不需要人照顾就算不错了，不可能再押解别人。"程子墨说。

"我倒是觉得不会有太多人。"凌漠说，"如果真的来了五六个人，加上车里的人，浩浩荡荡的，只要一出现在人多的地方，就会引起别人的注意。还有一种办法可以控制多人，就是有枪。"

"空旷地带，控制多人的最好办法，就是用远程武器。"萧朗赞同。

"现在我们再来看看这三条路。"凌漠说，"第一条路，这条路一直是在密林旁伴行。如果我是顾某，不可能用这条路，因为无论是有枪还是有炮，一旦被绑架的人钻进了密林，想再抓回来就太难了，枪都不一定有用。第二条路，这条小路从高速旁边延伸，一直延伸到南安市到安桥县的快速通道。如果这条小路可以使用，为什么顾某还坚持要走高速公路？走快速通道岂不是更加保险，连躲避监控都省了。所以，我认为，顾某之所以会选择在高速公路的这一路段下手，一方面是为了利用闹鬼的传言，另一方面则是因为这第三条小路。"

"这条小路我和凌漠走了一趟。"程子墨说，"路面平坦好走，周围都是无法藏身的低矮灌木，如果有枪，别人根本就不敢逃，否则逃出几百米都没有掩体。这条路一直通往安桥县辖区的安木镇中心，步行大约一个小时能抵达，而且整条路周围都没有住户。"

"你的意思是说，顾某设定的藏身点，就在这个安木镇？"傅元曼问，"不错，原来你们都提前有准备了。"

"我只是觉得一条路走不通，就换条路走走。思路，也是这样。"凌漠说，"如果我是凶手，我就会这样安排。"

"那就可以直接安排包围搜查了。"聂之轩兴奋地说。

"那可不行。"萧朗说，"不管是什么镇子，都会是四通八达的。如果大张旗鼓地搜查，消息很快会被顾某知道。现在四名人质不知死活，贸然搜查一定会引起很多麻烦的。到时候顾某把人一杀，全部深埋，咱们到哪儿去救人？而且也没证据证明顾某犯罪啊。"

"这回说得对。"凌漠淡淡地说。

"你说说，我哪一次说得不对了？"萧朗不服气地辩解道。

"事不宜迟，萧朗可有什么好办法？"傅元曼问。

"人多的话容易被发现，我一个人去侦查一下就好了。"萧朗站起身来整理身上的装备。

"还是我们俩一起吧。"凌漠也站起身来。

萧朗看看凌漠，没有拒绝。

"这次不会像上次一样那么惨烈了吧？"萧朗骑着一辆摩托车，载着凌漠，说。

"你这个卷着裤脚的迷彩裤穿得太有乡村风味了。"凌漠淡淡地回避了话题。

"问你话呢，兜了两圈了，可有什么发现？"萧朗的声音并没有被迎面而来的气流冲散。

"镇子上，只有一个送外卖的小哥。"凌漠说。

"你饿啦？"萧朗抬头看了看天。

大雨之后，天空格外蓝。在这个初冬的季节，太阳当空，照得人身上暖洋洋的。

"之前没有嫌疑目标就是大海捞针。"凌漠说，"但是确定顾星是嫌疑人了，就好查很多了。据之前的调查，顾星和这个镇子有一些瓜葛，主要是他有一些朋友在镇子上做生意。"

"你的意思是，来看看他哪个朋友的店最适合藏人？"萧朗不甘示弱。

"嗯，是这个意思。"凌漠说，"有一家靠山的理发店，店面不小，位置隐蔽，二楼窗户还有防盗窗，我觉得可能性最大。"

"这和外卖小哥有什么关系？"萧朗说。

"查找目标是绝对不能失手的，不然就会打草惊蛇。"凌漠说，"既然不能一一排查，就要想别的办法。比如，四位企业家大佬，中午是要吃饭的。"

"哦，我明白了。"萧朗说，"看看那个理发店的外卖有没有多点。"

"这是一方面。"凌漠说，"最重要的是，看我们能不能获得百分之百确定的线索。快一点，跟紧一点，不然看不清了。"

"哪有看不清？清清楚楚啊。"萧朗说完，加了加速。

外卖小哥转过几个街口，来到一幢靠山的房子旁边停了下来。萧朗在五十米外也停了下来，装作在一旁点烟。

"七份一品牛排，请签收。"萧朗动了动耳朵，清晰地听见了五十米外的声音。

"果真，他们店里明明只有两个人。"萧朗说。

"这种事情肯定越少人知道越好。"凌漠从口袋里拿出五名企业家的照片，递给萧朗，"再看看，别忘记他们的样子。"

"忘不掉。"萧朗躲在摩托车的后面，向五十米外那一家叫作"李爽造型工作室"的理发店看去。

一个身材高大的光头肌肉男走出门外，接过一个大塑料袋，然后在签收单上签字。

"奶奶的，根本就不需要这么费事，我们早就该发现他们了。"萧朗小声说，"你见过理发店里的师傅剃光头的吗？"

"说过了，我们需要的是万无一失。盯紧点，等一确认，就通知特警来抓人。"凌漠说。

凌漠的话音未落，理发店里突然冲出来一个瘦弱的男子："救……救救……"

话没说完，光头男一个箭步冲上去，用胳膊勒住了瘦弱男子的脖子，男子瞬间发不出声音了。

"舅舅？我说了，我没你这个外甥！"光头男恶狠狠地说，"你要是再出去赌博，我砍了你的手指。"

瘦弱男子挥舞着双手，想说些什么，但发不出声音。

光头男瞪了瞪愣住的外卖小哥，说："看什么看？难道你和他是赌友？"

外卖小哥并不想管闲事，二话没说，跨上电动车骑车离开。萧朗和凌漠赶紧也跨上了摩托车，装作若无其事地离开。

"看到没？"凌漠说。

"看到了。"萧朗一边骑车，一边从摩托车的后视镜观察理发店门口的情况，"陈蛮子。"

"视力还真是不错。"凌漠一边说，一边打开腰间佩带的定位器。这是事先预约好的信号，一旦凌漠打开定位器，埋伏在镇子外面的两车特警就开进镇子，实施抓捕。

"不好！"正在看后视镜的萧朗说，"光头正在把陈蛮子往山里拖。"

"嫌麻烦要灭口？"凌漠说，"还是惩罚？"

萧朗猛捏刹车、猛打方向盘，摩托车一个漂亮的漂移，调过头来，坐在后座上的凌漠差点儿被甩了出去。

"来不及了，要救人。"萧朗加速向理发店驶去。

"他们三个人，还有枪！"凌漠倒还算是镇定。

"你封锁理发店，我上山救人。"萧朗的头发被迎面而来的风吹得摇摆不定。

"我找个借口拖住三分钟，特警就能到。"凌漠说，"我这边没问题，你那边注意安全。"

萧朗没有回答，把摩托车停在理发店十米远处，几步一跳，就钻进了山里的密林。

萧朗没走出二十米远，就看见了远处的两个人。

陈蛮子正跪在地上，用一个铁锹挖坑，即便离得很远，萧朗也听得见陈蛮子正在低泣。而光头男则手持一把手枪，正抵住陈蛮子的后脑勺。

"让被害人挖坑埋自己，这不是小鬼子当年喜欢用的办法吗？学谁不好，学小鬼子！"萧朗心里想着，举着手枪，利用大树的掩护，一步一步向嫌犯靠近。

不过，是萧朗高估对方了，因为在萧朗走到光头男背后两米的时候，光头男依旧一心一意地盯着陈蛮子挖坑，完全没料到背后有人。

萧朗顽皮心起，他把手枪揣回了腰间，走到光头男背后，朝他的后脑勺吹了口气。

光头男一惊，转身用手枪指向萧朗面部，不料，手枪的套筒和击锤被萧朗一把握住。

"你的感觉这么差，还学人家当打手？太山寨了吧？"萧朗奚落道。

陈蛮子猛地听见背后有声音，回头一看见这个景象，二话没说，丢下铁锹就跑。

"陈老板，往理发店跑，等你跑下去，估计那里已经全都是警察了。"萧朗抖着腿，一脸挑衅地盯着光头男。

光头男扣了两下扳机，扳机纹丝不动，只好丢下手枪想来一招"双拳贯耳"。

可是他丢了手枪，手枪自然就到了萧朗手中，萧朗不慌不忙地把手枪转了个圈，在光头男的双拳击打到面门之前，把枪口指向了光头男。

光头男扑通一下跪下了："警察爷爷，我没杀人，那司机是星哥和晖哥杀的。"

"要不是放心不下凌漠那小子，我还真就和你玩两招。"萧朗不屑地说，"你练这一身肌肉，是用来炖着吃的吗？"

当萧朗押着光头男下山的时候，已经有几十名荷枪实弹的特警围在理发店的四周。几名特警押着两个人从理发店里走了出来，还有几名特警扶着满身伤痕的三个煤老板从理发店二楼下来。

凌漠站在被押解的顾星身边，一言不发地盯着顾星的脸。

看起来，顾星是经过了反抗的，因为他的脸上、额头上都粘着碎发屑，狼狈不堪。

萧朗正要向凌漠炫耀一下，自己只身一人，不费一拳一脚就抓获了光头男，凌漠却看都没看他一眼，直接跨上了摩托车扬长而去。

"哎呀我去，你这小子又犯什么病？"萧朗感到莫名其妙，不禁喊道，"你把车骑走了，我怎么回去？"

当特警专程把萧朗送回守夜者组织的时候，傅元曼正满面红光地站在讲台上："守夜者组织恢复职能后的第一起案件，在大家的努力之下，完美破获了。犯罪嫌疑人悉数被擒，人质全部获救。这是一场漂亮的战役，我相信，我们的出色表现，会给我们迎来更加难啃的骨头。但是我知道，你们都是最爱啃骨头的！"

"姥爷，狗才爱啃骨头。"萧朗一边说着，一边坐回了座位。

"你听过 C_7H_9 二乙酰吗啡吗？"聂之轩问萧朗。

"什么什么？"萧朗不耐烦地挥挥手，"说普通话。"

"就是一种新型毒品。"聂之轩说完，示意唐铠铠跟萧朗说前因后果。

唐铠铠说："这个顾星的电脑里，不仅有全息投影的资料，还有一些新型毒品的资料。这种毒品是海洛因的一个新型变种成分的毒品，连吸五天成瘾，就基本难以戒除了。"

"哦，顾星是想让老板们成瘾，然后控制他们。"萧朗恍然大悟。

"今天是他们吸食的第四天。"程子墨依旧在嚼口香糖。

"直接骗吸海洛因不就好了？费那么大力气。"萧朗摇了摇头。

"如果是普通毒品，这些煤老板又都有钱，那么即便上瘾了，花钱戒毒，或者花钱从别的渠道购毒都可以，就达不到控制他们的效果了。"聂之轩说，"只有让他们中了外界买不到的毒，才能控制他们。"

"武侠小说看多了吧。"萧朗说。

"嘿，要是真的有人研制出什么能控制人的药物，也是蛮可怕的。"程子墨说。

"这种毒品全世界都极少有人弄出来，如果这案子破不了，危害可能不止是四个煤老板。"聂之轩说，"不知道凌漠可听说过？对了，凌漠人呢？"

"谁知道啊？"萧朗说，"莫名其妙地跑了，丢下我一个。"

第四章　银针女婴

使我们目盲的光线，就是我们的黑暗。当
我们清醒时，曙光才会破晓。

——（美国）梭罗

1

在南安市公安局物证检验实验室的隔离橱边，凌漠正专心致志地研究那一件黑色牡丹花纹的女式针织外套。

他坐在隔离橱的外面，双手通过操作孔伸进隔离橱内，小心翼翼地把针织衫的一部分拉开，然后用镊子从针织衫毛线之间夹出一小段黑丝，放在铺平的白纸之上。

白纸上，已经有十几根黑丝了。

当时对于曹允案里的重要物证——这件女式针织外套，警方进行了大量的工作，尤其是围绕这一件针织外套的所有人进行了调查。不过，经过傅如熙和她的团队进行的DNA提取工作，并没有在衣服上提取到可以清楚辨别的DNA基因型。

因此，警方对于这件衣服，内部也有争议。有的人认为这是买的一件新衣服，穿着时间比较短，所以没有黏附DNA；有的人认为只要对衣服容易被黏附DNA的领口和袖口进行仔细清洗，这种外套上做不出DNA也是很正常的。

后来，聂之轩和傅如熙在针织衫的毛线孔里，找到了一条黑丝。

至于这条黑丝究竟是什么东西，聂之轩也是下了不少功夫的。后来，在显微镜下，聂之轩发现了黑丝是具备皮质和髓质的结构，其周围有叠瓦状包裹的毛小皮，从而确定了这一小条黑丝应该是毛发。该毛发呈圆柱形，毛小皮鳞片薄，表面花纹细小，排列不齐，有多样的交叉缘，和兽毛、人类其他部位毛发形态不同，所以聂之轩确定这应该是人类头发的末端。

很可惜，以现在的DNA技术，在没有毛囊的毛发上，是无法提取到

DNA 基因型的。所以，这一段毛发，并不能经过 DNA 检验来确定曹允的作案嫌疑。

不过，不是新衣服，而是经过清洗的旧衣服，这一点也算是间接证明了并没有什么人买了一件新衣服来伪装作案过程，转移警方的视线。所以，警方认为，曹允把衣服丢弃在更衣室的真实性还是比较高的。

在曹允案宣布结案之后，这件衣服就连同本案的其他证据，被移交到了南安警方的物证保管库。

凌漠基于之前的推断，认为"幽灵骑士"被杀案中存在相当多的蹊跷，很有可能有其他人在利用曹允作案。角度不同，凌漠看见的隐形信息和警方不同：如果真的是这样，这件衣服既然经过仔细清洗，就说明这衣服一定不是曹允本人的。否则，既然要嫁祸于她，越是留下 DNA，越是有意义。

所以，这件衣服上所有的线索，对于找出真凶，可能都会有所作用。凌漠曾经去物证保管中心，调取了这件衣服，进行了更加仔细的观察。他发现衣服里夹杂的，并不仅仅只有一小段头发，可以说，还有很多头发。无奈，头发的 DNA 无法做出，所以再有什么其他的想法也只能暂时作罢。

直到警方抓获顾星的时候，凌漠无意中看到他脸上黏附的诸多毛发碎屑，心中的灵感突然被激发，所以才迫不及待地赶到了南安市公安局物证保管中心，调取了这一件已经被尘封的针织衫，借用傅如熙的实验室工作了起来。

毛发本身就细小轻飘，加之只有毛发的一小截，更容易被流动的空气带走。所以，凌漠在空气完全静止的隔离橱里，慢慢地把针织衫毛线孔里夹着的毛发一根一根全部夹了出来。虽然现在的凌漠还不知道他这样做有没有意义，但是有一股信念支撑着他，一定要把这件事情做完。

在同样是毛质的针织衫中寻找毛发，本来就是一件很困难的事情，再加上毛发的短小、针织衫本身就是黑色的干扰，还有隔了一个隔离橱观察的不便，让这件工作更是难上加难。凌漠几次停下来揉眼睛，心想如果萧朗这个感官超常的家伙在就好了，这件工作如果交给他做，应该会简单很多吧。不过，萧朗此时正在配合警方对顾星等人进行突击审讯，怕是没有时间来帮助他。

凌漠小心翼翼地把摊有数十根毛发碎屑的白纸放在一个塑料透明托盘里，用盖子盖好，拿出了隔离橱，来到显微镜旁。

他现在要做的，是观察这些毛发有哪些共同点和不同点。

虽然使用显微镜观察并不是凌漠的特长，但是他还是摸索着看出每根毛发碎屑之间存在的差别。有的毛发髓质很粗大，有些则很细小；有的毛小皮杂乱无章，有的整齐排列；有的毛发色泽暗淡，有的油光发亮。

凌漠的嘴角，慢慢地浮现出一丝笑意。

"要不是我妈告诉我，我还真找不到你！"萧朗不知道什么时候走到凌漠的背后，猛地拍了一下他的肩膀。

"你怎么走路都没声的？"凌漠吓了一跳。

"因为我听觉好，所以尽量放轻脚步，在别人耳朵里就听不见了。"萧朗自豪地说，"你知道吗？顾星全撂了，供述的过程简直和我们分析的一模一样啊！我现在觉得我们以后别叫什么守夜者了，就叫神探联盟！"

"不要得意忘形。"凌漠说，"傅老爹说过，守夜者不仅仅是一个组织名称，更是一种信念和信仰。"

"这啥玩意儿？"萧朗拿起桌子上的托盘，问道。萧朗说话吹出来的气，把托盘里的毛发碎屑吹得向一边靠拢。

"嘿，别把物证都吹没了。"凌漠一把夺过了托盘。

"这是头发吗？"萧朗说，"粗细、颜色都不一样啊。"

凌漠听萧朗一说，呆呆地看着他说："早知道你的眼睛比显微镜还厉害，我就不用费这么大劲了。"

"是你把我一个人撂在现场的。"萧朗摊了摊手，靠在物证室的座椅上，"谁知道你跑那么急是来研究这一堆破头发！"

"头发是头发，但不破。"凌漠微笑着说，"至少它告诉我，杀害'幽灵骑士'的人，应该是伪装隐藏在一个理发店里。"

萧朗瞥了一眼隔离橱里的黑色针织衫，说："同一件衣服上夹杂大量不同性状的头发，最常见的就是理发师了，而曹允和造型行业毫无关系。这，说明凶手真的另有其人。"

"可惜，这个行业的从业者太多了，依旧无法下手。"凌漠默默地把针织衫装进物证袋。

"范围已经缩小很多了。"萧朗拍了拍凌漠的肩膀，"比以前的一无所知算是进了一大步了吧！不过，我来找你，可不是来和你聊什么破头发的。"

凌漠抬起眼神，好奇地盯着萧朗。

萧朗哈哈一笑，说："姥爷生怕我们闲坏了，这不，让聂哥又给我们找了一个好差事。不过，在去接好差事之前，我要先去看看我妈。"

凌漠立即赞同道："正好，我也有事情要问问傅主任。哎，等会儿。"

萧朗一脸不解地回头看凌漠，而凌漠此时把实验室案头的一份南安都市报给拿了起来。

"南安再现幼儿'变异'事件！又是疫苗惹的祸？"斗大的头版黑体字引人注目。

"这是啥啊？"萧朗探过头来阅读。

"你还记得那个新桥的幼儿吗？注射完疫苗就昏迷的那个。"凌漠问。

"有吗？"萧朗翻着眼睛想。

"在抓捕曹允的时候，在万斤顶上的广播里提到的。"凌漠提示道。

"不知道啊。"萧朗一脸茫然。凌漠把报纸递过去，趁萧朗一头雾水地读报纸的工夫，他在手机上迅速浏览起新闻来。

"嘿，这新闻标题太吓唬人了，我还以为是什么变异呢，原来就是孩子过度发育呀。"萧朗不置可否地扬了扬报纸，"五岁的孩子，身高超过一米四，营养过剩吧？"

凌漠看着手机摇摇头："我感觉没这么简单。这会儿网络上全是关于这两起事件的讨论。那个孩子是三岁注射疫苗之后，就开始出现过度发育的情况，五岁的时候，第二性征已经出现了发育征象，甚至身上的汗毛也变得过黑、过长，这可不是一个正常的现象。"

萧朗摊摊手，把报纸甩回了桌上："所以大家一窝蜂都带孩子去做检查了呗？新闻里不是也说了，调查组没有发现问题疫苗，也没有足够的依据证明和疫苗有关，事情还在调查中嘛。再说了，上次是昏迷，这次是发育，这两件事有关系吗？咱们还是赶紧去找我妈吧。"

凌漠满怀疑虑，但的确也无话可说，只好跟着萧朗离开了实验室。

如果说大儿子是希望的寄托的话，那么萧朗在傅如熙心中，就是一个开心果。虽然萧朗有一米八几的大个儿，傅如熙看到他还是忍不住要搂一搂。

"给我点面子，妈！"萧朗跳开一步，躲开傅如熙的拥抱。

"听说你们遇见个基因嵌合体？"傅如熙摇着头笑道。

"是啊，傅主任，您是研究基因的，能和我们说说究竟什么是基因吗？"凌漠说。

"这……"傅如熙蹙眉思索道，"我也不知道怎么来高度概括这一个很大的概念。总之，基因支持着生命的基本构造和性能，储存着生命的种族、血型、孕育、生长和凋亡等过程的全部信息。生物体的生、长、衰、病、老、死等一切生命现象都与基因有关。"

"那这种基因嵌合体，表现出来的各方面信息，是哥哥的，还是弟弟的？"萧朗问。

"不管是不是嵌合体，在特定的基因座[1]上的基因不同，就会表现出不同的信息。"傅如熙说，"这和哥哥还是弟弟没什么关系。"

"那就是说，我们的各种性状、能力都是特定基因决定的。如果基因突变和常人有异，会获得超能力吗？"凌漠追问道。

"曾经有科学家对猎豹进行了基因测序，发现猎豹在世代繁殖中出现了 11 个基因突变，这促使猎豹奔跑速度加快。"傅如熙说，"当然，这只是一种探索结论，但这个结论可能支持你的想法。"

"也就是说，人类随着进化的进程，各方面能力会越来越强？"萧

1　编者注：基因座，就是基因在染色体上所占的位置。

朗问。

"说到'进化'二字，这又是一门学科了。"傅如熙说，"有学者认为，生物体发展演变过程中所存在的基因突变等现象，未必就是一种进步，而是一种随机的现象，没有进步或者退步之分。严复还自创了'天演'一词，这就是对进化和演化的不同理解吧。"

"也就是说，人类并不可能掌控这种演化？"凌漠问。

傅如熙点点头，说："基因突变不仅仅可以自发，也可以诱发，所以现在也有基因定点突变的技术，但是，这种技术的能力也是有限的。另外，基因突变可能对个体有害，也可能对个体有益，或是两者兼具，又或者是无害无益的中性突变。即便是有办法促使基因突变，又如何控制这种突变只对个体有益呢？"

"换句话说，人为控制基因突变，导致某方面能力提升的想法，也是有可能被实现的。"萧朗说。

"但是很难操控。"傅如熙补充道。

"那么，从法医学的角度来看，如果基因发生了突变，会不会导致生物体性状发生直接的改变呢？"凌漠说，"就是在法医学检验中发现异常？"

"这个可以。"傅如熙说，"比如癌症，就是原癌基因和抑癌基因发生变异所致的，生物体性状就是发生了改变嘛。但并不是所有的基因变异，都会在生物体的表象上显现出来。"

实验室里陷入了沉默。

"你在想什么？"萧朗见凌漠一脸凝重，问道。

"我觉得对'幽灵骑士'的尸检，可能做得简单了一点儿。"凌漠说。

"嘿，你都开始对法医工作指手画脚啦？"萧朗笑道，"就是简单的中毒死亡，身上除了我那一枪，没有别的伤，这有什么复杂的尸检工作要做？"

"我觉得有必要和聂哥说一下。"凌漠还是坚持自己的看法。

"咱们亲爱的聂哥，正在组织里给咱们出题呢！眼前的案子要紧，你的天马行空可以先放一放了。"萧朗故作亲热地想揽一揽凌漠的肩膀，被凌漠避开了。

守夜者组织大会议室里，聂之轩站在讲台之上，用自己的机械手敲击着键盘。

萧朗和凌漠走进会议室，见傅元曼已经落座，便坐到了自己的位置上，等待聂之轩开始介绍案情。

"这案子是去年我所在单位管辖的案件。"聂之轩说，"刚刚组织接到公安部刑侦局的指令，要求我组织参与这一起未破积压案件的专案组，协助警方破案。"

刚刚侦破了一起案件，未进行休整就紧接着开始了下一起案件的征程，组织成员们并没有感到疲惫，反而一个个更加精神抖擞地聆听聂之轩的报告。

"我按照时间线来介绍这个案子。这个案子最初的发案是一起失踪案件的报案，报案人是这个叫作尹招弟的小女孩。所有的年龄资料都是以去年的年份计算的。"聂之轩打开一张家庭关系图。

这是一个五口之家。户主叫作尹杰，男，44岁，年轻的时候习过武，现在在镇子里的一个工厂当保安；妻子叫作孟姣姣，女，40岁，是一个比较勤劳的妇女，虽然生了三个孩子，但是每次坐完月子就会出门去大城市打工，主要是做一些家政服务。三个孩子里，尹招弟是大姐，16周岁，初中读完就辍学了，家里的农活基本都是她一个人在操劳；老二尹壮壮13周岁，男孩，在镇里住校，读初一；老三是个刚刚11个月大的女婴，还没有登记户口，家人称呼为月月，在家里主要依靠尹杰和尹招弟照顾。

而出事的，就是这个11个月大的女婴，月月。

去年的8月17日，正是一年中天气最热的时候，清晨，尹招弟突然说自己的妹妹被偷走了，随即与父亲尹杰在全村寻找。毕竟是一个刚刚学会走路的女婴，不可能自己跑远，所以在村民的劝告下，当天中午尹杰和尹招弟到辖区派出所报案。

派出所在通知特警派员对周边进行寻找的同时，对尹杰家进行了勘查，对案件基本情况进行了调查。

尹杰家境一般，住在村子里的一排联排平房中。家里是中间客厅，两侧厢房的结构。根据尹招弟的叙述，事发当天晚上，也就是16日晚上，尹招弟照例带着月月在西厢房睡觉，很快就睡着了。大约在凌晨三点钟的时候，尹招弟感觉到好像有人从窗口抱走了月月，但自认为是在做梦，所以又迷糊了一会儿。过了一会儿，她突然惊醒过来，再去看窗口的摇篮，月月已经不见踪迹。

此时尹招弟认为刚才那不是在做梦，于是直接踩着窗台跳到屋后，一路追去，似乎看见三百米处有一个黑影，正在疾奔。尹招弟很害怕，于是绕回屋前，想喊醒尹杰，可是尹杰并不在家里。于是尹招弟就在家的周围一直找到清晨，都没有再发现可疑人和月月的踪迹。清晨时分，尹杰归来，和尹招弟一同寻找无果后，去派出所报警。

派出所对尹杰当天晚上的去向也进行了调查，开始他说是去打麻将了，但因陈述不出牌友，又改口说是在镇子上值班，但民警调查到他并不当班，于是他又改口说是去嫖娼了。因为尹杰陈述是在路边偶遇的暗娼，所以民警也没有找出尹杰供述的妓女。

民警又对尹家周围的邻居进行了调查，有邻居确实在深夜听见有婴儿的哭声，延续时间还比较长，但是听见婴儿哭闹并不是什么疑点，所以夜里也没有人起床来看看究竟。其他的，因为是在凌晨，没有邻居出门，也没有见到可疑的人。

月月活不见人，死不见尸，案件就拖了下来。

三天后，8月20日，该辖区派出所再次接到报警，一周姓家庭称刚刚诞生百日的女婴遭到不法侵害，要求民警出警至乡卫生院予以立案调查。

根据周家人的介绍，他们家中午刚刚为女婴摆过庆祝百日的宴会，女婴的父母周才和阮桂花因为喝了不少酒，于是把女婴哄睡着后，双双入睡了。照顾婴儿的疲劳加之酒精的作用，两人这一睡就睡到了天近黄昏才醒来，连忙去看女婴，却发现女婴依旧在睡觉。毕竟婴儿的睡眠没有什么规律性，虽然他们一下午都没有被女婴的哭闹吵醒，但也没有多想，就开始准备起晚饭来。

未曾想，女婴这一觉居然睡到了晚上八点多钟，而且，婴儿一醒就开始哭闹。根据阮桂花的经验，这绝对不是正常的哭闹，而是那种撕心裂肺的哭声，婴儿甚至因为哭闹而产生了嘴唇发紫、呼吸困难的迹象。不明所以的阮桂花连忙把婴儿的衣服掀开，检查婴儿哪里出了问题，结果在婴儿的侧胸发现了两个正在渗血的红点。

惊吓之下，周才和阮桂花连忙把孩子送到了乡卫生院进行检查。医生也是第一次见到这种情况，对胸部红点的接触，会立即刺激婴儿大声哭闹。无奈之下，医生要求对孩子拍摄 X 光胸片。虽然 X 线对婴儿的危害比较大，但是查不出原因总不是办法，周家父母也只有含泪同意。

没想到 X 片拍摄出来之后，更是让所有人都大吃一惊。原来，婴儿的胸腔内，居然有两根细细的针，胸部皮肤的红点，应该就是针进入体内的入口。虽然婴儿的右肺形成了气胸，有呼吸困难的征象，但所幸的是针并没有伤及大血管和心脏。为了不在路途颠簸中改变针的位置而伤及性命，乡卫生院紧急联系了市立医院的胸外科医生赶来，利用胸腔镜对婴儿进行了提取异物的手术。

好在手术成功，婴儿的性命保住了。家长这才想起事情有多恐怖，于是连忙打电话报警。

既然确定了婴儿一直在摇篮里昏睡，摇篮里不可能遗落缝衣针，而且婴儿体内取出的针也不是普通的缝衣针，所以这基本就是一起故意伤害婴儿的案件了。民警在搞清楚前因后果之后，最先的想法是为什么婴儿一直昏睡，而没有哭闹，所以提取了婴儿的血液送检。几个小时后，血检结果是婴儿服用了安眠镇定类药物。

派出所随即将案件移交刑警队立案调查。

以刑警队为主、派出所为辅的专案组随即成立，专案组最先寄希望于刑事技术部门能够在现场提取到相关物证来证实犯罪，可是现场窗户、门、地面和摇篮等载体都很差，无法提取到有价值的线索，甚至连有没有人潜入室内都不好说。所以，专案组最先对周氏夫妇进行了审查。虽然没有好的证据来证实或者排除是周氏夫妇自己作案，但是显然他们俩动机不足，而且负责审讯的侦查员也通过直觉否定了他们作案的可能。

于是，刑警队又将调查范围转向了和周氏夫妇有社会矛盾关系的人。可是，因为什么仇恨，才会对婴儿下此狠手呢？专案组一时也摸不着头脑。毕竟人生活在社会上，鸡毛蒜皮的小矛盾不说则已，一说能拉出一大串。因为对矛盾深度定性不足，所以一时半会儿专案组也说不清该重点调查谁。

另一条线，针对这两根针和安眠药，专案组也在开展工作。经过成分鉴定，确定这两根针是银质的毛细针，有说法说，这就是传说中中医疗法经常使用的细银针，只是针柄部分被去除了而已。于是，专案组又将目标转向了镇子上可能从事过中医的人，结果也是一无所获。另外，对于婴儿体内药物的鉴定显示，确定是有少量的巴比妥，这种常见的安定药物，在镇子上很容易买到，所以对于购药群体的调查，依旧是大海捞针。

也有专案组民警提出要对周围的监控进行调取，可是办案民警在现场方圆数公里走了一圈，除了大路上几个交通摄像探头外，村镇里根本就没有摄像探头的存在，根本不能锁定现场周边的影像。

调查工作走进了死胡同，但刚刚诞生的婴儿被人伤害却不能破案，周氏夫妇无法理解和接受，几乎每天都要到派出所发顿脾气，出出气。派出所自知理亏，也没有办法。

在这个时候，有派出所民警提出几天前尹家失踪的女婴会不会也是遭此毒手。可是，两个案子除了侵犯的对象群体一致以外，没有任何可以串并的依据。而且，尹家的女婴到现在还没有找到，女婴的母亲孟姣姣甚至都放弃了城里的工作，天天在家里以泪洗面，寄希望于孩子被人贩子偷走，还有活着找回来的可能。

2

专案组坚持不懈在努力，但缺乏甄别依据，案子的侦办工作一直没有突破。就这样过去了十天，9月1日的早晨，是中小学开学的日子。没想到一大早，就出了一件震动全镇，甚至震动全市的案件。

一小学女生因为父母上班早，所以早早抵达学校。大约早晨六点半，女生走到学校门口的时候，发现保安室门外有个异物。走近一看，差点儿没被吓死，原来是一个坐在地上的女婴。从乌黑的嘴唇来看，女婴已经死去多时了。

女生的尖叫声惊醒了保安室里的保安，保安赶紧起来查看，也是被狠狠地吓了一跳。这是个一岁多的女婴，披头散发地靠着保安室墙壁坐着，低垂着小脑袋。保安大叔壮起胆子，碰了一下女婴，冰冷而僵硬。

在拨打110后，保安大叔连忙调取了学校大门口的监控。可惜，一个乡镇小学即便是安装了监控，也是质量最差的监控。在夜色的笼罩下，只能看见一个黑影抱着一大包东西在凌晨三点半来到了学校门口，在门口保安室的角落里短暂停留后，就离开了。无奈，这个嫌疑人的身形步态完全无法辨别，只能确定一个作案时间。

这么大的事情，消息不胫而走。警方抵达现场的时候，现场周围已经密密麻麻围起了大批围观群众。虽然学校临时决定当天停课，但依旧没有能够疏散现场围观的群众。人越聚越多，很快，一对庄姓的夫妇也赶到了现场，他们声称自己一觉醒来，发现睡在大床一侧摇篮里的孩子不见了。庄姓夫妇刚刚出门寻找，就听见邻居说小学门口有一个死了的女婴，于是赶紧赶了过来。显然，这个女婴，正是庄姓夫妇的孩子，这对夫妇冲进了警戒带，扑在尸体旁边，哭声一片。

派出所民警很快叫来了刑警队，这和之前的失踪案、银针案不同，监控的黑影足以证明一切。虽然女婴的外表看不出有什么外伤，但也显然是一起刑事案件。

技术民警对现场周围进行了勘查，无奈现场痕迹早已被围观群众所破坏。在人声鼎沸中，突然一声呼唤，人群开始向西移动。在民警们丈二和尚摸不着头脑的时候，派出所和刑警队同时接到了110的指令。

在乡镇小学以西三公里的池塘里，漂起了一具尸体。尸体是个女婴，不到一岁，根据衣着判断，就是尹家十几天前失踪的那个女婴。尸体已经高度腐败成墨绿色，肿胀成巨人观，场面惨烈，臭气熏天。

对于一个人口只有四万多的镇子，这些天连续发生侵害女婴的案件，自然出现了很多传言，有些传言甚至不着边际，和某种祭奠仪式扯上了关系。

派出所民警也不愿把这几起案件给挂上钩，毕竟连环案件比起单起偶发案件要麻烦得多。可是，很快，法医的结论就让民警的希望破灭了。

庄姓女婴的身上确实没有损伤，但是毒化检验部门很快在她的心血中发现了巴比妥的成分，这和周姓女婴体内的药物成分是一致的。显然，她们都是因为被安眠镇定类药物作用而失去了哭喊、反抗的能力。同时，法医对庄姓婴儿开颅之后，终于找到了她的死因：一根细细的银针从婴儿头顶部的囟门[1]插入，直接刺到了延髓[2]。这一下，直接损害到了婴儿的呼吸、循环中枢而致死。连致伤工具都一样，不用说，这两起案件可以并案了。

倒是尹姓女婴有一些不同。虽然女婴肯定是被外力侵害致死的，但是她并不是被丢入水塘后溺死的，而是机械性窒息死亡后，被丢弃入水塘的。因为她的颈部没有明显的掐压痕迹，所以法医倾向于她是被捂闷口鼻而窒息死亡的。不过，毒化检验部门对女婴肝脏的毒物化验排除了她曾经受到安眠镇定类药物作用，聂之轩率领法医同事通过细致的尸检，未在女婴体内找到银针。为了做到万无一失，聂之轩甚至对腐败的女婴尸体进行了全方位的 X 线扫描，确定她的体内没有和周、庄姓女婴体内类似的银针。但是不死心的聂之轩还是在尸体上发现了蹊跷：女婴的背部和四肢似乎有几个小孔。虽然尸体高度腐败，不能确定其性状，但是无论尸体如何腐败，都难以导致真皮层，甚至皮下组织出现这些奇怪的圆孔。再结合之前的两起案件，聂之轩果断认定这些圆孔就是那些诡异的银针戳击所致。婴儿在死亡之前，受到了犯罪分子的疯狂折磨，这是一起惨绝人寰的连环虐待婴儿的案件。

---

1 编者注：囟门，指婴幼儿颅骨结合不紧所形成的颅骨间隙。

2 编者注：延髓的位置，在脑的最下部。

在聂之轩率领的法医部门向专案组报告了尸检情况后，专案组当机立断，将三起案件并案侦查。

三起案件，造成三名婴儿两死一伤，别说在这个几乎很少有刑事案件的镇子上是个奇闻异事，甚至在全市，乃至全省都轰动一时。一段时间里，整个镇子上人心惶惶、草木皆兵。尤其是家里有婴儿的家庭，更是一改之前的夜不闭户的状态，在炎炎夏日，也要紧锁门窗，绝对不让婴儿一个人睡在摇篮里，哪怕再热，也要在睡前把孩子抱在怀里。甚至哪家孩子一哭闹，家长就急急忙忙在婴儿身上找针眼，如果哭了一会儿没停，家长就抱着孩子去卫生院要求医生给孩子拍 X 光。

案件引起了广泛的社会影响，公安机关的压力也是巨大的。可是，现场遭到围观群众的破坏，一点有价值的痕迹物证都没有能够发现，这就从源头上失去了破案的线索、甄别犯罪分子的依据和证据，侦查工作一时陷入了绝境。

省厅、市局组成了专家组，专门对这起案件进行了研究。

最初的希望还是在于被害人家的现场勘查。虽然距离尹家、周家的事件已经过去了十几天，但是专案组的现场勘查员还是对两家的门窗进行了细致的勘查，同时，也对初次勘查时候的照片、录像进行了审阅。

这两家的房屋都是简单的联排平房，出入口比较复杂。但是，据两家人阐述，他们睡觉的时候，都是关闭大门的。因为是酷热的夏天，所以为了节省空调电费，都是打开电风扇、打开窗户睡觉的，那么，犯罪分子进入现场的通道就只有可能是窗户。可是，经过勘查，窗户、窗柜和窗台上都没有可利用的痕迹。经过复勘，技术人员认为不仅仅是因为载体不好，因为就算载体不好，也会留下刮擦、攀爬的痕迹，可是两个现场都没有发现这些痕迹。换句话说，犯罪分子的出入口，无从判断。

犯罪分子从何处进入现场，一时也被群众传的是神乎其神，甚至妖怪、食人族、外星人什么的谣言都出来了。

另一组勘查员在聂之轩的带领下，对庄姓女婴家，以及抛尸路线进行了勘查。同样，庄姓女婴家唯一可能的进出口也是窗户，但是窗户却没有任何可疑的痕迹。聂之轩还对庄家的大门和围墙进行了勘查，大门的门锁很正常，没有撬压的痕迹，围墙也没有攀爬的痕迹。犯罪分子的出入口再次出现了无法分析的情况。

放弃了对庄家物证的搜索，聂之轩率队沿着各条路，从庄家到小学现场走了几趟。因为是在普通的镇子上，所以只要对镇子熟悉，很轻松就可以避过所有的监控，于是监控调查这条路也走不通了。好在细心的聂之轩记得，婴儿尸体的尸僵形成状态是蜷缩的，这说明婴儿死亡后，在尸体被运送的途中，应该处于一种蜷缩的体位。而无论是横抱、背负还是肩扛，尸体都不应该是蜷缩的，所以聂之轩认定女婴在运送途中，应该是被某种包裹物包裹。所以，在沿途搜索中，聂之轩一心想找到这个包裹物。

功夫不负有心人，这个包裹物还真的被聂之轩找到了。在几条路线上，聂之轩几乎是逢垃圾桶都要翻找一下。同事们不知道他的用意，心想这家伙是假肢，所以不怕脏吗？不过，当聂之轩从一个垃圾桶里拽出一条黄色的布的时候，大家终于意识到他的用心。

这是一条不知道作何用的布，上面有几个香烟烧灼的洞。经过多人辨认，一直没有找出这块布的主人。聂之轩把布送回市局物证鉴定中心进行物证提取，果真在布上寻找到了庄姓女婴的血迹，这应该是她头顶针眼渗出的少量血迹黏附在了布上。可惜，物证部门无法从布上再寻找到第二个人的 DNA，唯一可能提取到直接指向犯罪分子证据的物证也没有了。不过，物证部门从布上提取到了一些油脂类成分，有动物油成分，也有植物油成分，因此分析这可能是一条餐桌布。

物证这条路又陷入绝境，专案组只有重新再坐下来研究犯罪分子的作案动机。

侵害婴儿的案件，作案动机无外乎几种：最常见的，就是父母伤害、杀害自己的孩子，可是，这三个案件来源于三个不同的家庭，因此排除。其次就是性侵、猥亵婴幼儿的案件，可是三起案件的被害人的性器官都没有遭受侵害的损伤痕迹，所以也不太像。再者就是拐卖婴儿，这三起案件显然也不是。还有一种可能就是和三名婴儿的父母有仇，这是复仇行为，可是经过警方长达一个月、访问人数超过千人的调查工作，确定这三个家庭之间不存在丝毫的联系，更没有什么共同的矛盾点，而且这个几万人的镇子上，家里有婴儿的家庭有不少，这三个受害人家庭应该都是被随机选择的，于是这一个动机也随即被排除。最后就是精神病伤人了，警方又花了一个月的时间，对镇子上所有精神病人，或者是有精神疾病症状的人都调查了一遍，可惜缺乏甄别依据，也无功而返了。

案件侦办工作，于是乎又失去了方向，还得考虑其他途径。

警方也曾经想围绕着银针的来源进行调查，可是经过专家的识别，这些银针就是很普通的中医用细针灸针，去掉了针柄而已，想要获取这样的银针，实属易事。但是警方抓住这一根救命稻草，仍然进行了一轮深入调查。对所有镇子上和中医有关的人，以及网购细针灸针到镇子附近的人，都进行了一番调查，以至于很多家里有银针的人，都将银针偷偷藏起，谎称没有，省去了被警方盘问的麻烦。

视频组也是巧妇难为无米之炊，镇子上的交通监控摄像探头少得可怜，民用摄像监控探头更是凤毛麟角。即便是获取有限的摄像探头的影像，也因为种种原因，并无价值。

最后，专案组还是把侦办目标回归到两个方向。

一是对可能存在精神问题或者心理问题的人群身上；二是聂之轩提出的亲属作案论。根据公安部研究总结的《被害人学》，大多数婴幼儿被侵害，都是其父母或直系亲属所为。聂之轩提出一个可能的方向，如果是某人对自己的孩子下手之后，成瘾了，于是寻找其他目标作案。那么，根据时间线，最早发生的，应该是尹家的案件，而恰巧尹杰在当天晚上不能清楚地说明他的去处。

有民警认为尹杰确实可疑，在家中发生大事后，连续对警察撒谎。虽然有可能是因为他出去嫖娼无法说实话，但是毕竟他最后阐述的"去嫖娼"没有被证实。那么，就可以认为他具备作案时间。

既然有了新的线索和怀疑对象，警方像是下注一样，寄希望于此。

好在此时还没有过去几个月，大家对几个月前的事情都还记忆深刻。

经过调查，尹杰的嫌疑开始逐渐上升。在尹家女婴失踪后三天，也就是周家女婴被侵害的当天下午，尹杰在村东口的堂兄弟家里推牌九。虽然有他堂兄弟和几个发小做出的不在场证明，但警方认为，这些和尹杰有明显利益关系的人，不能排除他们作伪证的可能。而且，在自己的小女儿失踪后三天，妻子从外地赶回来到处寻找女婴的时候，他却在赌博，这一点让人不能理解。

十天之后，也就是庄家女婴被侵害的当天夜里，正好是尹杰当班。不过，工厂保安值班都是一个人值班，每两个小时巡场一遍并在特定的地方签到。虽然尹杰当天夜里在每个签到点都签到了，但是学校监控中犯罪分子出现的时间是凌晨三点半，而这个时间，正好是两点至四点这两个签到时间中间的空档期。如果尹杰动作快一点的话，完全可以利用这个空档期溜出工厂，完成全部作案过程。

最大的问题在于，尹杰曾经练过武，对于其能否利用某种非正常方式入室这一点，至少他比其他人具备更大的可能性。而且，尹杰吸烟，也具备了在桌布上留下烟烧痕迹的条件。

这样看，聂之轩分析的"自家人作案后，发现这种方式可以刺激他的快感，继而连续作案"的可能性是存在的。尹杰的嫌疑因此浮出水面。

因为缺乏有效证据申请搜查令，警方派出一组勘查员以调查访问为借口，到尹杰家中进行秘密勘查。勘查的重点一是寻找类似的银针，二是明确尹杰家里有没有桌布，或者有没有换用新的桌布。

可惜，这一次秘密勘查失败了。勘查人员甚至动用了金属探测仪，也没有能够在尹杰家里寻找到一样的银针。而且，尹杰家里的桌布很陈旧，显然是铺垫在桌上很久没有换过了。这两个可以作为间接证据的条件都没有满足，尹杰是否是嫌疑人，专案组也不敢确定了。

时间一纵即逝，就这样很快到了今年年中，聂之轩被调到了守夜者组织开始了新的工作。但是他在工作的时候，依旧随时询问这起"银针女婴"案的进展情况。据聂之轩了解，警方最终失去了所有的办法，只有孤注一掷把尹杰抓了回来。虽然在抓捕的时候遭到了尹杰的激烈反抗，但是在抓回来以后，尹杰一直态度很好。虽然态度很好，但对于作案，他坚决否认。在以聚众赌博的名义被拘留数天之后，尹杰被释放回家了。

案件最终还是石沉大海。

好在在这几个月里，镇子上再也没有发生女婴被侵害的案件了。一方面可能是家长的防范意识提高了，另一方面也可能是犯罪分子迫于警方持续高压，没有机会再次作案。

在守夜者组织成功破获了高速闹鬼案之后，聂之轩正式提请守夜者组织，对此案进行突破。

因为任何一起命案不破，都会是一名刑警心中的结。这个影响广泛的案件，更是聂之轩心中的一个死结。

3

聂之轩用他独有的稳重而低沉的声音介绍完了案件的全部情况，因为涉及大量的现场和尸检照片，唐铠铠几乎是低着头听完的。

不仅是唐铠铠受不了图片的冲击，就连凌漠看到高度腐败成巨人观模样的女婴之时，也全身抖动了一下。看到婴儿被残忍侵害的模样，年轻的守夜者成员心头最柔软的地方被触动了。

"现在部刑侦局已经把这个案子交给我们了，限期破案，还当地老百姓一个安宁。"傅元曼说，"聂之轩，你觉得这个案子最大的难点是什么？"

"所有的命案侦破工作，都是从现场勘查、重建开始的。我们缩小范围、提取线索物证的依据，都是建立在现场重建的基础上，而现场重建的开始，是出入口分析。"聂之轩说，"我们现在连犯罪分子的出入口都搞不清楚，根本就无从下手开展侦破工作。凶手总不能是飞进来的吧？"

"会不会是你们的勘查有问题啊？"萧朗问。

"三个丢失婴儿的现场我们都重新勘查过几次。"聂之轩说，"我敢肯定的是，进入的屋子大门紧闭，外人不可能进入；窗户没见灰尘减层痕迹[1]，不可能有人爬窗。除此之外，就没有其他可能性了。"

"也就是说，人不用进入现场，就能完成作案过程。"萧朗沉吟道。

"受到上一起案件的启发，既然我们不能用科学解释出入口，不如我们就暂时不去解释。"凌漠说，"换一条思路。换思路，是解决死胡同的唯一办法。"

"换什么思路？"萧朗问。

傅元曼说："凌漠，你是读心者，不如你来分析一下这起连环侵害婴儿案犯罪分子的心理特征吧。"

凌漠低着头，揉着下巴，像是没有听见傅元曼的话一样。

萧朗用胳膊肘戳了戳凌漠，说："姥爷问你话呢，让你分析作案动机。我觉得吧，就一变态，男的，中年油腻男那种。"

"哦？依据呢？"傅元曼饶有兴趣地看着萧朗。

萧朗挠了挠头，他一时兴起想当然，哪有什么依据。

"一样的道理，除了现场重建，我们还总是习惯从动机开始侦破案件。"凌漠淡淡地说，"可是明明无法确定动机的案件，为何还要惯性思维呢？"

"你的意思是，"傅元曼说，"反过来？"

凌漠点点头，说："找不到重建起点，找不到作案动机，都是这个案子的不寻常所在。对于有不正常现象的案件，我们就要不断更换思路，直到有路可走才行。如果我们抛开现场重建、动机分析，避免先入为主，仅仅是根据现场的证据、现象来分析呢？"

"你有什么高见吗？"萧朗故意把"高见"两个字着重了一下。

"还没有。"凌漠说，"但我觉得，这三起案件的入手点，还是目前我们获取的唯一物证——桌布、三个受害者，以及最后一起案件的行为，从这三个要素着手。"

"怎么着手？"萧朗问。

"三个受害者身上都没有其他附加损伤吗？"凌漠转头问聂之轩。

1　编者注：灰尘减层痕迹，指的是踩在有灰尘的地面上，鞋底花纹抹去地面灰尘所留下的鞋印痕迹。

聂之轩用自己的左手以及灵活的机械右手在键盘上敲打着，不一会儿，身后的 LED 大屏幕上就并列排列出三个受害者的照片。唐铛铛默默地咬了咬嘴唇。

"尹家的女婴是有附加性损伤的。"聂之轩把腐败的女婴尸体口腔部位放大，说，"牙龈根部和舌尖都有损伤，应该是捂压口鼻腔的时候留下的损伤。而且，这孩子也是因为捂压口鼻所致的机械性窒息死亡。除此之外，其他的女婴都没有附加损伤。"

"也就是说，手段不一致。"萧朗说。

凌漠依旧是淡淡的语气，说："不，是升级。"

"怎么看，都像是这个尹杰。"萧朗说。

聂之轩十分认可，使劲点了点头，说："无奈，没有证据，他的嘴也很硬。"

"你说的物证，那块裹尸布，还有什么好挖掘的吗？"傅元曼说。

"带我去看看吧。"凌漠转脸对聂之轩说，"物证在哪里？"

"在市局的物证室。"聂之轩举起他的金属右臂，指了指凌漠和自己，说，"就我们俩去？"

凌漠转念一想，自己不能再吃上午处理衣服上毛发的亏，看瞎了眼，也不及萧朗瞥上一眼，于是凌漠笑了笑，说："不，还有萧朗兄弟。"

"嘿嘿嘿，我说你这人，用得着我的时候，就是萧朗兄弟、萧朗兄弟，用不着我的时候就一溜烟地跑了。"萧朗挥舞着拳头抗议道。

凌漠搭着萧朗的肩膀，说："走吧，话真多。"

凌漠和萧朗并肩站在物证室的门口，看着聂之轩麻利地在成堆的物证中找出那一条桌布。如果不是对聂之轩很了解，真的看不出他是一个安装了假肢的残疾人。

聂之轩小心翼翼地从物证袋里拿出桌布进行编号确认。因为是假肢，所以连戴手套都省了。确认完编号，聂之轩又小心翼翼地把桌布放回物证袋，拎着物证袋走出了物证室。

"虽然是检验过的物证，也要这样小心。"聂之轩说，"不然，很多我们没有发现的物证可能就会在搬运、转移的过程中丧失。"

"我想知道,你们当时是怎么发现可疑斑迹并且检验的?"凌漠问。

"嗯,血迹嘛,我用了鲁米诺。"聂之轩说,"毕竟在一条这么大而且不干净的桌布上找血迹就和大海捞针没啥区别。"

"所以你就直接发现了一滴血迹?"

"是啊,有荧光反应。"聂之轩说,"而且不影响血迹的 DNA 检验,是最好的捷径。不过,不是一滴血迹,而是数点血迹。"

"婴儿身上不是只有一个小针眼大的开放性创口吗?"萧朗问道。

聂之轩点了点头。

"如果是简单行走的话,桌布贴在婴儿身上,应该是会黏附一点血迹。"凌漠说,"只有在大幅度运动中剧烈的颠簸,才会改变婴儿头部和桌布之间的位置,形成新的出血痕迹。萧朗,对吧?"

"啊?干吗问我?"萧朗愣了一下。

"你不是擅长运动嘛。"凌漠笑着说,"到实验室了,现在真的要问你了。"

三个人进了实验室,实验室为了方便使用多波段光源[1],所以是按照暗室的标准来建造的。聂之轩先是督促二人戴好手套,然后小心翼翼地把桌布平铺在实验台上。

这是一块长、宽各约一米的银灰色纺织布,似长方形,又似正方形,上面有不少污渍的残留。

聂之轩关闭了实验室的顶灯,整个实验室瞬间进入了漆黑一片、伸手不见五指的状态。聂之轩打开多波段光源,用各种波段的光照射桌布。

"你之前说的植物油、动物油都是在哪里提取到的?"凌漠问。

聂之轩泛泛地指了指桌布,说:"我感觉吧,这布就是单纯的脏,你要说哪里有斑迹,我也没有找出来。"

"你的意思是,油污是均匀黏附在布上的?"凌漠问。

1　编者注:多波段光源,由多种单色光组成,主要可以激发痕迹或增强痕迹的反差。

"可以这样说吧。"聂之轩说，"我们就是随机在布上找了几个点，都检测出了植物油和动物油的成分。哦，只有这一面有，另外一面则没有油污。所以，我们分析这一面是朝上铺在桌子上的。而且，你看这几个烟洞，也是这一面大，有烟熏痕迹，而背面较小，没有烟熏痕迹。"

"萧朗你能看出什么吗？"凌漠说。

"这么漆黑一片看什么啊？"萧朗一边说一边打开了灯，伏在实验台上看了起来。

"我们都看过，除了发现的这些，并没有什么疑点，或者说没有可以作为认定犯罪分子的依据。"聂之轩说，"我们随机提取了一百多个点做了擦拭，都没有发现其他人的 DNA，这基本已经可以覆盖整块桌布了，除非是我们的运气差到家了。"

"说明这块布很少有人接触。"凌漠说。

凌漠的话音未落，萧朗直起腰来，说："啥桌布啊，这是块窗帘。"

"窗帘？"聂之轩惊叫道。

凌漠的肩头也是一动。

"怎么会是窗帘？"聂之轩说，"一侧没有吊环、没有拉钩，而且还有这么多油污。我说的是油污啊，不是灰尘。而且，你见过窗帘这么小的吗？一般都是长两米的长方形吧？这个几乎就是个正方形。"

"你们看不到？"萧朗在纺织布的一条边上比画着。

凌漠和聂之轩同时摇了摇头。

"这里有铁锈的痕迹啊，一段一段的。"萧朗说，"确实，它没有吊环、拉钩什么的，但是这个窗帘的原理，就是窗帘轨道上垂下来的铁夹子，分段夹住布的一侧，就成窗帘了呀。"

"铁锈？"聂之轩还在怀疑。

"我相信萧朗的判断，而且根据萧朗描绘出来的痕迹，还可以提取物证，做铁锈的成分认定。"凌漠说，"之前你们取材做出来油污的成分，没有提取到窗帘的这一条边缘吧？"

"当然，取材是在中心部位取。"聂之轩用他的假肢挠挠头，说，"而且一开始认为是桌布，也不可能去边缘取物证了，没意义啊。"

"油污不是成块黏附上去的，而是均匀密布。"凌漠说，"这说明是厨房的窗帘，因为厨房里的油烟很大，能形成均匀密布的油污黏附，而且油污既有植物油，又有动物油。并且厨房的窗户通常比房间的窗户小，所以窗帘也就小，至于是长方形还是正方形，那要根据窗户的形状。窗帘上，有油污的朝里，没油污的朝外。如果尹杰在家里做饭的话，有可能边做饭边抽烟，形成烟洞。"

"对吧？这就一窗帘。"萧朗不当一回事地说。

"这可能会是一个突破口。"凌漠说。

"啊？对吧？是窗帘吧？你看看，你看看，这案子要是破了，我就是头功啊。"萧朗拍着自己胸脯说道。

"我们前期确实先入为主了。"聂之轩说，"不过，不是我打击你们，即便看出来是窗帘，可能也没用。"

"不会吧。"凌漠说，"你们之所以没有证据，是把这个当成了桌布，可是尹杰家里的桌布状态很正常，也不是新换的，所以排除了。"

"如果是窗帘，也可以排除。"聂之轩引着二人走到了隔壁的办公室，从公安内网的FTP（文件传输协议）上下载了一个文件夹，说，"这是我们对尹杰家进行暗搜时候的视频和照片，你们看看。"

视频是由一个执法记录仪拍摄的，几乎把尹杰家的每个角落都拍摄到了，当然也包括厨房。凌漠分析的方向不错，很多农村的家庭，厨房都会装上窗帘。不过，尹杰家的厨房窗帘很正常地在窗口飘扬，是陈旧、肮脏的模样，没有新换的痕迹，比他们看到的那块布要大一圈。而且，细心的萧朗还发现厨房窗户的窗轨是滑轮式样的，并不是自己之前说的简易夹。

"当时凡是可能有布的地方，我都有留意。"聂之轩说，"没有哪里有新换的可能。而这块裹尸布很脏，也不可能是被犯罪分子收藏起来的东西。"

"这毕竟是第一起案件，是三起案件中，最有价值的一起。"凌漠说，"不是我信不过你啊聂哥，但我觉得即便是事隔一年，我们还是有去尹杰家看看的必要。"

"这没问题，我带你们去和他们家人聊聊。"聂之轩说，"凌漠的读心能力，说不定能有什么发现。"

凌漠笑了笑，说："我们要带上子墨，我更寄希望她的第六感有什么发现。"

"要不要带铠铠？"萧朗左顾右盼，"人多力量大。"

"铠铠不行，铠铠有别的任务。"凌漠说。

"嘿！你小子凭什么给我们家铠铠安排活儿啊？她最近够累了，还看了那么多尸检照片。"萧朗又挥舞了一下拳头。

凌漠此时已经给程子墨发完了短信，一个人走在前面，说："铠铠是唐老师家的，不是你家的。还有，尸检照片怎么了？你不要低估铠铠的心理承受力。"

万斤顶经过了快两个小时的颠簸跋涉，开到了事发镇子的外围时，已经是晚上了。凌漠要求大家下车步行进村子。毕竟像万斤顶这样形状扎眼的汽车若是开进了镇子，一定又会引来更多的流言蜚语。经过了一年的沉淀，这个镇子总算是重新平静了下来，这里的老百姓再也经不起折腾了。

聂之轩引着其他三个人，步行了三公里多的路程，来到了一座红砖联排平房之前。

"这就是尹杰家了。"聂之轩打开手机电筒，照着漆黑的小路，说，"左起第二扇门就是他家的大门。"

"发现婴儿的池塘，就是那个吧？"萧朗指了指东边。

其余三人沿着萧朗的手指的方向看去，漆黑黑一片，哪里有什么池塘。

"呃，看方向，是的。"聂之轩尴尬道。

"他又在秀视力了。"凌漠耸了耸肩，径直往前走去。

"我们是公安局的，还是你家的案子，我们要再来和您聊聊。"聂之轩往前走了不到一百米，恰好遇见坐在屋前的一个妇女，不出意外，这就是死亡女婴的母亲孟姣姣了。

就像是按到了电门，一听见公安局三个字，孟姣姣的眼泪立即流了下来。她依旧坐在原地，不置可否。

四个人尴尬地站在门前，这时出来一个亭亭玉立的年轻女孩，想必是孟姣姣的大女儿尹招弟。她看上去有一些腼腆，但还是低着头走到门口，低声说："请进，不过我爸不在家。"

"没事，没事，我们就是随便看看。"聂之轩连忙说道。

"你爸去哪儿啦？"萧朗尽量装作轻松的口气，但听起来依旧像是在审犯人。

"啊，轮到他当班。"尹招弟像是受惊了的小兔子，有些哆哆嗦嗦地说道。

凌漠瞪了萧朗一眼，没有说话，在家里到处走着。尹招弟低着头站在客厅，不看他们，像是在想着什么心事。

凌漠踱到一间侧卧室，显然是尹招弟自己单独的房间。据称，这就是案发当时，犯罪分子翻窗入室、盗走婴儿的地方。不过此时，这里并没有摇篮的影子。

"请问，姑娘，孩子的摇篮呢？"凌漠小心翼翼地问道。

"爸爸妈妈把小妹的东西都烧了，摇篮也烧了，怕看到的时候会想念。"尹招弟说。

"那这个呢？"凌漠指了指床头柜上放着的一个小小的奶瓶。

"哦，这个是我偷偷留下来的，想小妹的时候可以看看。"尹招弟一脸悲伤，"她从小就是我带着的。"

程子墨心有不忍，拉着小姑娘的手，走到了屋外，和小姑娘聊了起来。

凌漠若有所悟地点了点头，又踱进了厨房。果然，厨房的窗户上挂着一块窗帘。但从大小、质地和窗轨样式来看，都和裹尸布毫无瓜葛，而且，这块窗帘已经很脏了，显然没有新换的痕迹。

凌漠掀开窗帘，上下左右地朝窗框的各个位置看了看，眼睛突然一亮。

"萧朗，萧朗你来我问你个问题。"凌漠在厨房里喊道。

萧朗一溜烟跑进厨房，低声说："咋啦咋啦，你看到啥了？"

凌漠一手掀起窗帘，一手指了指窗框的顶部，说："自己看。"

萧朗抬起头，看了看，惊喜得差点儿叫出来，幸亏凌漠已经早有预料似的做了个"嘘"的手势。萧朗用征求意见的眼神看着凌漠，凌漠不露声色地微笑着点了点头。

"怎么办？"萧朗说。

"回去。"凌漠言简意赅。

走到房屋的门口，凌漠示意聂之轩和程子墨先走，而他和萧朗留了下来，安慰了孟姣姣几句。

"你们什么时候能还我公道？"孟姣姣哭着问道。

"三天。"萧朗竖起三根手指。

孟姣姣充满希望地仰望着他。

凌漠也一脸无奈地盯着萧朗。

"啊？不对吗？"萧朗注意到凌漠的眼神，缩回两根手指，说，"那，一……一天？"

凌漠和孟姣姣简单告辞后，揽起萧朗的肩膀，把他拉回了小路。

"我说得不对？"萧朗问道。

"不重要。"凌漠指了指小路的前方说，"这俩人跑得这么快？都没影了。"

萧朗看了看前面，说："这么黑，我都看不见他们了，你能看见啥？不过，脚下的路我还是看得很清楚的，你扶着我，别掉池塘里了。我刚才说得不对？"

凌漠笑了笑，没说话，沿着小路走着。

4

"就是这个尹杰作案的，没错。"程子墨在回去的车上说。

"你的第六感吗？"萧朗一直不相信程子墨所谓的"第六感"。

"是啊，我和那姑娘聊天，明显感觉到她欲言又止的样子。"程子墨尽可能地去模仿她感觉出来的感觉，说，"就是那种想告诉我们什么，但又不敢说的那种。"

"说不准她想告诉你，她喜欢你。"萧朗嬉笑道。

"滚。"程子墨说，"后来我就拉着她的手说话，说着说着，我就发现了异常。"

"什么异常？"萧朗坐直了身子。

"因为一拉手，袖子就缩回去了嘛，就露出了她的一截手腕。"程子墨描述道，"她好年轻，皮肤特好。"

"切！"萧朗又瘫回了座椅上，"我还以为是什么发现呢。你是不是要开始写小说了？莲藕一般的手腕……"

"别打岔。"程子墨白了萧朗一眼，说，"她的手腕上，有两处点状的疤痕。看上去，就像是被针戳了以后留下的疤痕。"

"针戳了也能留疤？"萧朗转头问聂之轩。

聂之轩点点头，说："疤痕体质的话，只要损伤波及真皮层，就有可能形成瘢痕疙瘩。"

"而且看上去那两处瘢痕有不少年了。"程子墨说，"她才十六岁，总不会是好几年前自残造成的吧？"

"你是说，尹杰从尹招弟小时候，就有虐待她的历史了？"萧朗说。

万斤顶抖动了一下，可能是在躲避路面上的坑洞。驾驶座上的凌漠在整个路程中都在专心地开车，一个字也没有说。

回到了组织，傅元曼依旧坐在大会议室里等待。

"姥爷，就是尹杰作案没错了。"萧朗还没进会议室，就喊了起来。

"叫组长。"傅元曼的语气很严肃，但是他看外孙的眼神，怎么也严肃不起来。

"凌漠在尹杰家的厨房窗户的窗框上发现了几个平行排列的小孔，说明之前还有另外一条窗帘轨道。"萧朗说，"如果这个成立的话，那么尹杰一定是拿了自己家厨房两层窗帘的外层去包裹了尸体。然后，他又回家拆卸了外层窗帘的窗帘轨道。"

"两层窗帘？"傅元曼问。

"嗯，可以确定被拆的是一条旧窗帘轨道。"凌漠补充道，"我仔细观察了他们家的结构，厨房窗户外面有一盏路灯，现在坏了，但以前肯定是好的。这个路灯照射方向正好是通过尹家厨房的窗户，直接照射到厨房对面的主卧室里。如果主卧室关门还好，但是夏天要是想开门通风，就会受到路灯的干扰。我分析，裹尸布那块窗帘是最早的窗帘，但因为是银灰色的，透光率比较高，所以他们后来又加装了一块内侧窗帘。正因为裹尸布是选用了外窗帘，而内窗帘很正常，才会误导我们没有发现这一重要线索。"

"这是线索，不是证据。"傅元曼说。

"没事，这事交给我了。"萧朗拍着胸脯说，"凌漠说了，隐藏尸体和隐藏重要物证是同一种心理起源，那么很有可能会隐藏在同一个地方。我看了尹杰家周围，适合藏匿重要物证的，只有那一个池塘。虽然事隔一年，但我相信那个破窗帘轨道一定还沉在池塘底。"

"打捞出轨道，按照萧朗看见的铁夹痕迹，进行痕迹比对，再将轨道上用于固定的螺丝孔和窗框上的螺丝孔进行比对，就可以做同一认定了。"凌漠说，"这已经不是间接证据了，可以作为直接证据使用。"

"天一亮就行动吧。"傅元曼微笑着说，"现在大家都需要休息。"

凌漠却没有休息。

他独自一人来到守夜者组织的天眼小组操作室，唐铠铠正背对着他，专注于电脑屏幕上的一幅幅图片。

"怎么样？"凌漠站在唐铠铠的背后。

"啊？"唐铠铠从自己的世界里惊醒，转头对凌漠说，"确实，小学这个现场的东西两侧道路都有交通摄像探头，加上学校门口的监控摄像探头摄录的影像，基本可以还原出所有当天到现场围观的人员的影像。不过，不是很清楚。"

"不清楚没关系，有个大概轮廓，基本就可以确定。"凌漠说，"大概多少人？"

"四五百。"唐铛铛指着电脑屏幕上密密麻麻排列着的小图标。

"嗯。"凌漠凑过身来看屏幕，肩膀碰着了唐铛铛。

可能是内心里对凌漠依旧存在隔阂和警惕，也可能是两个人的单独相处让唐铛铛回想起了之前的事，唐铛铛微微一抖，躲开凌漠的接触，低头从凌漠身边离开："你看吧，我走了。"

凌漠不以为忤，坐到唐铛铛的座位上，同时打开了一排照片，像是有什么期待一样，在照片的面孔里寻找那一张熟悉的脸。

第二天一早，萧朗嘲笑了一番凌漠的黑眼圈之后，率先爬上了万斤顶。万斤顶率领着数辆特警、消防的车辆，直接开进了村落。两辆消防车上下来十余名消防战士，对池塘的入水口进行了围堰[1]，并用抽水机开始抽池塘的水。

而萧朗一行人到了尹杰家里，获知尹杰昨晚值班，到现在还没有回来，下落不明。

"不会是昨晚我们过来打草惊蛇了吧？"萧朗担心地说，"我得去找他。"

"子墨，你和萧朗一起去吧，带上一车特警同事。"凌漠说。

"好，我去盯打捞工作。"聂之轩充满期待地离开。

尹杰家门口的空地上，只剩下凌漠一个人站着，和依旧是坐在门口以泪洗面的孟姣姣面对面。

"呃，我可以进去坐坐吗？"凌漠打破了尴尬的气氛，说。

长期以来的心理创伤，让孟姣姣的思维变得很慢，她过了半晌，才微微点头。

凌漠像是得到了指令，立即转身走进屋去。屋里的尹招弟正在堂屋中央，坐在小凳子上择菜。凌漠走了进来，她像是没有看到一样，依旧在择菜。和程子墨说的一样，她挽起的衣袖下方，可以看见数个瘢痕疙瘩。

凌漠走过次卧室，看了一眼床头柜上的奶瓶，径直走到了尹招弟身

---

1 编者注：围堰，指在水体中修建的临时性围护结构。

边。许久，凌漠没有说话，尹招弟也旁若无人地择菜。

"我还剩最后一个问题没有解开，也正是因为这一个反常现象，导致警方历经一年还没有破案。"凌漠说，"你看起来柔柔弱弱，力气也不大，但为什么跳跃能力那么强？"

尹招弟全身颤抖了一下，没有说话。

"几个现场的窗台都那么高，你居然可以用跨栏的姿势轻松进入，这不是一般人可以做到的。"凌漠冷冷地说。

"哥哥，你怕是弄错了吧。"尹招弟抬起头来，一双水汪汪的大眼睛央求似的看着凌漠。

凌漠盯着她的眼睛，说："我很同情你，但你错了就是错了。"

"我什么也不知道。"尹招弟低头择菜，菜叶随着她颤抖的手而微微晃动。

"这些疤痕，是针扎的吧。"凌漠指了指尹招弟的胳膊。

尹招弟一抖，把袖子拉下来一点儿，没说话。

"很疼吧？"凌漠说。

尹招弟头垂得更低了。

"并不是你疼了，就代表别人都应该疼，对不对？"凌漠说。

"我听不懂你在说什么。"

"那我说点你听得懂的。"凌漠通过尹招弟的小动作，已经完完全全地确定了自己的推断，他胸有成竹地说，"从小被虐待，不能成为你犯罪的理由。我不能因为你从小被虐待就不抓你。"

"什么？是！我从小被尹杰那个混蛋虐待，包括外面的妈妈都不敢管，没人管我，没人问我，我就像是一条狗，一条耽误了他们尹家传宗接代的狗！"尹招弟一双大眼睛里的泪水疯狂地涌了出来，"可是你们不去抓尹杰，却来抓我？"

"他虐待你，会受到法律的惩罚。"凌漠说，"但他并没有杀人。"

尹招弟低下头，默默地擦干了眼泪，继续择菜，一边择，一边说："你们更没有道理来怀疑我。"

"你是有侥幸心理的。"凌漠从一旁拿了一个小板凳，坐在尹招弟的身边，轻声说道，"开始，你寄希望于警方找不到任何依据锁定你们家。但是昨天晚上我们来了以后，我们去厨房的行动，你看在眼里，所以，你知道警方已经开始慢慢地发现了物证的线索。你的黑眼圈说明你昨晚一夜没睡，说不定你想着去把窗帘轨道打捞出来另行扔掉，但你知道这对你来说根本做不到。窗帘轨道沉在水里一年，肯定陷入了淤泥中，如果不是专业人士进行打捞，根本找不出来。所以，昨晚你和那个警察小姐姐聊天的时候，你就想告诉她你曾经被虐待的事实，好让警方把注意力只放在尹杰一个人身上。你没有直接说，故意露出你的疤痕，让警察自己去发现。你为什么选择这个时间点暴露你的疤痕？警方调查一年多，你都只字未提，是因为你之前让警察放弃调查的侥幸心理，是因为你想在无路可走的时候，再把责任全部归于你的爸爸，尹杰。"

"这和窗帘轨道有什么关系？"

"包裹尸体的窗帘，已经和轨道认定同一了。"

"即便你们找到了轨道，也只能确定凶手是我们家的。我从小就受到虐待，这足以给尹杰定罪了吧？我不懂你为什么会怀疑我。"尹招弟出奇地冷静。

"那我就来和你聊聊细节吧。"凌漠说，"最早让我怀疑你的，还是第三个婴儿案的作案行为。你杀了庄姓的孩子……"凌漠说。

"我没有杀她！"尹招弟重新抬起头，眼神里都是愤怒。

"你的愤怒，已经暴露了你的内心。"凌漠抱起臂膀，居高临下地看着尹招弟。

唐骏教过他，在乘胜追击的时候，要保持一种征服姿态，这样更有利于击垮对方的心理防线。而这种姿势和眼神，就是最简单的征服姿态。

尹招弟的声音果真变小了，而且不敢直视凌漠的眼神："我内心怎么了？我没有杀她。"

"好吧，那我们换一种表述的方式。"凌漠微微笑了笑，说，"那孩子死亡之后，凶手明明可以仓皇逃走。可是，为什么凶手要出门拿了一块裹尸布，又回去把尸体弄走呢？如果是简单地藏匿尸体，我们会认为凶手是在延长发案时间，可是凶手却把尸体放到了一个最明显不过的地方。这不是藏匿尸体，而是在暴露。凶手有暴露癖，她因为之前的两次作案，心理已经升级了，不再害怕，而是希望更多的人看见她的'杰作'，她可以通过这样的暴露，获得心理的满足。"

"这和我又有什么关系？"尹招弟说。

"暴露癖是一种心理疾病。"凌漠把"暴露癖"三个字着重了一下，这种刺激方法，可能会进一步导致尹招弟的情绪失控。

"有心理疾病，也不是我。"尹招弟的声音再次变大了，这是失控的前兆。

"即便是凶手有暴露癖，她也完全可以在杀完人之后，把十几斤的孩子伏在肩上离开，可为什么要大费周折地回家去拿窗帘？"凌漠做出一副高深莫测的表情，说，"因为她背不动。连十几斤的婴儿都背不动的人，肯定不正常。更不正常的是，她居然还具备很强的跨越能力。在我第一次看见你的时候，我就发现了疑点。你走路很正常、很轻巧，说明下肢能力很强，而你的手经常会不自觉地抖，这是药理性的肌肉震颤，是长期服用镇定类药物而留下的后遗症。恰巧，后面的两个孩子都有被药物安定的过程。"

"吃安眠药的人很多吧？据我所知，尹杰也经常吃。"尹招弟说。

"确实，这种最为常见的安眠药很容易买到。"凌漠说，"虽然购买药物都是限量的，但是你省下一晚上的药不吃，就能毒倒好几个孩子。而且，最关键的是，你符合上肢有问题、下肢很健全的特点。"

"这并不能说明什么。"

"有了这样的想法，我也就有了目标。"凌漠说，"你还记得吗？你最早在接受警察调查的时候说，你的小妹失踪的当天夜里，你冲到了小路上去寻找，看见三百米外有一个人影，怀疑那就是偷盗你小妹的人。可惜，昨晚我进行了侦查实验，我的两个同伴先走了三分钟，其实也就离开我们一百米左右，我们就根本什么都看不到了。这说明，你在说谎。"

"那可能是我记错了。"尹招弟说。

"我也曾经抱着这样的希望，我也不希望是一个年纪轻轻的小姑娘作案。"凌漠叹了口气，有的时候，这种类似共情的语言，会让对方降低防御性。凌漠接着说，"可是，当天晚上回去，我就观看了我们电脑专家找出的一些图片。一般有暴露癖的人，她之所以可以在自己的'杰作'被众人围观时获得快感，首先她要自己能亲临现场，感受这种围观。虽然我很年轻，但我看过很多案件侦办纪实，几乎所有有暴露倾向的人，作完案之后都会回到现场参与围观。我看了所有在庄姓女婴案现场围观的人脸识别图，很不幸，你就是其中之一。"

尹招弟张了张嘴，没说出话。凌漠知道，尹招弟的心理状态已经进入了死角。

"窗帘轨道很快就会被打捞出来，你也很快就该伏法了。"凌漠冷冷地说。

"那些都是你的猜测，你并没有证据。"尹招弟在做最后的抵抗。

凌漠站起身来，一边离开，一边从口袋里掏出了一个透明的物证袋。不一会儿，凌漠重新回到了尹招弟的身边，物证袋里，装着一个奶瓶。

"这是你小妹的奶瓶，你一直保存着，对吧？"凌漠问。

尹招弟脸色有点难看，却又在极力地压制，她微微点头。

"你不承认也没关系。"凌漠说，"因为通过奶瓶外部的检验，可以发现只有你的指纹和 DNA，并不会有其他人碰它。"

"那又怎样？"尹招弟说。

"给婴儿灌入安眠药，几乎是很难完成的，除非有这个。"凌漠说，"如果在这个奶瓶里查出安眠药的微量物证，你还有抵赖的条件吗？"

空气凝结了。这是胜利的前兆。

突然，宁静的空气被尹招弟低声的哭声打破了。

她跪在了地上，为了不让门外的孟姣姣听见异常，她低声央求道："哥哥，求你不要告发我。"

"我不是告发你，我是警察，查获真凶是我的职责。"凌漠说。

"哥哥，你一定不会理解我的痛苦。"尹招弟一把拉开了衣服的前襟，露出胸部，凌漠本能地避开了眼神。但即便如此，凌漠还是在那一瞬间看见了她胸口密密麻麻的瘢痕疙瘩，让人触目惊心。

"每天，几乎是每天，尹杰都会用银针扎我。"尹招弟此时反而没有了眼泪，眼神里充满了坚定，"你知道吗？那个时候，我才只有三岁！我每天都要撕心裂肺地哭，我妈也撕心裂肺地哭，可没人敢阻拦他，他就这样日复一日地扎我。而扎我，只有一个简单的理由，就是他听信了别人的话，说女儿身上的千针万眼，可以换来下一胎是个儿子！可笑吗？"

凌漠的心头一紧。

"我不知道流了多少血，也不知道承受了多少被虐待的痛苦！"尹招弟说，"现在很多新闻里报道的被虐待的孩子的遭遇，都比我要好上万倍吧？可是我，只有默默承受。老天无眼啊！居然真给他尹家来了个儿子！"

"所以在你有小妹的时候，你心理不平衡，也扎她？"凌漠问。

"不不不。"尹招弟使劲摇头，说，"我很疼小妹，但我告诉她，说不定以后她也会被银针扎得千疮百孔，不如现在先适应一下这个痛苦。可是，我每次扎她，她都拼命地哭，撕心裂肺地哭，她完全没有我坚强。"

"事发当天，确实有邻居听见哭声。"凌漠说，"所以你为了不让她哭，你就捂压她的口鼻，结果她窒息死了，你很害怕，就把她扔进了池塘里。不过，这次犯罪，让你学到了很多，首先，你不那么害怕了，所以才会把心底的暴露癖表现出来；其次，你学会了用安眠药让婴儿不哭。"

"我真的没想杀她们。"尹招弟说，"她们都还小，但她们三岁的时候，肯定会被千针万针地扎，承受更大的痛苦，不如现在先适应。"

"我相信。"凌漠说，"你是个初中毕业生，肯定不知道胸膜破了会形成血气胸危及生命，而一岁左右的婴儿头顶上有一个颅骨未闭合的囟门。"

"哥哥帮帮我好吗？"尹招弟跪在凌漠的面前，扶着她的膝头，"我发誓我再也不会去做这种事了！你只要扔了这个奶瓶，谁也不知道是我干的。尹杰天天晕晕乎乎的，被抓进去肯定很快就会招了，即便他不招，我这一身的疤痕，也足以给他定罪。"

凌漠蹙眉不语，内心却起了极大的涟漪。

他自己又何尝不是这样？别说什么快乐童年了，他的童年里，只有阴影。儿时被吊在门口的树杈上一天一夜，被带着皮带扣的皮带抽打到遍体鳞伤，被从指甲缝里戳进牙签……这一切的一切，十几年来都被他压抑在心头。

当时的凌漠不是没有反抗，可是弱小的身躯又怎么去抵抗那坚硬的皮鞭？既然不能选择抵抗，那就选择逃离。可是逃离又谈何容易？在垃圾堆里寻找别人丢弃的食物，自己身上的气味能把自己给熏吐，承受着别人鄙视或防备的目光，干了违法的事情被民警追逐……

是啊，自己是一个男孩子况且无法忍受，何况眼前的这个柔弱女孩？

面对惨无人道的家暴，她又该如何选择呢？她哪里有能力去选择呢？

此时，这种情绪全部喷涌而出，他无法对眼前的一切无动于衷。案件侦办的开始，在凌漠的脑海中，凶手是一副青面獠牙的样子，而此时此刻，他眼前这个楚楚可怜的小姑娘才是真凶。她的悲惨遭遇，她身上令人触目惊心的疤痕，让凌漠一时不知如何是好。

是的，只要处理掉奶瓶，完全没有证据可以证明是这个可怜的小姑娘犯的罪。

"求你了……哥哥。"尹招弟继续哀求。

又是好一阵沉默。

凌漠慢慢地从口袋里掏出三个受害者的照片，慢慢地铺平在尹招弟的面前。

"看着她们。"凌漠一字一句地吐出这几个字。

尹招弟显然被照片极大地刺激到，猛地瘫软到了地上。

"如果你不接受法律的制裁，你的良心可以得到慰藉吗？"凌漠说，"她们本该有自己的人生，却在不懂人事的时候，生命戛然而止。你凭什么替她们选择？"

尹招弟咬着嘴唇，眼睛已经红了。

"不急，我等你想明白。"凌漠盯着尹招弟说道。尹招弟还静坐在地面上，他也随着坐在了她的身边。她忍耐着自己的哽咽声，直到凌漠轻轻拍了拍她的肩膀，尹招弟的眼泪才如释重负般淌了下来。

就这样，不知不觉半个小时过去了。聂之轩突然出现在客厅门口，他兴高采烈地用假肢举着一个大物证袋，里面满是淤泥，一边往里走一边高声说道："找到了！"

看到凌漠和尹招弟静悄悄地并排坐在地上，聂之轩怔了一怔，没明白是怎么回事儿。

"怎么样？"凌漠转头对尹招弟说。

"我跟你走。"尹招弟慢慢地用自己颤抖的胳膊支撑着身体，站了起来。凌漠对聂之轩示了示意，也跟着站起身来。但他还有一个问题没有得到解答。

"尹招弟，你还没有回答我第一个问题。"

"那个问题……我也不知道。"尹招弟坦率地说，"听妈妈说，一岁半的时候，我有次去打预防针，回来就突然坐不起来了，妈妈以为我瘫痪了，准备去防疫站追究责任。可是，不知道为什么，我又突然恢复了。恢复了以后，从小时候跳皮筋的过程中，我就知道我的弹跳能力和别的孩子不一样，只是这个长处并没有什么施展的空间，所以别人都不知道。"

"这样……"凌漠若有所思。

"你也回答我一个问题，"尹招弟咬了咬嘴唇，认真地问，"尹杰……会坐牢吗？"

"虐待罪，民不诉，官不举。只要你愿意起诉，他必然要接受刑事处罚。"凌漠也认真地回答道。

"好，我们走吧。"

尹招弟像是平静了很多，默默地跟着凌漠走出了小屋，留下目瞪口呆的聂之轩，举着大号物证袋呆立在门口。走出门的时候，凌漠默默看了尹招弟一眼，他心里咀嚼着她刚才的那番话：一岁半时打了"预防针"，回来就突然坐不起来了……

世界上，不会有这么巧合的事情吧。

第五章　灭门凶宅

人最难做的是始终如一，而最易做的是变幻无常。

——（法国）蒙田

1

案件再次顺利、迅速地被侦破，让守夜者组织的声名大噪。而对于上一起案件中的反常现象，守夜者采取迂回战术，另辟蹊径寻找到了其他的突破口侦破了案件，也是让警方佩服得五体投地。

案件虽然侦破了，但是物证交接、案情说明和审讯的开展，还是让组织的成员们工作到了深夜。

萧朗回到宿舍之后倒头就睡，可是感觉没睡多久，就被一阵急促的敲门声给惊醒了。门口，是已经梳洗好了的凌漠。

"这天才刚亮，你又犯什么病啊？"萧朗抓着凌乱的头发。

"昨天我们说好的要去找心理专家，你忘了？"凌漠无奈地摇摇头。

"我一伏击者，就不掺和你们读心者的事情了。"萧朗一溜烟跑回了被窝。

"我们没车。"凌漠说。

"关我什么事？"萧朗的声音隔着被子传出来，嗡嗡的。

"你也和我一样对'幽灵骑士'案有疑惑。"

"现在没疑惑了，比起睡觉，什么都不重要。"萧朗说。

"那好。"凌漠转身做关门状，"我和铛铛打车去。"

"等会儿，等会儿。"萧朗一骨碌坐了起来，"铛铛也去？"

凌漠似笑非笑地点了点头。

"给我五分钟，我开车。"萧朗拎起裤子，花了三秒穿好，"这里这么偏，别打车啊，打车多贵。"

不到五分钟，萧朗的奇瑞车打着了火。

"我就不明白了，这才七点！什么心理专家上班这么早？"虽然唐铛铛坐在后排，但萧朗依旧因为自己的懒觉被破坏而耿耿于怀。

"没办法，人家只有早上有时间。"凌漠说。

"我就不明白了，唐老师不就是心理专家么？还殚精竭虑地找什么其他人？"萧朗喋喋不休。

"我爸是心理分析专家，并不是心理治疗专家，对于催眠，还是这位蒋老师更专业。"唐铛铛说，"我也就不明白了，你怎么那么多不明白？你要是不去，现在熄火还来得及。"

"去啊！我都已经起床了，再不去多亏啊。"萧朗说，"你大小姐指哪儿，我就打哪儿。"

"哼。"唐铛铛白了萧朗一眼。

"对了铛铛，老师有认识搞预防医学的人吗？"凌漠突然问道。

"预防医学？"唐铛铛不解。

"就是疾控中心、防疫站、疫苗公司什么的？"凌漠解释道。

"哦，凌漠你又要狗拿耗子。"萧朗插嘴道。

"有啊，崔阿姨不就是疫苗研制公司的吗？"唐铛铛说。

"崔阿姨是谁？"凌漠想了想，发现自己并不认识这个人。

"崔振阿姨啊。"唐铛铛偏着头，说，"哦，你可能不认识。她是我爸的好朋友，以前经常来我家。"

"你能给她打个电话吗？我有问题要咨询。"凌漠说。

唐铛铛点了点头，拨了一串电话号码。电话接通后，她说了两句，把电话递给了凌漠。

电话那头传来一个中年女性的声音。

"您好。"

"崔老师您好，我是唐骏老师的学生，凌漠。"凌漠说，"我找您是想咨询一个问题。不知道前几天关于疫苗的那两件事情您关注了没有？"

"嗯，我知道你说的事情。"崔振在电话那边微笑着顿了一下，接着说道，"这两天上了好几回热搜了，说什么的都有，还有人觉得疫苗可能要把人类变成丧尸了呢。不过，说实话，这种恐慌没有什么依据。调查组来我们公司取过几次样，检测结果证明，疫苗都是合格的，没有任何问题。其实从医学的角度说，任何疫苗都不可能造成生长过度或者重度昏迷的副作用。如果说第一个新闻事件是巧合的话，那第二个新闻事件的当事人，一定程度上其实是受到了心理暗示的影响罢了，事实上和疫苗并没有什么关系。"

"可是，我最近认识一个朋友，她说自己注射疫苗后有一段时间曾经瘫痪了，康复后出现了弹跳力超强的症状。这个……"凌漠疑惑地继续追问。

电话那头传来崔振耐心的声音："你这位朋友的情况听起来的确很神奇。如果你不放心的话，也可以请她来联系我，我可以安排同事为她做一次检测。这两则新闻刊登之后，我们收到了很多要求检测的样本，有一大批人受新闻的影响，怀疑自己出现了不良反应。但到目前为止，还没有一个人检测出来是真正有问题的。我认为，这也算是一种羊群效应[1]吧——当然，你的唐骏老师是学心理的，他解释起来应该比我更专业。"崔振又一次温柔地笑了起来。

"嗯。"凌漠像是放下了一些心，谢过崔振，挂断了电话。

即便是七点钟就出发，依旧没能避开南安市的早高峰。奇瑞走走停停地花了一个多小时才到了一座写字楼前，比凌漠预约的时间晚了十五分钟。

三个人并肩从电梯上到 19 楼，电梯门开，就看见了一个半圆形的前台，前台的背景是一块写着"蒋琦心理咨询师事务所"的招牌。

一个打扮时尚、年轻貌美的姑娘绕过前台迎了上来，热情地说："请问是凌先生、唐小姐吧？蒋老师已经恭候多时了。"

萧朗讪讪地说："还有萧先生。你长得挺漂亮，差点眼力见儿，没看这还有一位萧先生吗？"

姑娘并不以为忤，用标准的迎宾姿势指示他们进入办公区。

1　编者注：羊群效应，也叫从众效应，是指当个体受到群体的影响，会怀疑并改变自己的观点、判断和行为，朝着与群体大多数人一致的方向变化。

萧朗自认为唐铠铠听见了他夸人家姑娘，走进了走廊赶紧跟着唐铠铠低声解释："虽然那姑娘是不难看，但和我们大小姐比起来，那实在是天壤之别啊。"

唐铠铠一脸莫名其妙。

蒋琦听见门口的脚步声，开门迎了出来："凌漠你来啦。哟，几年不见，我们铠铠真是出落得亭亭玉立、楚楚动人啊。"

"阿姨好。"唐铠铠拉起蒋琦的手。

"大小姐，你喊人家阿姨不合适吧？充其量是个大姐。"萧朗说。

眼前的蒋琦一身工作套装，身材凹凸有致，仪态不凡。虽然她看起来也不是很年轻了，但是气质高贵、端庄秀丽。

"这位小伙子是？"蒋琦笑着问。

"哦，我同事，萧朗。"唐铠铠说。

"同事？"萧朗对这个称谓很是不满。

"小萧很会说话啊。"蒋琦说，"快请进吧。"

在蒋琦的办公室就座后，凌漠开门见山："对不起，蒋老师，我们来晚了。您的时间宝贵，所以我就长话短说吧。上次，我给您的材料，您看了吗？"

显然，凌漠已经把"幽灵骑士"的相关资料提前提供给了蒋琦。

蒋琦点了点头："你们有什么要问的？"

"问题很简单，实际上，一个人有可能对二十几个人同时进行催眠吗？"凌漠问，"或者是，他的虹膜异色，帮助了他具备这样的能力？"

"催眠就是一种暗示。"蒋琦说，"让人进入一种特殊的恍惚状态，然后按照催眠者的指令，做出特定的行为或者产生特定的感受。在催眠的分类上，确实有'集体催眠'这个分类，也确实有人具备同时催眠数百人的能力。至于他的虹膜异色对催眠有没有帮助，这个不好说。因为能执行集体催眠的人，也并没有长得特殊。"

"这确实挺匪夷所思的，居然可以一个人控制这么多人？那么这些催眠师上了战场，该有多可怕啊。"凌漠说。

"哦，并不是你想象的那样。"蒋琦说，"不管是个体催眠还是集体催眠，都是需要被催眠者主动配合的，或者要有特定的环境条件和催眠过程。"

"那我给您看的这个案例中，有特定的环境条件吗？有特定的催眠过程吗？犯人们有可能主动配合吗？"凌漠问。

"没有，没有。"萧朗说，"我在和他对决的时候，他就催眠我了，我是不可能主动配合他的，而且当时月黑风高的，能有什么环境条件？"

"这也是我今天要说的。"蒋琦说，"这个案子还是有蹊跷的。催眠，其实就是催眠师的一个引导。在数十人不会全部尽心配合的情况下，利用催眠的手法让这数十个人服从指令，做出那么胆大包天，关键还十分复杂的事情，事后还不知所以，这个，我觉得现阶段的催眠技术还是达不到的。"

"也就是说，现在还没有办法完成这个过程。"凌漠说，"那么，我是不是可以理解为，这个特殊的催眠师个体本身，有和其他人不一样的地方呢？"

"你说的虹膜异色可能会是一个点。"萧朗说，"我当时看见他那眼睛没白眼珠，顿时就被催眠了。"

"当然，这个肯定不是关键点。"蒋琦笑着说，"狗的白眼珠也看不到，你看狗的眼睛时会被催眠吗？"

"而且美女你刚才说要有特定的环境和过程，我几乎是被他一句话就给催眠了的。"萧朗说。

"没大没小。"唐铠铠斥责道。

"所以，催眠是一门人为技术，是一门心理学技术。"蒋琦说，"归根结底，是依靠人为的心理干预完成的，这个技术并不涉及生理。"

"你的意思是说，这个人的手法，并不是催眠？"凌漠问。

蒋琦摇摇头，说："让人处于意识恍惚状态，忠实执行别人的指令，并且在事后对事件不知情，这就是催眠。我的意思是说，如果有生理性的异常，这种异常因素可以加速、精简催眠的过程，甚至加强催眠的效果，就可以达到这个案例的最终效果。否则的话，从催眠的机理上来看，这样的案例就是天方夜谭了。"

"生理原因极大地加强、优化了心理技术，是这个意思吗？"凌漠问。

蒋琦点了点头。

"可是，究竟是什么样的生理原因可以加强和优化催眠呢？"凌漠低头蹙眉。

"这就要问一问医学专家了。"蒋琦说，"但我相信，这绝对是一种极个别的特例，不会是常见现象。"

"我就说聂哥的检验轻率了嘛。"凌漠揉着太阳穴。

萧朗恶作剧似的打开微信，给聂之轩发了一条语音："聂哥，凌漠说你坏话。"

很快，聂之轩的微信就回复过来了："我看是你在说我坏话吧。"

"真的，他说你对'幽灵骑士'的解剖轻率了。"

"谁说我轻率了？我正好要找你们呢！"聂之轩的语音听上去口气急切，"你们在哪儿？方不方便现在来一趟南安市公安局？"

南安市公安局DNA实验室里，聂之轩和傅如熙正拿着一张DNA图谱在看。看见凌漠和萧朗走进了门，聂之轩打开电脑，屏幕上呈现出一张人脑的解剖照片。

"这是'幽灵骑士'的？"等不及电梯，一口气爬了九楼的凌漠气喘吁吁地说。

"小体格不行啊。"萧朗拖来一张实验转轮椅，塞在自己屁股底下。爬上九楼对萧朗来说，并不会影响他的血压和心率。

"能看出什么不？"聂之轩微笑着问凌漠和萧朗。

"哎呀，这以后吃不下脑花了，太像了。"萧朗皱着眉头说。

"看不出，好像没什么。"凌漠也摇头说。

聂之轩拿起鼠标，用图片标识软件把照片的一个区域框出一个红框："看看这里。"

"白一点儿？"萧朗问。

"不，专业术语是'脑部局部组织沟回变浅'。"聂之轩说。虽然守夜者组织的培训课也有法医学，但是法医学实在是博大精深，而且需要医学基础，所以不可能培训得面面俱到。这种实战操作性、细节性的知识点，对于一个非医学生来说，还是不会掌握的。

"聂哥，你别绕弯子了，直说，是不是警方办错案了？"萧朗说。

"别瞎说，只能说是有疑点，怎么就办错案了？"傅如熙笑着责怪萧朗。

"我妈没错，警方错了，对不对？"

"这和谁杀死'幽灵骑士'并无关系。"聂之轩说，"但是，似乎对'幽灵骑士'的背景有一些提示作用。不过，具体能提示什么，我还没有想好。"

"这个沟回变浅，有什么说法吗？"凌漠把话题收了回来。

"对啊对啊，你在解剖的时候既然就发现异常了，为什么不报告警方啊？"萧朗问。

聂之轩很了解萧朗莽撞的性格，所以对他的出言不逊也并不介意。他笑着说："其实，在法医学上来说，这一块异变的区域并没有多少意义。在解剖的时候，法医明确排除了'幽灵骑士'的其他死因，其死因是通过静脉通道滴注进了氰化物中毒而死。因为其第三颈椎遭子弹击碎，对应颈部脊髓受损，弹后空腔效应[1]致其颈部其他血管、神经挫伤，而处于植物人状态。所以，这种中毒属于他人所为，系他杀。这就是法医能做的所有的事情了，即便是脑部有这样的异变区，对整个'幽灵骑士'被杀案，也毫无意义，毕竟，这不是一处新鲜的损伤。"

"但是你留意了。"凌漠说。

聂之轩的机械手吱吱地运动着，他拿过茶杯喝了一口，接着说："当时，我认为这一块区域是一个软化灶[2]。如果是软化灶，虽然对整个他被杀的案情没有影响，但是说不定能对他的历史或者背景有一些提示作用。"

"什么提示作用？"萧朗坐直了身子。

---

1 编者注：弹后空腔效应，是创伤弹道学上的术语，旋转的子弹在进入人体后，因为旋转作用，导致子弹后方出现几倍、几十倍于子弹体积的"空腔"。"空腔"导致的损伤程度大大严重于单纯弹头造成的损伤。

2 编者注：软化灶，是指脑组织发生了破坏性病变，导致脑组织坏死，软化，脑脊液充填，形成囊性软化灶。

"你们看，异变区域脑组织，是位于大脑镰[1]上方的一侧。"聂之轩顿了顿，寻思着说得太专业，他们也听不懂，所以话锋一转，"说白了，这处异变区域影响大脑皮层的功能，有可能会导致大脑异常放电，产生癫痫。"

"知道他癫痫有啥用啊？"萧朗说。

"毕竟，'幽灵骑士'的真实、合法的身份还没有搞清楚。"聂之轩说，"我寻思着，这至少可能会成为后期调查'幽灵骑士'真实身份的一个依据。"

"异常放电。"凌漠沉吟道。

"对对对。"萧朗并没有注意到凌漠的关注点，说，"而且软化灶的形成原因，也可以成为依据吧？"

"软化灶形成的原因有很多。"聂之轩说，"可能是外伤遗留的，也可能是脑梗死遗留的，或者是药物影响，再或者是先天性的变异。所以，究竟是什么原因遗留的，倒是不太好判断。"

"那究竟是不是软化灶啊？"萧朗说。

聂之轩又打开了一张图片，这张图片不是尸检照片，而是一张淡红色的背景，里面有蓝色小点的图片。有生物知识基础的凌漠和萧朗异口同声地说："哦，病理切片。"

"这是一张常规染色的脑部组织病理切片。"聂之轩说，"我解剖时发现问题后，就把这块异变组织给取了下来，回来做了病理。从切片上看，这并不是软化灶，但具体是什么，我问了很多专家，他们都表示没有见过。'幽灵骑士'的这块脑组织区域里，血管周围脑组织疏松，大脑神经细胞核固缩，神经元肿胀、变形。这究竟是什么原因导致的变化，不得而知。"

"难不成是脑癌？"萧朗插话道。

"对，我当时也是这样考虑的。"聂之轩说，"然后，我就对这块组织加做了免疫组化。免疫组化是什么，你们也不用知道。结果是，我用某种

1　编者注：大脑镰，由硬脑膜形成，呈正中矢状位，前窄后宽，似镰刀状，分隔左、右大脑半球。

特定蛋白标识物进行标识的时候，居然发现了另外一种从来没有见过的蛋白形态。当然，我同样请教了相关领域的专家，专家们也都没有见过此类蛋白。"

"就是说'幽灵骑士'的脑子里，长了一个以前还没有发现过的异常组织？"萧朗翻译道。

聂之轩使劲点了几下头，说："这时候，我听傅姐说，你们曾来咨询过关于基因的问题，也是有关'幽灵骑士'的，我就灵机一动，请傅姐把'幽灵骑士'的这块脑组织进行基因测序。结论是，这一块组织，是'幽灵骑士'自身发生基因突变而导致的，至于突变方向，目前还没有先例，所以也完全不知道这一块的突变，会导致'幽灵骑士'发生什么变化。"

"傅阿姨！不是傅姐！"萧朗纠正道，"也就是说，这块地方突变了，他的功能就一定会变化？之前聂哥说过大脑什么什么部位管什么什么功能的，这回知道具体部位了，难道不能推论出他可能影响到的功能吗？"

聂之轩做了个"请"的手势，示意让傅如熙授课。

"人类有23对染色体，人类的基因组含有约30亿DNA碱基对，有2-3万个基因，基因组的特定序列决定了人类的形状、特征和功能。"傅如熙微笑着看着心爱的小儿子，说，"目前，大部分基因组序列与人类形状、特征和功能之间的复杂关系还没有搞清楚。"

"大脑分区的功能我们可能知道，但是突变了会影响什么功能，就不能完全搞清楚了。"聂之轩说。

"你刚才说了异常放电。"凌漠说，"我们咨询过心理专家。她认为'幽灵骑士'的这种催眠不是正常催眠，可能有生物因素影响了这种心理干预手段。"

"可是，人脑的脑电波是一种极微弱的生物电。"聂之轩说，"按理说，并不可能因为这种生物电的加强而影响别人，除非……"

"除非什么？"萧朗急切地问。

"如果是他的脑电波因为这种基因突变而导致加强了数百倍，能够影响别人的镜像神经元。"聂之轩说。

"什么是镜像神经元？聂哥你别磨叽，快说，快说。"

"人类有一群被称为'镜像神经元'的神经细胞，激励我们的原始祖先逐步脱离猿类。它的功能正是反映他人的行为，使人们学会从简单模仿到更复杂的模仿，由此逐渐发展了语言、音乐、艺术、使用工具等能力。这是人类进步的最伟大处之一。"

"也就是说，如果'幽灵骑士'的某种特殊脑电波改变，影响了他人的镜像神经元，就可以促使他人模仿他的行为。"凌漠说，"加之催眠的手法，就可以完成整个过程。"

"这是我瞎猜的，并没有科学依据可以证实。"聂之轩摊了摊手。

"那会不会是有人对'幽灵骑士'的基因进行了改造，让他的基因进化具备了这样的能力？"萧朗问。

"刚才我说了，基因序列和功能的复杂关系并没有搞清楚。即便是搞清楚的那部分，也不能通过人为的手段随心所欲地更改。虽然现有人为定点促进基因突变的技术，能够使得基因突变，但还不能全部对应哪部分特定序列和哪种功能有关，更不能让哪种功能绝对'进化'，因为基因的突变，也有可能导致'退化'或'变化'；而且即便改变一个细胞也难以改变一种组织的全部细胞。所以有目的地促使基因演化而增强人类功能还不能实现。"傅如熙说，"我之前和你们说过'演化'和'进化'的区别，你们还记得吧？"

"看来我们是想多了。"凌漠说，"现代科学，并不可能促使他人进化，组织进化者部队。"

"你的这个想法，让人挺毛骨悚然的。"聂之轩说。

"我一直有这样的疑惑。"凌漠似乎还没有放弃他的想法，"毕竟'幽灵骑士'背后可能存在一个组织，这种想法并不离谱。"

"那如果是有人专门寻找这些有'特异功能'的人，组织部队呢？"萧朗说。

"不可能。"聂之轩说，"如果'幽灵骑士'没有接受特殊的训练，即便他有这样的先天性能力，也发挥不出作用。如果不发挥出作用，那么别人也就不知道他有这样的先天性能力，这是一个死循环。而且，既然他的脑部组织处发现了以前没有见过的蛋白，我总是觉得还是有人为因素在干预。"

"或者，真的有人已经研究出有目的更改人类基因，导致人类进化的办法呢？"萧朗说。

"如果真的那样，这种技术可以广泛应用于各个行业，那将是一件从未有过的生物学革命。这样的研究者，可以要风有风，要雨有雨，又为什么要组织个部队，去越狱杀人？"傅如熙说。

"不管怎么说，我们已经有了新的进展。"凌漠说，"总有一天，我们可以揭开'幽灵骑士'以及他背后那些人的面纱。"

2

"今天我们要看的，是一起灭门案。"傅元曼踱到讲台后方，操作电脑打开一个由北安市公安局制作的案件分析 PPT（幻灯片）。

听到是一起灭门案，守夜者成员们都不自觉地坐正了身子。

作为南安市的邻市，北安市一有风吹草动，南安市也都是有所耳闻的。毕竟在这个时代，命案的发案率已经下降到了历史较低的水平，加之自媒体的传播效应，所以这种恶性的灭门案一发生，很快就广为传播了。

虽说案件发生在三年之前，守夜者成员们当时都还是各个学校里普通的学生，但是成员们都耳闻过这一起骇人听闻的杀死五人的灭门案件。而且，大家也都知道，在发案后不久，就有传言说破案了。

案件传播如此之广，而且在案件侦查、起诉阶段又出现了致命的问题，所以案件在久拖三年仍未能顺利起诉之后，被交到了守夜者组织的手里。

"这案子不都破案了吗？"萧朗说。

"我们所谓的破案，一般都是指公安部门把犯罪嫌疑人抓获归案，并且有证据证明犯罪嫌疑人的犯罪行为。"傅元曼说，"但是，破案之后，能不能顺利起诉、审判、定罪，还是存在变数的。总是有那么万分之一的概率，会有案子因为事实不清、证据不足而不能起诉，或者判决无罪。当然，这些不能起诉、判决无罪的案件也并不代表犯罪嫌疑人真的无罪。无罪判决不代表事实无罪。"

"这个我懂，疑罪从无。"萧朗说，"法治精神嘛。"

"这案子也是证据有问题吗？"凌漠问。

傅元曼少见地皱起了眉头，说："其实这个案子吧，表面上看起来证据很充分，但实际上疑点还是很多的。所以，你们以前听说的破案都是民间的传言，公安机关一直没有宣布破案。甚至在办案过程中，公安机关申请了检察机关提前介入，而介入的结果是，这个案子事实不清、证据不足，不具备起诉的条件。"

"那我们就来听一听吧。"聂之轩饶有兴趣地说道。

按照北安市公安局制作的PPT顺序，傅元曼把案件的前因后果详细介绍了一遍。显然，当地公安局专门来向他汇报过此案，因为PPT里只是在陈述客观事实，并没有带任何倾向性的观点。

案件发生在三年多前。

2014年春暖花开的时候，一家黑旅馆发生了惊天血案。

案发现场是在北安市南郊城的一处"贫民窟"里。北安市市立医院因为原址处于市中心，导致每天市中心区域拥堵，所以政府和医院商量着给医院在南郊城中征了一块土地，作为置换，政府协助建设了新的市立医院。医院建立以后，房价上涨，导致医院对面的一大片平房区域无法达成赔偿金协议，从而无法拆除。这片平房区的住户就依附医院，各自做起了小生意。有做小吃、早点生意的，有开小饭店的，有卖住院用的生活用品的，也有开设黑旅社的。

现场就在这片平房区的中央，老板叫作赵元，63岁。

虽说是黑旅社，也就是指没有相应的经营许可而已，老板倒是不黑。赵元夫妻俩为人忠厚，乐于助人，在这一片"贫民窟"里有很好的口碑。说是"贫民窟"，其实就是居住在城乡接合部的农民经历了几十年的变迁，而人工建造出来的一大片平房区。这一片区域人口密集、房屋密集、通道狭窄，一直都是北安市安全隐患最大的地方。但是因为当地百姓索要的拆迁款是天价，也没有开发商敢来问津。市立医院作为一个"土豪"单位，征下一部分土地后，元气大伤，再想继续征地，发现早已无力。

为了最大程度震慑犯罪，公安部门也在这块区域安装了不少摄像探头，可是数年下来，这些摄像探头被当地百姓摧残得只剩下几个能用。好在都是街坊邻居，这里的恶性犯罪倒是没有，最多也就是一些小偷小摸。

平房区的中央，以前是赵元夫妇的宅基地，他们在这里盖了八间平房，虽然不是这一片区域里房产最多的，但开一个小旅社也是绰绰有余了。这里主要是做医院的生意，市立医院的规定是晚上不允许家属陪床。这个区域的交通极不发达，来这里住院的各区、县的病人家属，为了方便起见，就在医院对面的平房区找个小旅社住下。所以旅社住的家属往往都会住上十来天，完成伺候病人的任务。

平房区中生意最好的黑旅社应该是区域边缘、正对医院的几家，毕竟距离上是最近的。位处区域中央的赵元旅社，生意不温不火。但街坊邻居都说，毕竟医院附近没有什么回头客，如果做生意靠的是回头客，赵元家应该是最好的。因为赵元对自己的租客非常好，除了每天定时帮助打扫房间卫生、赠送果盘以外，还经常帮租客做饭、洗衣服，这种超高品质的服务，让租客们纷纷竖起大拇指。

用赵元的话说，能来伺候病人的家属，都是有孝心的。尤其是那些年轻人，来伺候父母的，在这个年代难能可贵。所以，越是年轻的租客，赵元对他们的照顾越是无微不至。当然，这还源于赵元的独子在十年前因为车祸去世，一对老夫妻相依为命，看到年轻人也总会有代入感而显得亲切些。

然而，命案就恰恰发生在了这个与人为善的老板身上。

报案人是一个叫作赵大花的 70 岁老人。赵大花算是赵元的远房亲戚，所以宅基地也都挨着。赵大花每天都会坐在自己家的门口听收音机，这么一坐就是一整天。只有每周二的时候，赵大花会去城里的儿子家里帮忙打扫一次卫生。赵大花的家门口，其实也就是赵元的家门口，所以平时赵元家里的一举一动，赵大花都是了如指掌的，可未曾想，发案的时间恰恰就是周二。

周三早晨，赵大花从城里回来的时候，发现赵元家的院落大门是开着的，门口放着的印有"赵元旅社"几个大字的灯箱偏移了位置。出于关心，赵大花叫了几声赵元的名字，没见回应。这种现象是极少见的，因为赵元不在家的时候，赵元的妻子方克霞在家里，也会答应她。赵大花于是有了疑惑，推门进了赵元家的院落。

赵元家是一个小院落，说是院落也不准确，因为并没有像样的院子。八间房子，四四相对，分布在一个两米宽的过道两侧，房子也是相连的。这样，八间房子和前门、后围墙，就形成了一个小小的院落。赵元夫妇住在前门口的房子里，有一扇装了铁栅栏的窗户对着大门，算是做成了一个接待处。这就像是一个招待所，大门口通常有这么一个门房，租客可以推开自动关闭的院门进入院内，在门房处和赵元交流，然后交钱领钥匙去自己开的房间。

旅社的八间房屋中，除了赵元夫妇居住的一间以外，对面一间隔成了卫生间、淋浴间和厨房，是公用的。八间房屋也就数这两间面积是最大的，每间大约有四十平方米，而其他六间可以供旅客居住的房屋，每间也就二十平方米。

走进赵元家的院落，赵大花就有了一种不祥的感觉。因为院落内的中央过道上，似乎可以看到一些殷红的痕迹，像是血足迹。

毕竟是清早，阳光斜斜地从门房窗口处照进门房内。赵大花发现，门房原有的窗帘已经被扯落，而赵元住处的地面上全是殷红的血迹，整个房间凡是能存放物品的地方已经全部被翻开，钱盒打翻在地上，把清晨的阳光反射得格外刺眼。在墙壁和房门的阴影里，黑乎乎的似乎有什么东西，不过，赵大花早已没有了胆量再去细看，她连滚带爬地跑回自己的家里，用固定电话报了警。

第一批赶来核实情况的派出所民警完全没有想到自己的辖区内会发生这么大的案件。这起案件中，一共死亡了五人。除了死亡人数很多以外，案件也是非常恶劣的，因为五个人都是全身被缠满了塑料透明胶带，而且，每个人都被执行了"斩首"。

中心现场是在赵元夫妇居住的四十平方米的平房里，干净整洁的房间已经完全被翻乱，洁白的地板砖上，尽是血迹。五具尸体的身下，都有巨大的血泊。

死去的五个人分别是赵元、方克霞，以及三个租客。三个租客中，有一个是五十多岁的中年男人冯起，因为妻子罹患乳腺癌住院而在这里租住。冯起是北安市北苑县地产公司的下岗职工，下岗后在一家养鸡场打工，收入不太可观。另外两个租客是一对二十多岁的年轻夫妻，男的叫李江江，女的叫程源。这一对小夫妻是北安市郊区的农民，但平时在市里打工。李江江的母亲因为脑溢血住院，李江江一个人照顾不过来，于是和妻子一起在工地上请了假，到医院附近照顾母亲。

五个人全身被缠满了胶带，整齐地排列在中心现场的地面上，就像是五个蚕蛹一样，形态可怖。细看上去，能发现每个人的颈部正中都有巨大的切口，而现场大量的血迹都是从这里喷涌而出的。

如此恶性的案件，这两个出警的派出所民警一辈子也没见到过，于是赶紧在现场周边拉起了警戒带，并且第一时间通知市公安局刑警支队到场支援。

对刑警来说，最害怕的就是一些流窜作案的抢劫杀人案件。虽然这类案件的侦破率也非常之高，但是需要刑警们付出的努力也是非常大的。所以，在进入一个恶性杀人的命案现场之时，刑警们最关注的事情是这个案件究竟是不是熟人作案。

虽然说这种现场环境，这种被严重翻乱的现场情况，在流窜抢劫杀人案件中经常能看见，但刑事技术民警还是很快给刑警们吃了一颗定心丸。

虽然现场有大量的血迹，遮盖了灰尘加层足迹[1]，但是现场所有的血足迹，都是拖鞋印，且所有的血足迹的拖鞋印，都不是五名死者的。而且，留下拖鞋印的三双拖鞋，都还留在了中心现场房屋的门口。这样的线索就很有价值了，至少说明了四个问题：一、犯罪分子杀完人走动的时候，穿的是拖鞋，且离开的时候换了鞋。二、作案人可能有三个人。三、因为是在门房处换鞋的，所以不是住店的客人。四、五名死者被控制的时候，还没有大量流血。

什么流窜犯来抢劫的时候还会换鞋？

另一组刑事技术人员也很快就给出了同样的结论。

这一组民警现场勘查的任务是在附近寻找还能使用的摄像探头。虽然现场区域附近没有摄像探头，但是细心的民警还是发现门房屋顶的拐角处安装了一处摄像探头。这处摄像探头直接对着门房的窗户，也就是说，有人在窗口逗留、询问、住店、缴费什么的，都会留下影像。这一处发现实在是非常有价值。经勘查，这处摄像探头连接在门房的电脑之上，可是民警对电脑进行勘查后发现，这处摄像探头的记录，到周二下午六点半的时候，戛然而止，也就是说，在案发之前，有人将摄像探头断了电。

因为采取的都是明线，所以民警很容易发现，摄像探头的取电电源是穿过屋顶和院外的灯箱连接在一起，再一起走线到室内取电的。有人如果在院外灯箱处切断电线，摄像探头也就停止工作了。民警不知道赵元为什么使用这么傻的办法连线，但是民警知道了为什么赵元旅社的灯箱会有移动的痕迹。

虽然灯箱上的灰层减层痕迹提示凶手戴了手套，提取不到任何指纹和 DNA，但至少说明，凶手对现场的环境非常熟悉，对摄像探头的位置、连线情况都是了如指掌的。摄像探头的记录是到周二下午六点半，而之前的记录都还保存在电脑里，凶手没有破坏电脑，说明他有把握自己的影像并没有被储存在电脑里。没有到门房处"踩点"，熟悉现场环境，而且对

1　编者注：灰尘加层足迹，携带灰尘的鞋子接触某载体后，在载体上留下具有鞋印花纹特征的灰尘足迹。

摄像探头的情况很了解，那就必然是熟人作案了。

赵元的生活圈子很小，就在这个区域；凶手又是三个人。这两个限制性条件，为案件的侦破提供了非常好的条件。

3

侦查部门随后分成了两组，一组对这片区域归属的数千人进行逐一摸排，另一组人则对这片区域仅有的几个公安摄像探头进行了观看。

很快，案件就出现了转机。侦查人员在区域路口的摄像探头里，发现了三个人同行的影像。虽然这个路口的摄像探头并不能反映出三个人是从外界进入这个区域，还是从这个区域往外界走，但是三个人同行这一特点，自然就引起了警方的注意。

周二晚间七点半的时候，这三个人出现在了视频监控的视野里。这是一个非常敏感的时间点，既然凶手于当天晚上六点半断了监控视频的电，并且开始作案，那么七点半也差不多完成了全部的作案过程了。

更关键的是，警方通过三个人模糊的衣着状态和背影身形，很快锁定了这片区域里的两家住户。杨姓人家的父子——51 岁的杨壮和 23 岁的杨天其，还有杨家对门邻居赵家的 30 岁的赵匡。这三个人关系密切，经常一起出入，游手好闲，吃喝嫖赌什么都做。尤其是有人反映，这三个人没有正式的工作，会在附近工地、医院接一些散活来维持生活。他们因为生活拮据，所以经常会干一些偷鸡摸狗的事情，虽然还没有被公安处罚过，没有前科劣迹，但是口碑是很差的。

不过，一直与人为善的赵元夫妇对这三个人倒是很好的。赵大花反映，赵元每年制作的咸肉、香肠，经常会送给他们三人一点。最重要的线索是，这三个人，偶尔会在赵元不忙的时候，来赵元家里，在中心现场所在的赵元的住处打麻将，而赵元住处确实摆着一台自动麻将机。赵大花说，赵元这个人没什么爱好，就是偶尔会和朋友打打麻将。即便是有一些赌博性质，但是他们的筹码都是很小的，开一局牌也就一两块钱，打一下午，输赢也超不过一百，所以，不太可能是赌资纠纷。

不管这三个人出于什么动机去抢劫，他们三人同行、和死者家非常熟悉、偶尔会进出于死者家，凭这三点，警方就足以怀疑他们了。

傅元曼在身后的大屏幕上开始播放这三个人经过公安摄像探头的影像。画面中，高个子的赵匡一边走，一边把胳膊搭在了杨天其的肩膀上，而一旁的杨壮一直把手揣在裤子口袋里，低头走路。

"他们应该不是凶手。"凌漠自言自语道。

但是听觉超常的萧朗还是听见了，朗声说："你咋知道他们不是凶手？"

"七点半如果作完案了，而行走步态很轻松正常，不符合犯罪心理学的观点。"凌漠说。

"那也许是装的呢！"萧朗说，"就几秒钟的影像。"

"所以我说'应该'，而不是'肯定'。"凌漠说，"凶手身上很有可能沾血，七点半的时候，天也刚刚黑，走在到处都是熟人的地方，没理由不去故意遮挡衣物上可能黏附的血迹。"

傅元曼站在讲台上，似乎没有听见凌漠、萧朗二人的议论，继续介绍案情。

警方在获取这一重要情报之后，立即采取行动，于案发当天晚上就把正在家里呼呼大睡的三个人控制起来了。在申请到搜查令之后，现场勘查人员对三人所属的两个家庭的住处进行了搜查。

很快，警方就在赵匡的家里搜查到了两部苹果手机和一部华为手机，经检验，分别属于被害人李江江、程源和冯起。对杨家进行搜查的民警，也寻找到了一条金项链和一枚金戒指，经辨认，分别属于被害人程源和方克霞。

负责现场勘查的民警并没有因为搜获重要物证而满足，他们继续对两座房子进行了细致搜查，一共搜出人民币现金约一万元。而有一些钞票上，似乎还有殷红的血迹。

被警方拘留的三个人在三间不同的审讯室里，纷纷喊冤，都称自己这几天都没有去过赵元家里，也没有见过赵元，更不可能杀人了。对于周二下午的不在场证据，三人均不能提供。据三人说，当天下午，三个人都在家里睡觉，三个人能互相证明，没有其他人可以证明。一直睡到晚上七点，三个人起床相约去吃个晚饭，然后去隔壁镇子上的一个小赌场试试手气，当天晚上他们玩了通宵，还赢了不少钱。仅此而已，根本不可能杀人。

在审讯不下去的时候，警方向三个人出示了三个证据。一是从他们家里搜查出的上述手机和金银首饰；二是从他们家里搜查出的人民币上，有十七张百元钞和数十张其他面值的钞票上，检出了几名被害人的血迹DNA；三是负责外围调查的民警提供的证人证词：离这片区域不远的一个夜摊集市上，有几名地摊老板说这三个人于案发当天晚上八点多，到地摊上询问哪里可以回收旧手机和金银饰品。

看起来，铁证如山了。

"看见没，铁证如山了，你的心理分析不好使了。"萧朗嬉笑着对凌漠说。

凌漠耸了耸肩膀。

在铁的证据之下，三个人依旧有新的说辞。三个人几乎是异口同声地辩解，他们三个人去赌博的路上，确实捡到了一个黑包，包里有数据被清空、SIM卡被卸下的几台手机、金银首饰和六千多元现金。他们一开始想变卖手机、首饰，但是毕竟有这么多现金，足够他们挥霍了，所以他们直接去了赌场。一夜的豪赌，最终六千元现金变成了一万元。于是，三个人分了钱和财物，各自回家睡觉，直到警察找上门来。

简单说，这么多证据都是被三个人捡来的。

办案民警当然不相信这种"天上掉馅饼"的说法，毕竟有那么多仍不能解释的原因。比如，即便真的有别人作案，把赃物丢弃在路口让这三个倒霉蛋捡到了，那恰巧进入现场的也是三个凶手？而凶手费尽心机地杀人、翻找，最后把所有的财物都拱手送给别人？经过调查，在这三个人家中搜出的财物，基本上是被杀五人拥有的全部财产了。

可是提前介入的检察官以及部分办案民警也提出了疑问：三个人的人数和现场痕迹显示的人数是对上了，这三个人家里也确实有来自现场的赃物，但是这三个人异口同声的辩词也确实是合理怀疑。毕竟，现场并没有找到可以直接关联他们三个人的证据，按照法治精神来说，这条证据链上，确实缺少重要的一环。

大部分民警知道，虽然有很多案件大家都知道犯罪嫌疑人就是犯罪分子，但恰恰就是这个"法治精神"让这些犯罪分子因为"疑罪从无"而逃脱了法律的制裁。这也没办法，毕竟"法治精神"保护了更多无辜的、可能被冤枉的人，所以民警也只有从自身找原因，寻找更加确凿的证据。

整个现场的物品几乎被反复勘查了很多遍，但是就是没有找到任何有价值、有指向性的指纹和DNA。尤其是现场的三双拖鞋，以及反复捆绑五人的胶带，警方也没能从上面提取到三个人的DNA和指纹。胶带干净得出奇，只有在捆绑赵元的胶带上，有几枚方克霞的指纹，可能是两人接触的时候印上去的。

三个人就这样被拘留，然后转监视居住，再拘留，再释放。三年的时间就这样过去了，警方没能发现更有利的证据，而三个人也一口咬定这些赃物就是捡的。毕竟不可能刑讯逼供，三个人也有充分的时间去形成攻守同盟，但证据不足就是证据不足，案件就拖了下来。不过，即便是拖了下来，包括专案组组长、北安市公安局局长以及省厅的专家们，也都在内心确认，就是这三个人所为。现在的问题是，如何寻找到突破口，去让这三个人低头认罪。

"你们有什么好的办法和观点吗？"傅元曼介绍案情说得口干舌燥，他喝了口水，说道。

"现场情况太复杂了，只是简单看照片，怕是不好判断。"凌漠说。

"对对对，要去现场，要去现场。"萧朗附和道。

萧朗说完以后，一脸坏笑地低声对身边的唐铠铠说："我和你说，北安市的鱼丸拉面真的超级好吃，一直想带你去吃来着，终于有机会了。"

"你居然还有心思想吃的！"唐铠铠惊讶道。

"不吃饱怎么干活？"萧朗满足地说。

"去现场倒是不一定，组长，咱们的大沙盘可以模拟现场情况吗？"凌漠说。

"别啊！"萧朗叫道。

"可以。"傅元曼微笑着点头说，"早就开始在准备了，现场情况录入系统，现在正在搭建现场情况，估计二十分钟后，你们可以身临其境。"

"北安市不远啊！开车就三个小时啊！"萧朗叫道。

没人理他，大家纷纷整理材料，向大沙盘走去，留下萧朗站在会议室里咽着口水。傅元曼最后一个离开，他拍了拍外孙的肩膀说："现场那片区域因为这起命案，房价大降，现在已经是一片瓦砾了。"

凌漠戴着 VR 眼镜，率先走进了大沙盘。和照片上一样，沙盘里现在呈现出的是一大片胡同纵横交错、房屋排列密密麻麻的复杂地形。虽然凌漠和程子墨对地形的识别能力超越一般人，但是进入了这个纵横交错、四通八达的区域之后，他们也清楚地知道，研究犯罪分子的进出口，并没有任何意义，凶手只要熟悉地形，就可以从任何一个胡同进去，再从任何一个胡同里出来。就那么几个公安摄像探头，想要躲开其实易如反掌。

"如果这么容易躲开摄像探头，为什么熟悉环境的三个嫌疑人却没有躲开呢？"凌漠暗自想着。

大家沿着胡同口走到了中心现场，赵元的家。

进了中心现场，每个人就做起不同的工作。聂之轩最先走到了五具尸体的旁边，静静观察尸体的状态；程子墨绕着院落走了一圈，寻找有没有其他的出入口；唐铠铠则企图捣鼓现场遗留的电脑，可是电脑数据没有复制进来，于是唐铠铠先行离场，去找傅元曼要硬盘数据；萧朗则在门口一边观察灯箱电源被截断的断口，一边想念着他的鱼丸拉面。

凌漠则牢牢记住了三双拖鞋的鞋底花纹，然后一点一点地研究起整个现场的血足迹来。

时间一分一秒地过去，转眼就过去了三个多小时。在门口研究完电线就无所事事，却又不好意思去打扰唐铛铛的萧朗早已急不可耐："我最烦你们这么磨叽了。"

"磨叽是有原因的。"聂之轩笑着拍了拍萧朗的肩膀，说，"我现在观点和凌漠一样了。"

"凌漠？凌漠什么观点？"萧朗问，"这案子还能玩出什么花样吗？"

"刚才凌漠不是说，那三个人的步态不像是作案后的嫌疑人吗？"聂之轩说，"我现在也觉得这案子有很多疑点都不支持三个人是凶手。"

"真的假的？"萧朗瞪大了眼睛。

"走，去会议室，我们好好唠唠。"

到了会场，案情研究并没有开始。据傅元曼说，凌漠要去了现场提取到的捆绑五个人的胶带，去守夜者组织实验室里分析去了。现场的胶带把尸体捆扎得很紧，就像是木乃伊一样，所以法医们无法把胶带逐一解开，只有用剪刀避开胶带打结的地方剪开了胶带，然后整体递交给了实验室。实验室的民警也只是从胶带不同的地方提取了小块进行 DNA 实验，整体观察、寻找指纹，而并没有破坏胶带的捆扎顺序。把胶带复原，还是可以看得出当时凶手是如何捆扎被害人的。

又是三个小时，把吃完泡面的萧朗等到了抓耳挠腮的状态，凌漠才走进了会场。凌漠说："我问一下，是先捆，还是先杀？"

"先捆。"聂之轩说，"尸体的创口和胶带的创口是吻合的，所以是捆好了再砍的。"

"之前你说，尸体有威逼伤[1]、抵抗伤[2]，但都很轻微，对吗？"凌漠问。

"嗯。"聂之轩点了点头。

"听起来，你们有所发现？"讲台上的傅元曼微笑着问。

---

1 编者注：威逼伤，控制、威逼被害人时，在被害人身体上留下的损伤。主要表现为浅表、密集。

2 编者注：抵抗伤，指受伤者出于防卫本能接触锐器所造成的损伤。主要出现在被害人四肢。

"确实啊，组长，这案子不简单。"聂之轩说。

"说说看吧。"傅元曼说。

"你说，还是我说？"聂之轩用征求的眼光看着凌漠。

凌漠做了一个"请"的手势。

"那我就说一下我的疑点吧。"聂之轩说，"我的疑点，是从胶带开始的。这个案子给我们所有人的感觉，就是一个抢劫杀人案。这是因为谋财案不同于谋人案，不会上来就杀人，多半有威逼、控制、逼供财物所在的过程。现场五个人都被胶带捆绑，看似一个被威逼的过程，但有个逻辑上的问题。"

"什么问题？"萧朗急切地问。

"现场是割颈导致大量出血的，而血鞋印也说明是地面上有了血，凶手踩上去，再去各个房间翻找财物的。那么，既然是先杀人，后翻找财物，为什么要控制人呢？"聂之轩说，"难道不应该是先控制人，问出财物所在，再去翻找，最后杀人吗？"

"可能凶手对这几个人被逼供出的话有自信？"萧朗猜测道。

"这也是一种可能。"聂之轩说，"不过，现场的胶带我们都看了，牢牢地把几个人的嘴巴都贴了起来，那么他逼供什么？"

"这……"萧朗沉吟道，"好像还真是这样。"

"这个确实是一个疑点。"凌漠说，"我刚才研究了胶带，是先捆住口部，再把胶带拉下来捆手脚和身体。胶带没有截断，而是一条胶带一路捆到底。"

"也就是说，在控制被害人的时候，就直接先封了嘴。"萧朗说，"胶带那么结实，法医都解不开，显然也不可能在此之前解开让他们说话。"

"这样看起来，这个胶带确实多此一举了。"程子墨扔了一颗口香糖进嘴，说。

"另外，五名被害人，除了赵元夫妻两人身上的胶带只封住了嘴巴以及手脚以外，其他三个人全身都裹满了胶带，被裹得像个粽子。"聂之轩说，"其他三个人的尸体上都有不同程度的窒息征象。其实有一点常识都知道，口鼻同时被胶带封住，是会窒息死亡的。那么，他要割开他们的颈部又有何用？"

"恐其不死？灭口？"萧朗说。

"我们之前分析的，是熟人作案，但是只和赵元夫妻熟悉啊，并不和其他三名死者熟悉啊！"聂之轩说，"感觉像是泄愤。"

"如果是谋人，这五个人互不相干，必然会有一个人或者两个人是凶手的真正目标，其他的不过都是一些生人、无辜的人罢了，何必要恐其不死？"傅元曼说。

"真正的目标我们一会儿再说。"凌漠说，"仅仅分析胶带的顺序问题，只能说是一个疑点。凶手补刀的行为，可以分析是泄愤，一样也可以分析为伪装。"

"伪装？"萧朗已经收起了他猴急的模样，开始努力思考，"如果有伪装，那这案子就麻烦大了。"

"目前的依据，判断有伪装行为，还草率了。"傅元曼说。

"组长，我当然有其他的依据。"凌漠信心满满。

4

凌漠走上讲台，接过傅元曼手里的鼠标，打开电脑上的画图软件，在空白页里画出了一个现场的示意图。

"我们进入现场，第一感觉，就是现场到处都是血足迹，非常凌乱。而且，即便是仔细看了，得出的结论也是所有的这二百七十一枚足迹，都来源于现场的三双拖鞋，而这三双拖鞋我们也确定了是死者赵元家里的。"凌漠说，"看似并不可能提供线索，但恰恰线索就在里面。"

"二百七十一……"萧朗说，"你不是全部记下来位置了吧？"

"位置很重要，但鞋尖朝向更重要。"凌漠说。

所有的守夜者成员，包括傅元曼以及一直静静坐在后排没有说话的唐

骏，此时都瞪大了眼睛。大家都知道凌漠的记忆力好，但是在三个小时之
内就把现场接近三百枚鞋印的位置和朝向都完完全全、丝毫不差地记住，
这简直就不是一个正常人可以完成的。

然而，凌漠他偏偏就记住了。

"因为现场只有三种血足迹，所以我就用红、黄、蓝三种颜色的标记
来区分三双拖鞋的痕迹。"凌漠先在图上标出了一个红色的箭头，"箭头，
就是鞋尖的朝向方向，也就是凶手的行走方向。请大家给我一点时间，等
我画完，大家就能看出名堂了。"

出于对凌漠这种"超能力"的敬仰，在接下来的半个多小时的时间
里，会场里鸦雀无声。大家都默默地坐在自己的座位上，看着大屏幕上，
不同颜色的箭头一个一个地填满了整张空白页。

"二百六十九、二百七十、二百七十一。"凌漠长出了一口气，说，"画
完了，能看出点什么来吗？"

如果只是现场清一色的血足迹，别说只看照片了，即便是到了现场，
也根本不可能总结出什么结论来。不过经过凌漠用这种一目了然的方式一
还原，似乎血足迹的走向就明确了。

"红色的足迹从中心现场开始，一直延续到了1号房间，然后居然断
了，就没有回头的足迹了。反而是黄色的足迹不知道怎么进入了1号房
间，凭空从1号房间里走了出来。"萧朗的眼睛最尖，其宏观掌控力也最
强，所以最先发现了端倪，"2、3、4、5、6号房间的情况其实都差不多，
这些足迹很多都是'有来无回'或者'无来有回'的！只有在中心现场和
院落过道里有非常多的交叉。不过仔细看这种交叉，也没有完整的行走
路线。"

"对！就是这么回事！"凌漠的眉毛扬了一扬，脸上的疤痕也拉长了
一些，"除此之外，我们还可以看出，每个房间至少都有两种鞋印，这两
种鞋印如果是一种，还好解释来去的路线，但分开来，就都不能解释。"

"什么意思？"唐铠铠虽然也看出了这种异常的情况，却还没有意识
到这条线索的指向性。

"意思就是，作案人，只有一人。"凌漠总结道。

"一人？"程子墨也有一些诧异。

"对！一人！"萧朗说，"这个人手持两双拖鞋，穿着一双拖鞋，在现场行走。他从中心现场走到1号房间，翻乱1号房间之后，就换了一双拖鞋，再走到2号房间进行翻找。以此类推。他除了在中心现场和院落走道里做出了许许多多鞋印交叉以外，在房间里的鞋印，就暴露了他的行为。"

"萧朗说得对。"凌漠说，"我最初产生怀疑，是因为聂哥说了，五具尸体都只有浅表的威逼伤，而且抵抗伤轻微。那么既然少有抵抗，为什么中心现场的鞋印那么复杂？这就让我萌生了研究足迹走向的想法。真没想到，天大的秘密，居然就藏在足迹里。"

"凶手何必这么大费周章？"程子墨问。

"伪装。"凌漠说，"当我们第二次回到这个词的时候，就基本上接近真相了。"

"伪装？"萧朗说，"这伪装的，实在有一些复杂啊。"

"我先问一个问题吧。"程子墨举了举手，说，"假设是凶手伪装了现场，可是凶手怎么知道他抛甩的财物恰好被三个人捡走？显然，三个嫌疑人捡的就是赃物，而此时，凶手肯定已经完成了作案过程，不然赃物哪儿来的呢？"

"这就又要回到前面说的割颈了。"凌漠说，"凶手控制住人，割完颈就离开的话，完全可以做到脚上不黏附任何血迹而离开。三双鞋子都沾满了血迹，而且到处走动，是不是感觉有些多余呢？所以我觉得割颈是为了取血伪装。"

"你还是没有回答我的问题。"程子墨重复了一遍，"他怎么知道会有三个人来捡走财物，难道他知道这三个人当天晚上会经过这里？即便是这样，也不能确保在这之前有人经过捡走啊。"

"不，凶手是先杀人，再取财物，然后丢弃到指定位置，并且守候在那里。"凌漠说，"等他看到有三个人捡走了财物，才回来用三双拖鞋沾了血，去踩脚印。"

"其实他真正翻找东西的时候，鞋上是没有沾血的？"程子墨问。

"即便是沾了少量的血或者泥，也都被大量的拖鞋血足迹覆盖隐藏了。"聂之轩说。

"那凶手怎么知道这三个人肯定会私吞财产？"程子墨接着问道。

"我觉得这是比拼心理吧。"凌漠说，"凶手在暗处观察，他分析出三个人肯定会私吞财产，所以想了这个办法来栽赃，而自己躲过法律的惩罚。如果他分析认为三个人肯定会把财物上缴给派出所，他就要想出别的方法来避罪了。他之所以把手机卡拿掉，手机数据抹掉，就是防止财物上缴之后，民警可以迅速找到赵元家。因为凶手还需要时间返回去根据实际情况来伪装现场。"

"有道理。"程子墨看起来是被凌漠说服了。

"现在我们再来分析一下凶手的心理。"凌漠站在讲台中间，饶有兴趣地说，"既然坐实了他是伪装，那么就可以分析一下他的真实企图了。他伪装成谋财的现场，又丢弃了现场所得的所有财物，显然，他是为了谋人。"

"可是我刚才等你的时候翻看了当时的卷宗，对于几名死者的社会矛盾关系调查，没有发现任何一点点线索啊。"萧朗说。

凌漠朝萧朗挥了挥手，意思让他不要打断，接着说："同样是用鞋子沾血去伪造足迹，凶手既然要故意穿上拖鞋去留下痕迹，而不是用其他的皮鞋、球鞋等鞋子来留下痕迹，其伪装成熟人作案的心理就摆在了那里，这样恰恰说明他并不是熟人。"

"可是……"萧朗这个急性子又按捺不住，想去询问凌漠监控是怎么回事。毕竟，不是熟人，不可能熟悉监控的线路走向。其实此时程子墨也有疑问，因为她知道，赵元的邻居赵大花如果不是恰逢周二不在家，凶手也无法作案。凶手掌握了赵大花的生活规律，不是熟人也难以做到。但是，受到凌漠昂扬情绪的影响，两人都没有打断凌漠的思路。

"生人，谋人，这是一个很有意思的命题。"凌漠说，"既然是生人，警方当然没那么容易摸清楚背后的因果关系。但是，如果我们要是知道凶手的具体目标，说不准能分析出一些什么。所以，我觉得现在最重要的是知道凶手的真实目标，毕竟，这五个人分属三个不同的'世界'，他们之间除了住店也没有任何瓜葛。不过，这就是聂哥的长项了。"

"我是这样看的。"聂之轩走上讲台，打开了一张现场的概览照片，说，"现场情况是这样，赵元夫妻两个人被胶带捆扎，并且躺在地上，窗帘布受到拉扯，导致窗帘杆从窗户上方掉落，窗帘杆压在了夫妻俩的小腿处。而其他三具尸体都是躺在窗帘杆上方的，所以我判断，最先受到控制的，是赵元夫妻俩，这也和为什么中心现场是在他俩的住处这一点吻合。"

"剩下的三人被捆绑的顺序，通过对胶带的分析，可以判断出来。"凌漠说，"我仔细研究过胶带的断口，并且在实验室里进行了整体分离。现在可以肯定的是，胶带是先捆好了冯起，再捆程源，最后捆李江江。"

"大家还记得吧，现场胶带上，只有捆绑赵元的胶带上有几枚方克霞的指纹。"聂之轩提示道。

"因为凶手是一个人，所以无法同时捆绑两人。所以凶手控制方克霞，让她捆绑了赵元，然后凶手再捆绑了方克霞。"凌漠说，"而此时，冯起、程源、李江江可能分别从外面回来，被逐一控制了。我相信，这也是凶手始料未及的。"

"嗯，笔录上说了，一般这些租客都会在九点钟到十点钟之间伺候完病人入睡才回来。"萧朗翻着卷宗说，"这也应该是凶手为什么选择这个天刚刚黑，人又少的时候作案的原因。可是没想到一个一个地回来人，凶手也就只有一个一个捆起来杀掉了。"

"如果凶手不是熟人，目标又不过是赵元夫妻，为什么要全部杀掉啊？"程子墨说，"反正他们都不认识凶手，何来灭口之说？"

"你看到没，这凶手裹胶带裹过了头，把三个人都弄出了窒息现象，怕是他后悔想解开胶带都解不开了吧？"萧朗说，"而且他已经打定了主意要把现场伪装成劫财，那么如果有人活着，他接下来的行动岂不就暴露了他的真实意图了吗？"

"萧朗说得对。"凌漠说，"还是回到原来的问题，捆绑赵元夫妻二人是正常的捆绑动作，但是后面三个人的捆绑显然是'过'了，都裹成粽子了。根据之前的分析，可以轻易地得出凶手的目标是赵元夫妻的结论。之所以后面三个人反而被胶带裹得更严重，是因为他们的突然出现，让凶手十分惊恐。这种制伏被害人后过度捆绑的行为，恰恰提示了凶手的惊恐心理。人一个一个地回来，让凶手一次一次地惊恐，等凶手平静下来的时候，想不杀也不可能了。而且，说不准凶手只是想杀掉赵元夫妻后，嫁祸给其他租客，可没想到其他租客都提前回来了，没办法，只能再去寻找拾金就昧的人去嫁祸了。"

"也就是说，下一步需要继续追查赵元的社会矛盾关系？"唐骏终于在后排开始说话了，而这次的疑问句，让他的语气不再是个老师，而是一个正在商量事情的同事。唐骏知道，眼前的这个二十岁出头的孩子，其天分已经远远超过了自己，自己不懈努力地调教，今天开始真正闪光了。

"老师，我觉得调查赵元的社会矛盾关系只是其中的一条路。"凌漠说，"毕竟是生人作案，存在雇凶杀人、激情杀人、变态人格杀人等诸多因素，而这些因素可能都很难去通过矛盾关系的调查来搞清楚。"

"那你说说，你的别的办法又有哪些？"唐骏满意地点头。

"前车之鉴，我们还是要想办法，能够从现场提取到凶手的 DNA。不管是为了破案，还是为了以后的起诉、审判，这一个线索都是绝对不能放掉的。毕竟，我们现在对案件有了全新的认识，对现场重建也有了新的判断，提取 DNA 的途径也就更多了。"凌漠说，"另外，我们之前的这么多判断，都指向凶手是生人。我刚才说的时候，萧朗和子墨都有疑问。我知道，你们是想说，如果是生人，又怎么知道邻居赵大花的活动规律？又怎么知道赵元家里有监控，以及监控取电的线路呢？这两个问题，就只有一种答案能够解释，那就是，踩点。凶手通过前期详细的踩点，明确了这个时间点天黑人少，是作案的最佳时机，明确了每周二赵大花不在家里，明确了死者家里有监控，并且监控的取电是在灯箱处这一系列信息，然后，才制定了作案计划实施犯罪。我们现在就要从踩点上做文章了。"

"其他的我都没意见，但监控这个说不过去。"萧朗把头摇得像是拨浪鼓，"监控虽然被断了电，但是凶手以前踩点留下的所有影像记录都还在电脑里。凶手既然明知有监控，为什么不把电脑给搬走啊？如果嫌搬走电脑目标太大的话，摧毁电脑也可以啊，总不可能是这个计划周全的凶手忘了这茬吧？"

"这确实是一个疑问。"凌漠低下头，说，"其实监控只是断电，而不去摧毁以前的记录，除了第一种可能是因为熟人不需要踩点，没有留下影像以外，还有一种可能，就是凶手并不在意这个监控留下了他的影像。"

"为什么不在意？"萧朗问。

沉默。

许久，凌漠打破了沉默："除了赵元家的监控，我们还有几个公安监控，这么多影像叠加起来，是否能找到嫌疑人的踪迹，就要看你和铛铛的了。"

"我？"程子墨诧异道。

"你和我说过，你的直觉。"凌漠微微一笑，"我相信你的直觉。"

第六章　独脚的猴子

因为世间大多数人并不相信真实，而是主动去相信自己希望是真实的东西。这样的人两只眼睛哪怕睁得再大，实际上也什么都看不见。

——（日本）村上春树

1

"你是说让子墨去看步态对不对？"萧朗把胳膊搭上了凌漠的肩膀，说，"你之前就根据步态推断说那三个人不是凶手，果真还被你推断对了。现在这三个人算是解脱了，终于不用受咱们公安的'骚扰'了。"

"步态不一定能搞定。"凌漠默默躲过了萧朗的胳膊，说，"既然是策划周全的作案，刚开始踩点的时候，又不能明确哪里有公安监控，凶手必然会伪装步态。所以，我刚才说了，是依靠子墨的直觉。"

"直觉是什么东西？"萧朗难以置信。

"直觉，或者说是第六感，看起来是一种摸不到看不着的东西，但这个东西真的很有用。"凌漠说，"至少在山体滑坡那次，子墨的直觉就起作用了。虽然现在咱们的科学还不能完完全全有依据地去解释直觉这个东西，但它确实存在啊。目前科学解释不了的现象，也总还是有的。"

"靠直觉去破案，我总觉得不靠谱。"萧朗说。

"当然不靠谱。"凌漠说，"我们也不是去依靠直觉来破案，而是依靠直觉来寻找线索，最后利用线索找到证据而破案。很多刑警都有直觉，很多案件的最终破获，最初的线索也都来源于刑警的直觉，以后啊，你多看看刑事案件案例实录就知道了。不过，子墨的直觉和他们的不一样，她的直觉范围更广，更敏锐。"

"被你说神了，我倒要看看有什么不一样。"萧朗不以为意地说，"你说，既然是有人栽赃，他就那么断定警方会以那三个人定案？"

"不知道。"凌漠说，"可能是以为警方会刑讯逼供吧，网上不是很多人都默认警方肯定会刑讯逼供吗？"

"又或是零口供。"萧朗抿着嘴巴点头说。

"零口供定罪的案件，对证据的要求是严格的，是必须要有完整证据链的。"凌漠说，"现在我们的法治进程，对零口供案件的定罪已经是没问题的了，很少因为零口供而出现冤案，但是需要警方竭尽所能完成所有证据链的连接。"

"只是凶手一厢情愿吧？认为公检法会草率定案。"萧朗鄙视地说。

"是啊，现在公诉人、法官对案件都是终生负责了，自然不会草率定案。没有完整的证据链，存在任何合理怀疑，法官都不会审判定罪的。"凌漠说。

"看起来还真像是网上说的，法律都是保护犯罪人的什么的。"萧朗摇了摇头。

"不能保护犯罪嫌疑人的合法权益，就不可能保护无辜百姓的合法权益。"凌漠说，"想要司法公正，最先是要把司法的权力装进笼子里，笼子外的权力，势必走向黑暗的深渊。"

"怎么感觉你快变成个诗人了。"萧朗挠挠头，说。

说话间，两人已经走到了守夜者组织数据实验室的大门口。

"铠铠，怎么样？"凌漠推开大门，唐铠铠一个人坐在十几个屏幕的操作台前，飞快地移动着鼠标。

"又直接喊铠铠，铠铠是你叫的吗？"萧朗不服气地伸手去捂凌漠的嘴巴，转头笑嘻嘻地对唐铠铠说："铠铠的手速真是快得少见！你不去电子竞技实在是可惜了！你要是玩了 LOL（某款网游的简称），哪有那些战队什么事儿！"

凌漠艰难地把萧朗的大手从自己的嘴上移开，拿起桌上的一张纸巾擦了擦嘴角，问："是不是数据有点多？"

唐铠铠头也不抬地说："比我想象中的要多。目前看，除了赵元家里的那个摄像探头以外，还有十一个公安监控摄像探头。因为不知道凶手的行走路线，十一个路口监控都要进行分析。除此之外，就是赵元家里的那个摄像探头，数据量很大。他们家每天来咨询的人都有数十个。而且，我们没有一个明确的时间范围，也找不到完全重合的人脸像，所以这就很难了。"

"这个，确实。"凌漠说，"如果说要踩点的话，时间拉长到一个月最保险。"

"一个月没有办法的。"唐铠铠说，"我看了一下，除了赵元家的摄像探头有接近两个月的数据以外，公安摄像探头因为不是交警抓拍摄像探头，而是治安卡口监控，自动覆盖的那种，所以也差不多只有二十三天的量。从发案那天可以倒推提取二十三天的影像，再往前就没有了。"

"我觉得二十多天差不多够了。"凌漠说，"如果凶手行动迅速，一周就够了。不过，保险起见，你还是要对二十三天都进行观察。"

"嗯，那样还是有很大的数据量的。"唐铠铠停下手中的动作，一脸为难的表情，"你有什么好办法吗？"

"你都说踩点了，那就找那些贼眉鼠眼的。"萧朗在一旁打了个哈哈。

"你又瞎说。"唐铠铠嗔怒道。

凌漠沉思了一会儿，说："不，萧朗没有瞎说。"

这个结论甚至出乎了萧朗的意料，他不好意思地挠了挠后脑勺。

"踩点的人，必然和其他人不一样。他既想要获取信息，又不想暴露自己，这种心理必然会表现在其表情之上。"凌漠说。

"这，说了白说啊，谁和你一样，还能读心啊？要不你替代铠铠来看也行，铠铠看电脑看多了对眼睛不好。"萧朗说。

"既然公安监控无法看得见样貌和表情，那么我们就从近距离拍摄的赵元家的监控入手。"凌漠对着唐铠铠说，"你说每天都有几十个来赵元家窗口咨询的人，那么即便是推到一个月前，也总共没有多少人。为了防止凶手化妆踩点，你要做的，就是在这么多人里寻找长得相似、衣着相似或者是看起来东张西望、心里有鬼的人。这些人中，应该会有人看到了摄像探头，或者向摄像探头的方向张望。"

"你这么一说，敢情你还是让铠铠来看视频啊？"萧朗不忿地说，"你还真是会偷懒！那么接下来你去干什么？调查赵元的矛盾关系吗？"

"矛盾关系怕是没那么好调查了。"凌漠摊了摊手，说，"我看了笔录，在这三年里，为了排除其他人、其他动机作案的可能，警方花了不少心思，调查了一千五百〇三个人，没有一个人反映赵元夫妇和其他人发生过矛盾。群众的眼睛是雪亮的，这个赵元，应该是一个好好先生，那么这种触发谋人杀人的事件，一定是一起别人注意不到的小事件。"

"那你来看监控，让我们家大小姐休息休息。"萧朗说。

"不，这么多影像数据，只有我来处理是效率最高的！"唐铠铠的双手回到了鼠标和键盘之上。

"我们还有更重要的任务，一会儿让子墨来帮铠铠。"凌漠指了指萧朗，"我们去北安。"

"哎呀，你真的要去啊？"萧朗兴奋地说，"那里的鱼丸拉面最好吃了，大小姐我们一起去吃啊！"

"我们不是去吃东西的。"凌漠摇摇头率先离开数据室，唐铠铠则低头飞速地敲击着键盘。

萧朗左看看，右看看，对唐铠铠说："大小姐别急哈，我打包回来给你吃。"

北安市公安局刑事警察支队刑事科学技术研究所物证室。

聂之轩的机械手里握着一支激光笔，在一块画满了地图的白板上指指点点："我们提取物证的方法，一般就是通过现场分析、重建，还原犯罪分子的行动轨迹，然后在其行动轨迹上可能遗留有痕迹物证的地方进行提取。对于赵元案，当初也是根据这种模式进行了提取，并未发现有价值的痕迹物证。但是，既然现在我们对案件有了全新的认识，现在我们也有必要把当初提取物证的流程重新捋一捋。"

"现在最大的问题是，现场的区域已经全部拆除了。"北安市公安局的项明法医说，"如果守夜者能早一些介入这个案子就好了。这个案发现场，我们保留了近两年之久，但是最终还是因为政府的整体拆迁要求，放弃了继续保留现场的诉求。"

"这个确实是限制我们重新工作的一个问题。"凌漠说，"我们只能从当年已经提取到物证室的物证里入手，希望能有新的发现。"

"不管怎么样，试一试吧。"萧朗的面前摆着一个纸盒，里面装满了鱼丸拉面，他一边往嘴里塞面条，一边含混不清地说。

"我现在来重新捋一下我们的新思路。"聂之轩说，"凶手经过反复踩点，明确了现场情况和监控情况。他挑选了周二下午六点半的时间，这个时间既没有邻居，行人也稀少。凶手最先在灯箱处潜伏，确定了周围无人之后，剪断了灯箱的电线。此时，灯箱和摄像探头停止供电，但是并没有影响旅社内的电源，因此没有引起被害人的注意。接着，凶手走进旅社院落，在门房处，以住店为由，骗开门房的大门，并且在趁其不备的情况下，利用凶器控制住赵元老两口。在威逼方克霞捆绑好赵元后，又亲自对方克霞进行了捆绑。在捆绑完成后，冯起突然提前回到了旅社，此时无法藏身的凶手和冯起发生了轻微的搏斗。但是毕竟手持凶器，并且可能体能、武艺上存在优势，冯起也被控制住了。出现了意外的情况，对凶手是个极大的刺激，他疯狂地用胶带捆绑冯起，还没完成捆绑，李江江两口子陆续回来。凶手利用对冯起的办法，逐一控制住两口子，并进行了疯狂的捆绑工作。但在捆绑结束后，凶手有些不知所措。因为窒息征象必须要人体处于窒息状态数分钟后才会出现，这几分钟之内，凶手并没有做出其他动作。最终，凶手因为某种原因，拿定主意，杀人灭口。在割开五个人的颈部之后，他收集了五个人放在房间或者随身携带的财物，并且抛弃在某地。在财物不远处，凶手潜伏窥望，直到他看见有三个人一起路过，并且捡起财物、分赃。在获取这些情况后，凶手重新回到现场，把自己的手套和现场的三双拖鞋沾血，在现场进行翻找、走动，造成三个人穿着拖鞋在现场翻找财物的假象。完成这些后，凶手独自离开现场。"

"整个过程中，有可能留下痕迹物证的是……"项法医咬着笔杆，说，"一是灯箱剪断电线的地方，不过灯箱我们取回来了，明确有很多灰尘减层的手套印，说明凶手是戴着手套完成这些动作的。二是现场的搏斗、行走和翻找的痕迹，可惜现场已经拆除了，即便是我们提取回来的因为搏斗而掉落的窗帘和窗帘杆，因为载体不好，也不具备提取物证的条件。三是存放赃物的手提袋，当初三个人分赃后，就丢弃了手提袋，后来我们组织警力在周边垃圾里寻找，也没有找到。四是现场捆绑众人的胶带，这个已经送交你们守夜者组织了。"

"我看了，什么有价值的痕迹物证都没有。"凌漠说。

"再就是，现场的拖鞋了。"项法医说，"不过，根据当初我们DNA实验室的检验结果，也没有发现疑点。"

"我们这次来，重点就是为拖鞋而来。"凌漠说，"DNA检验部门当初没有发现三个嫌疑人的DNA，因此检验的报告和图谱没有附卷。"

"我们这里都有存档。"项法医说。

凌漠点点头，说："我要说的是，当年DNA检验技术得出的结论是，没有发现三个嫌疑人的DNA，而不是没有发现DNA，这两者是有本质上的区别的。"

"这个确实，毕竟三年来，我们还都没有怀疑过别人，内心一直确认就是这三个人所为。"

"如果有别人的DNA，岂不是就有线索了？"凌漠说，"任何人都会出脚汗，尤其是在现场频繁活动之后，肯定会有DNA的遗留。"

"理论上是这样。"项法医说，"不过DNA检验不能从理论上推出结果。我们找到DNA，就说明犯罪分子留下了DNA，找不到，就说明没有留下。并不能说，理论上留下了，就一定会留下。"

"那，究竟是有没有找到除了死者以外的其他人的DNA呢？"萧朗停止咀嚼，急着问道。

"有。"项法医说，"三双拖鞋都是旧的棉质拖鞋，是给客人用的，而这种拖鞋又不能像塑料拖鞋一样清洗。所以，每双拖鞋上，我们都提取到了不知道多少人的混合型DNA。"

"混合型DNA的分析确实是很难的。"聂之轩说，"我们很难把这么多掺杂的DNA数据逐一分解出来，而且即便是分解出来，也不知道谁才是凶手。"

"是啊，只能从这些复杂的 DNA 数据里寻找已有嫌疑人的 DNA，从而起到一个排除的作用。"项法医说。

"如果在一双拖鞋上寻找谁是凶手，那确实是不可能的。"凌漠微微一笑，"但是，我们的这位凶手自己一个人穿了三双拖鞋，并且每双拖鞋行走的距离都不近。"

"啊，我明白了。"聂之轩恍然大悟，"凌漠的想法真不错，从三双拖鞋里含有的复杂 DNA 数据中，寻找共同点。把所有的共同点都挑出来的话，凶手的生物学特征就明确了！"

"真是好办法！我怎么没有想到？"项法医拍了一下脑袋，说。

"凌漠还是挺聪明的。"萧朗满脸期待，继续安心吸起了他的拉面。

"当年的数据，我们的数据库里都是有的。"项法医说，"现在只需要调取出数据，我和聂法医花一点时间分析一下，就会有结果了。"

"那就拜托你们了。"凌漠捅了捅萧朗的胳膊，说，"现在请几个熟悉案情的同行，陪我们去一下现场吧。"

"现场现在是一片瓦砾啊。"项法医说。

"就是，这没吃完，这多浪费！"萧朗停下飞舞的筷子，不舍地说。

"我也不知道能发现什么，但是既然来了，不如去身临其境。"凌漠说。

"那好吧，我马上派车。"项法医说，"那儿地势复杂，你们的车太重，怕是不方便。"

"嘿，到了，醒醒。"凌漠把在自己身边酣睡的萧朗给推醒了。

"啊？到了？"萧朗擦了擦嘴边的口水，说，"吃饱了就困。"

"我们北安市占地面积一万一千多平方公里，我们从局里到市立医院，差不多有四十公里。"北安市公安局的驾车民警说，"差不多是城市最北到最南的距离了。"

"这里，拆了有多久了？"凌漠坐在停下的车里没动，看着窗外的一片狼藉。

"从命案发生后，就开始计划拆迁了。"民警指了指远处市立医院的东面，说，"你看，那儿就是新建的回迁小区，去年建好的，这里的居民分到了拆迁补偿的房子，就搬过去了。这里开始拆迁，也就是今年年初的事情吧。"

"还有几天就是 2018 年了，那这里也拆了有一年了。"凌漠说。

"是啊，这一片可能是政府用来做政务中心的。"民警说，"毕竟发生过恶性命案，开发商的开价都不高。"

凌漠点点头，开门走下了车，一阵寒风吹来，让凌漠不自觉地缩了缩脖子。可以看出，这一大片区域，和医院果真只有一路之隔，但是此时已经是一大片瓦砾了，看不出这里当年的"繁荣景象"。如果有房子，应该可以看出这片区域的边界，但是如今成了一片瓦砾，其边界也不清楚了。凌漠知道，在这种情况下，要求民警指出当年凶案现场的具体位置，实在是有一些苛刻了。

"都拆了一年了，还有人做饭啊？"萧朗指了指远方，说，"那儿在冒烟。"

"这怎么可能？"民警哑然失笑。

"不信啊？不信开过去看看。"萧朗见民警不信，有些不服气，转头拉着凌漠上车。凌漠正因为到了现场却什么也不能做而郁闷，此时听萧朗这么一说，他是相当相信萧朗的感官能力的，所以也算是升起了一线希望，于是连忙招呼民警开车向萧朗指向的地方开去。

好在刑警支队派出的是一辆越野车，车子在瓦砾上疯狂地颠簸了十几分钟后，终于在萧朗一声"停车"的提示下，停了下来。

萧朗先是跳了下来，张望了一会儿，然后帮民警打开了驾驶室的门，拖着民警下车，说："看着没，看着没，那儿的枯草烧焦了一大片。"

"哎呀，还真是，厉害厉害，佩服佩服。"被萧朗像小鸡一样提起来的民警，此时言不由衷地称赞着。

2

　　凌漠倒是没有被那一堆烧焦的枯草引走注意力，他留意到的是，枯草的旁边，整齐地排列着数十堆燃烧的灰烬。一眼望去，看不到尽头，不注意则已，注意到了，则显得格外壮观。

　　"这些整齐的灰烬堆又是怎么回事？"凌漠指了指那一排灰烬，然后俯身用手指捻起一点，说，"燃烧的时间并不是很长。"

　　民警也是呆了一呆，然后恍然大悟道："啊，是这么回事。不管是我们北安，还是你们南安，风俗习惯都是轻冬至、重清明嘛。按照风俗，冬至也是要为逝去的先人烧纸、祭奠的日子。"

　　"你说这些灰烬，是祭奠？"萧朗诧异道，"祭奠不都是去公墓扫墓吗？"

　　民警笑了笑，从地上拾起一根竹竿，把面前的灰烬堆翻了翻，说："你看，这些灰烬堆里，还有一些烧焦的鱼肉、米饭，这不是祭奠是什么啊？这一片的居民，原本都是农村户口的，逝去的亲人火化后，都被掩埋在自己的田地里。后来，这一片的农田被政府征收了，政府也组织专门的人员对田地里的坟地进行了迁徙。可惜，北安市的南边是没有公墓的，所以地里的坟都迁去了西边的小文山公墓，距离这里，嗯，三十公里。"

　　"明白了。"萧朗说，"因为太远，所以就近烧纸了。"

　　"对，除了每年清明这里的居民会去公墓扫墓以外，逢中元节、冬至什么的，就会就近在这里的墙根烧上几沓纸、供上几碟小菜。烧纸结束后，把几碟小菜倒进火焰里，再燃放上一小挂爆竹，整个祭奠仪式就完成了。"民警介绍道。

　　"嗯，确实是这样的。"凌漠说，"在南安，很多外来人口，也是这样祭奠先人的。每年会因为这个事儿，闹几场火警。"

　　"不假，好在这一片已成废墟，所以即便是燃着了枯草，能烧上几天，也不至于有什么危害。"民警说。

　　"冬至，那是上个礼拜。"萧朗掰着手指头算道，"距离今天，五天？四天？四五天吧。"

"冬至是一个节气，但是在冬至之前、之后还是当天祭奠，每个人的家里都有自己不同的习惯，所以在冬至前后两三天，都会有人来这里烧纸。"民警说，"哦，对了。前两年这一片没拆除的时候，每年清明、冬至都有人到现场附近的墙根处烧纸。这说明，赵元两口子还是有很好的口碑的。"

"给赵元夫妇烧纸？"凌漠警觉道。

"呃，总之是给几名冤死的人烧吧。"民警说。

"我知道很难，但是现在还真是有必要请你帮忙找一找当初赵元家的具体位置了。"凌漠对民警说，"嗯，准确说，我们现在要找赵元家的废墟所在。"

"具体的位置很难，但是大致位置，我觉得我能找得到。"民警说，"三年前，我每天就在这片区域里泡着，泡了三个月。"

"那太好了，有大致位置就够了。"凌漠看了看夜色即将降临的天空，说，"不过要快一点，不然我们的千里眼可能就要失效了。"

"千里眼？说我吗？"萧朗指着自己的鼻子问道。

"等我们的同事给我们一个大体的定位，就要靠你来寻找灰烬堆了。"凌漠说完，拉着萧朗跟上了民警。此时的民警已经辨明了方向，一脚深、一脚浅地向瓦砾的深处走去。

"灰烬堆？灰烬堆不就在这里吗？哎哎哎，别拉我，我重心高，找不好平衡。"萧朗咋呼着。

"如果我没记错，应该差不多就在这里了。"在瓦砾上行走了五分钟，民警站定了说。

"有吗？"凌漠问身边的萧朗。

"有啊，那不就是？"萧朗指着西边。

西边一百米处，似乎真的有一个烟灰色的灰烬堆。凌漠继续前行，走到了这一堆孤零零的灰烬旁，他蹲了下来，学着民警的样子，用竹竿挑了挑灰烬，里面并没有什么祭祀品。灰烬燃烧得很彻底，也看不出燃烧物的形状。凌漠用手指捻起一点灰烬，放到萧朗的鼻子旁，说："你觉得烧了几天了？"

"我又不是警犬！"萧朗一把打开凌漠的手，说，"我觉得三天左右。瞎猜的，反正没几天。"

"冬至前一天有雨，而这一处灰烬没有被淋湿的现象。"民警说，"看起来也不是那么新鲜了，所以肯定是冬至当天到昨天这几天时间内燃烧的，和萧朗说的差不多。"

"这里的监控也没了对吗？"凌漠问。

"反正要进入这片区域，如果没有交通工具，肯定要先到医院门口的公交车站，那里有监控。"民警说。

"死马当活马医。"凌漠自信一笑，"我需要从冬至当天到昨天的公交站台监控影像。"

"看你的意思，坐实了就是凶手烧的纸？"萧朗问凌漠。

"我觉得是。"凌漠简短而坚定地回答道。

"确实。"萧朗赞同道，"你说别人祭奠也就在废墟边缘祭奠一下就好了，反正坟墓都不在这里了，到哪里烧纸都一样。这里只有孤零零的一堆灰烬，不是专门来祭奠被害人的，又是什么？"

"可是这儿离真实的现场位置大概偏离了一百米呢。"民警说，"而且会不会是死者家人来做的事情？"

"正是因为偏离，才说明祭奠人对现场的具体位置只知道个大概。"凌漠说，"至于家人，如果我没记错的话，赵元老两口已经没孩子了对吧，也没有什么近亲属吧。"

"毕竟老两口为人很好，会不会是……"民警说。

"管他是不是凶手呢，有线索就要查。"萧朗有些受不了民警的磨叽，"不都说了是死马当活马医嘛。"

"其实我们之前的分析是，凶手在控制完赵元夫妻之后，又陆续控制了其他三个人。"凌漠打断了萧朗的话，像是在圆场一般，耐心地解释道，"这三个人的突然出现，是凶手始料不及的。所以，凶手在捆绑的手法上，有明显的惊恐心理表现，这是其一。其二，凶手在完成捆绑动作数分钟后，才处死五人，说明至少经历了心理的挣扎。结合这两点，凶手对赵元夫妇以外的三个人应该是心存愧疚的，既然心存愧疚，就有可能来祭奠，这是常识性的心理分析。"

"在凶手看来，每年这里都有这么多人祭奠，他也不会被发现。"萧朗补充道。

"那既然这样，我这就去安排调取视频。"民警有点尴尬地说，"应该没问题，好在一般我们的治安监控能追溯到半个多月前。"

"是二十三天。"凌漠微微一笑，"辛苦了。天也差不多黑了，我们该回去看看聂哥和项法医的工作成果了。"

在凌漠和萧朗推门进入北安市公安局刑警支队 DNA 实验室的时候，聂之轩面前的打印机正在往外吐着一张长长的图谱。聂之轩用他的机械手捧住了图谱的一段，另一只手熟练地从打印机上扯下了图谱的尾巴。

"看起来你们搞定了？"凌漠三步并成两步，走到聂之轩的身后。

聂之轩蹙眉看着图谱良久，说："不出意外，这就是我们的嫌疑人的DNA 了。"

"换句话说，这个 DNA 分型，在现场的三双拖鞋上，都有？"萧朗问。

聂之轩点了点头。

"那不就妥了吗？"萧朗一蹦三尺高，"现场有十几双拖鞋摆在柜子里，三双和犯罪有关的都有这个人的 DNA，这个人又不是赵元和他的妻子，那不是凶手还能是谁？"

"确实，用这种办法发现的 DNA 数据，有极大的可能就是凶手的。"聂之轩说，"不过……"

"不过什么？"萧朗俯下身子，看着聂之轩的眼睛，急切地问。

"不过，这个人是个女人。"聂之轩说。

"女人"二字从聂之轩的嘴里说出，钻进了凌漠的耳朵，不知为什么，这两个字促使凌漠的脑海里一闪而过那件带有大牡丹花的女式针织毛线衣。

"女人？女人不可能吧。"萧朗说，"她一个人杀了五个，还都是先控制再杀，什么女人这么汉子？"

"她有凶器，而且说不定接受过特殊的训练，不能因为性别问题而否定客观的结果。"凌漠说，"客观来看，没有其他可能能够解释三双拖鞋都出现同一个女人DNA的客观事实。"

"我们的对手居然是个女人。"萧朗把自己的指间关节捏得咔咔作响。

"要不要打电话给铛铛那边对一下？"聂之轩说，"这样可以缩小她们的侦查范围。"

"不，我们需要他们的进一步验证，才能确定这个结论。"凌漠说。

"我说你吧，表面上铛铛、铛铛的，亲热得不行，真到该心疼她的时候你就又狠心了，有本事你去看视频啊！"萧朗挥舞着拳头抗议道。

凌漠没理萧朗，微笑着和项法医握手说："天也黑了，我们该回去了，这次来的收获实在是太大了，感谢你们的支持。"

"不不不，这明明是你们在支持我们。"项法医寒暄道，"这根鱼刺扎在我们嗓子眼三年了，现在我们看到了拔除的可能，实在是期待得很。"

"共同努力吧。"聂之轩说，"为了让罪恶无处遁形。"

"吃完饭再走吧。"项法医似乎和聂之轩一见如故，热情地挽留道。

"那也行。"萧朗又重新坐回了椅子，"你们楼下的鱼丸拉面还不错，不用太麻烦，就请吃那个就行。"

"已经过去了三年，如今我们等不起了。"凌漠伸手去拉萧朗，"早些回去吧，毕竟还有三个小时路程。"

"那也不差这十几分钟吧。"萧朗抗议道。

"你不是刚刚才吃过？"聂之轩说。

"那都是几个小时之前了，你是法医你还不知道吗？几小时胃排空来着？"萧朗说。

"我现在就去买。"项法医在抽屉里找钱包。

"项兄你别听他的，他成天就没个正形。"聂之轩嬉笑着拍了一下萧朗的后脑勺。

"我怎么就没个正形了？"萧朗被凌漠和聂之轩从椅子上拖了起来，

极不情愿地挪着步,"那你们等我五分钟好不好,我去楼下打包两碗。"

凌漠和聂之轩最终拗不过萧朗,还是给了他五分钟的时间去打包鱼丸拉面。萧朗喜笑颜开地把两碗鱼丸拉面抱在怀里,坐在返程的万斤顶里,说:"我和你们说啊,你们俩不吃,绝对会后悔。这里的鱼丸拉面不仅仅是好吃,这服务也是超级好啊!你看看人家的打包盒,这么厚的塑料饭盒,还自带保温效果。我说你们信不信,这大冷天的,我把它们抱回去,不用微波炉热就能吃。"

"不是我们不吃,是你没给我们买。"聂之轩坐在副驾驶室,笑着说。

"我不饿。"凌漠说。

"哪能和你比啊,你不食人间烟火的。"萧朗咧着嘴又转头对聂之轩说,"可不是我小气啊,这家伙说不饿,不然我肯定给你俩买。虽然五十块钱一碗不便宜,但以我讲道义的性格,也一定会给你俩买。"

聂之轩摇着头哑然失笑。

"废话真多,抱好你的面,颠洒了别怪我。"凌漠开着车呼啸在高速上。

凌漠低估了北安鱼丸拉面的打包能力。在万斤顶开进守夜者组织停车库的时候,凌漠发现坐在后排的萧朗已经睡得四仰八叉。他怀里的手提袋也掉在了地上。萧朗被凌漠叫醒时急得跳了脚,不过很快他就发现,饭盒里的拉面完好无损,还保持着温度。

走近守夜者组织的大院,凌漠一行人远远看到小红楼的顶层还亮着灯,唐铛铛和程子墨显然正在为了繁杂的视频影像而加班工作着。

萧朗恶作剧似的拎着手提袋、缩着脑袋走进了实验室的大门,向两个女孩的背影蹑手蹑脚地走了过去。

此时,两个女孩已经停下了手中的工作,唐铛铛双手托腮盯着屏幕上的诸多照片静静地出神;而程子墨则斜靠在转椅上,双脚架在操作台上,闭着眼睛,用手指揉捏着鼻梁。

在萧朗快接近唐铛铛的时候,程子墨仍是保持着她闭眼的姿势,却开口说:"铛铛,萧朗要吓唬你。"

唐铛铛回头看了一眼萧朗,又转过头去专心致志地看屏幕。萧朗顿时觉得无趣，好在手上还拎着两碗鱼丸拉面。

"夜宵时间到！"萧朗把手提袋放到唐铠铠的面前，一脸满足，"我说话算话吧？"

唐铠铠高兴地从手提袋里拿出饭盒，递给程子墨一个，自己打开一个，说："我正好饿了。"

"我也饿了，谢谢萧朗。"还没等萧朗反应过来，程子墨已经塞了一口进自己嘴里，"嗯，是不错！"

萧朗伸出去阻止的手半天没有收回来，咽了口口水，说："那是，我的……"

"你还没吃饱？"凌漠把萧朗的手打落，对两个大快朵颐的女孩说，"快点吃，吃完我们把情况对一下。"

3

"我真的是，眼睛都快看瞎了，现在可以深深体会到铠铠的不易了。"程子墨吃完了鱼丸拉面，恢复了之前的姿势。

"一点儿汤都不剩吗？想当一个精致女孩，就要少吃点。"萧朗看着饭盒，失望地说。

"子墨，你的结论是什么？"凌漠问。

程子墨睁开眼睛，盯着凌漠，少顷，两个人同时说："女人。"

"好了，有了你的观点支持，基本说明我们的判断都是正确的。"凌漠有一些兴奋。

"你怎么看出来的？"萧朗好奇了。

"不过……"程子墨似乎对自己的发现不太放心，有一些犹豫。

"不用犹豫，你直接说。"凌漠说。

"如果让我现在下结论，恐怕我也就只能下'女人'这个结论了。"程子墨说，"看视频看了这么久，我自己都开始怀疑自己的判断了。"

"是因为，不是一个人。"凌漠微微一笑。

"你怎么知道？"程子墨有些讶异，"你都知道了？"

"我不知道，只是之前我们对这一点就有过猜测。"凌漠说，"你说说看吧。"

"按照萧朗说的办法，我们是先从赵元家的监控开始看的。"程子墨徐徐道来，"看到了案发前三天的时候，就有一些眉目了。因为有一个女人在门房窗口和赵元说话的时候，有明显的向摄像探头瞥的动作。按照这样的标准，我就继续往之前半个多月的视频看，果真，发现了好几个人都曾有东张西望的动作。如果把这几个人的动作按照时间线捋下来的话，第一次像是来看屋内环境的，第二次是看院内环境的，第三次就在现场找一些什么，第四次显然是在东张西望的时候发现了屋顶的摄像探头，第五次应该是在确认是否只有这一个摄像探头，第六次应该是确认摄像探头的连接线是连出屋外的。我把这六个人脸截图下来了，你们看。"

电脑屏幕上出现了六张女人的脸，相貌完全不同。

"哇，犯罪集团啊？派六个人来踩点，然后只派一个人来杀人？"萧朗说。

"这个问题我们考虑过。"程子墨玩弄着她的口香糖盒子，说，"我们铛铛还是超级冰雪聪明的，在我寻找到这几张人脸的时候，铛铛就根据这六个人的衣着，在公安监控里找到了这六个人的行走轨迹。有意思的是，这六个人的行走轨迹都是一样的，而且都被三台公安监控记录下了背影。我觉得是一个人。"

"一个人？"萧朗大吃一惊。

"如果是不同的六个人，抵达那么一个四通八达的地方，不可能全都走一条轨迹。"凌漠总结道，"这是一个人潜意识里的惯性思维。"

"我先给你看看这六个人的背影吧。"唐铛铛在不同的显示屏上打开了十余个窗口。在唐铛铛的指尖迅速和键盘进行频繁的接触之后，十余个窗口都出现了画面。从衣着看，画面里共有六个女性，有的是短发，有的是长发，有的扎了马尾辫，有的则是披肩发。六个人都是独自通过公安监控，每段也就几秒钟的时间。

"看完这些以后，我觉得是一个人。"程子墨说。

"哪里就是一个人了？"萧朗说，"你看那个穿黄色风衣的，分明就是个瘸子。"

"我之前就说过，既然反复踩点，不排除有伪装步态的可能。"凌漠说，"这个黄色风衣是第五次踩点了，很有可能已经了解了公安监控的情况，于是故意伪装。你不觉得这个人瘸得很不自然吗？"

"大小姐，你能看出是一个人吗？"萧朗不服气地说。

"不知道。"唐铠铠嘟囔着，"不过这六个人的身材、身高还真是挺像的。"

"我也没什么依据，就是直觉。"程子墨说。

"又是直觉。"萧朗摊了摊手，显然不很相信。

"重播。"凌漠摸着下巴说。

视频在十几个屏幕上反复播放了二十次，凌漠的眼神忽上忽下。

"我支持子墨的判断。"凌漠打破了暂时的宁静。

抛开容貌不说，视频里的六个人的背影虽然发型不同，但是身材体型还是很相似的。在赵元家监控里头两次出现的衣服对应的背影，其步态是完全相同的。而后四次的背影，虽步态有所差异，但是可以看出明显的伪装迹象。

这就是凌漠得出的结论。综合所有之前的情况，凌漠就可以从宏观上确定一个判断了。

"步态分析已经是一门老学科了，根据二十多项指标，最终确定一个人的步态情况，可以是个体的步态特点，可以是生理或病理步态，也可以反应一个人的心理。"凌漠说，"我虽和老师学过，但并不精通。不过，最起码的是否伪装我还是可以看出来的。"

"那伪装的步态，除了可以发觉，是否能和正常步态进行同一认定呢？"程子墨问。

凌漠摇摇头，说："即便要比对，也是需要有一长段距离行走的影像的，我们目前掌握的视频资料太短了。"

"说老实话，我还是感觉有点玄乎。"萧朗仍是不太相信，"那六个人明明就是六种脸型、六种五官组合好不好？化妆根本就达不到更改脸型、五官的效果嘛。总不能是'易容术'重现江湖了吧？"

凌漠的眼神突然闪过了一丝光芒。

"还记得我们之前遇见的几个案子吗？"凌漠说，"中巴车不可能中途上来人，既然有其他人的血迹，除非一个人有两种 DNA；现场没有犯罪分子出入的通道，除非有人弹跳力超群而直接从窗口跳入，不接触窗沿。这两个案子的确看起来都匪夷所思，但看似不可能的部分，却都是最后的答案。"

"易容？易容和之前不一样吧？"聂之轩说，"小说里的易容都很假啊，人脸上戴张面皮，怎么可能变成其他人的样子？脸型什么的都不一样啊。即便是特效化妆，也是能看出端倪的。"

"我也不相信有人可以随意变成其他人的样子，但是随机改变自己的样貌，而不是仿造，还是有那么一点点的可能的。虽然我也说不出科学依据，但我觉得相比之前的两个案子，这个可能性更大一些。"凌漠说，"既然没有别的选择，我们不如就选择一条不可能实现的推理可能性去尝试。"

"如果真的有人可以改变自己的容貌，那么即便我们知道凶手有反复踩点的行为，即便有现场的监控影像，也无法在监控里找到她本来的模样。这样的话，凶手确实就不会在意监控了。"程子墨道，"这就是凶手不摧毁现场电脑的原因：不会暴露自己，又可以扰乱警方视线。"

"这个问题虽然现在看起来不能解释，但我相信最终还是会有科学解释的。"凌漠说，"结合之前我们办过的案子看，现在刑侦科技这么发达，能到我们手上的，都是一些表面上看起来无法用常理解释的案件，都是一些奇案。其实总结一下，只要我们坚持本质问题，绕过那些可变的因素，即便不符合常理也继续侦查思路，就可以破案。因为我们的对手不同，我们的办法也自然不同。"

"那就不去纠结'易容'科学性的问题了。"程子墨问，"你们怎么知道是女人？"

"DNA。"凌漠简短地解释道。

"你们发现了凶手的 DNA？"唐铠铠惊喜道。

"不出意外，那就是凶手的 DNA。"凌漠点头。

"还有，我们提取了一些视频。我们觉得，凶手可能对死者心存内疚，在前几天冬至前后，到现场去祭奠过。"聂之轩把一个 U 盘递给唐铠铠。

"又要看视频。"程子墨带着哭腔说道。

"这回有时间范围了。"聂之轩笑道，"冬至当天到前两天，也就三四天的视频。"

"我陪你一起看。"萧朗把椅子往前拖了一拖，对唐铠铠说。

公交站台前后的两个摄像探头的影像在两个显示屏上同时显示了出来，唐铠铠使用了八倍速率的播放速度播放几天的视频。很快，在冬至当天晚上的视频中，出现了一个正在打电话的短发女人，她一边打电话，一边从公交车上下来。

"等等。"在看到这一段视频之后，萧朗和程子墨几乎是同时叫了一嗓子。

这倒是有些出乎凌漠的意料。凌漠示意唐铠铠把这段视频重播，并且逐帧播放。一个穿着橙色长款羽绒服、深蓝色板鞋的短发女人，一手拎着一个红色塑料袋，一手拿着手机打电话，从一辆 7 路公交车下车，下车后站在站台向废墟的方向凝视了一会儿，然后向废墟的方向走去。好在公交站台的灯光充足，没有反光、变色的情况发生。

"你们的意思是，这个人并不知道这片废墟已经拆除了，下车先是讶异，然后辨明方向再走向现场？"凌漠问。

"看不到表情，这个倒是不敢确定。"程子墨说，"我只是单纯地觉得，这个人的感觉和我们的嫌疑人是一致的。"

"又是直觉吗？"萧朗嬉笑着。

程子墨很严肃地点了点头。

"这个红色的塑料袋会不会就是装着祭祀用品啊？"聂之轩说。

"行了，现在我相信你的直觉了。"萧朗没有回答聂之轩，直接对程子墨说。

"你又是因为发现了什么？"聂之轩拍了拍萧朗的肩膀。

"铛铛你把这个人的右手放大。"萧朗说。

视频中的女人，右手握着一个手机，正放在耳边打电话。画面被唐铛铛一点点放大，也似乎慢慢地变得越来越不清晰。当女人的侧脸和右手放满整个屏幕的时候，几乎啥也看不出来。

"哎？怎么这么不清楚了？这不对啊。"萧朗说。

"像素不够啊。"唐铛铛又把照片逐渐变小。

"停停停！"萧朗在图片缩小到一定程度的时候，又叫道。

"怎么了？"凌漠注视着图片。

"手机是什么颜色的光？"萧朗问，"这你们能看清了吧？"

"蓝光，你眼睛真尖。"唐铛铛佩服道。

"手机有多大？"萧朗又问。

没人回答。

萧朗从口袋里掏出手机，比画着说："现在是什么时代了，马上2018年了！哪还有人用这种老年机？而且不管这女的怎么易容，年龄总是不大吧？凌漠，你说说，步态不是可以看得出年龄吗？"

"二十多岁。"凌漠说。

"就是啊！你们看见没，老年机啊！比手掌还小得多的手机！"萧朗在和大家寻找认同感，"你们还记得'幽灵骑士'不？'幽灵骑士'用的就是诺基亚8310啊！这应该也差不多！蓝光！小手机！"

"'幽灵骑士'？"凌漠一怔，"她难道和'幽灵骑士'有什么关系？"

"哎？对啊，他是不是和'幽灵骑士'一伙的？"萧朗也转过弯来，"不过行事风格不太像，'幽灵骑士'是替天行道，处决那些所谓的坏人，而这个女的杀的是所有人都夸赞的好人啊。"

"不不不，我觉得他们的行事风格非常像！"聂之轩说，"之前凌漠得出易容的判断后，我就有一点想不明白：既然她会易容，为什么还要伪装？现在看来，第一，她和'幽灵骑士'一样，潜意识里都有作案后伪装的习惯。第二，她和'幽灵骑士'一样，精通警方的侦查手段。她知道，警方调查案件，绝对不仅仅是看样貌，还可以通过监控来发现体态，还有DNA、指纹、足迹等一系列痕迹物证的勘查以及其他更先进的侦查手段。所以，即便是会易容，她也选择了伪装现场，误导警方的侦查视线，栽赃给几个倒霉鬼，从而逃脱法律的制裁。这样就能解释通了。而且子墨和萧朗两条线索汇成一条，那么这个人的疑点就很大了。"

"支持聂哥的观点。"凌漠简短总结道。

"这两个人还真是一伙儿的啊？"萧朗说，"一个在南安潜伏作案，一个在北安潜伏作案？不过时间差了将近三年啊。"

"萧朗这么一说，还真是提醒到我了。"凌漠说，"铛铛，能不能根据这个坐公交车的女人的行动轨迹，倒推她的藏身之处？我记得曹允就是这样被发现的。"

"肯定是可以的。"唐铛铛说。

"那我现在就来找项法医追踪轨迹。"聂之轩掏出了手机。

距离发现嫌疑人的巢穴越来越近了，每个守夜者成员的脸上都洋溢出兴奋的表情。远在几百公里之外的项明也是这样，即便是已经深夜十一点半了，在聂之轩给他打过电话之后，他爽快地立刻答应了这一请求，并许诺会在第二天早晨，给聂之轩答复。

这样看来，这一夜的辛勤工作，就由北安市公安局刑科所的同仁们进行了。守夜者组织成员，除了断断续续睡了不少时间的萧朗以外，其他人都持续工作了很久，也确实需要休息。所以，在聂之轩和项法医交代清楚之后，大家都返回寝室休息。

萧朗在宿舍里一觉醒来，天已大亮，看看手表，时针指向八点半。萧朗也不知道自己的"自然醒"为什么这么早就来了，这显然不是他的风格。可能是长时间的警队生活，强行把他的生物钟给调了吧。

既然这么早，萧朗还想再睡一会儿，可是无意中瞥见对面床铺已经收拾整齐了，那是凌漠的床。"这小子这么早就跑了？跑哪儿去了？"萧朗暗自回忆着昨天一天发生了什么。唐铛铛把工作交接给北安市局的同行之后，就剩下等待结果了，那边也许诺今天上午能出一个结果，不出意外，结果应该是出来了。如果结果出来了，唐铛铛肯定要去实验室研判的。凌漠难道也去了？

想到这里，萧朗一个鲤鱼打挺从床上跃起，穿上衣服就往实验室里跑。

推开实验室的大门，果不其然，凌漠和唐铛铛正专心致志地盯着眼前的屏幕。不过，萧朗算是多虑了，因为聂之轩也坐在一旁，摆弄着他的机械手。

"你们好早啊。"萧朗挠挠后脑勺，尴尬地说。

"八点半了还算早啊？"聂之轩笑着迎接萧朗，"我们六点钟就来看视频了。"

"那看到什么没？"萧朗见尴尬的气氛已经缓解，立即来了精神。

"项法医那边，找了图侦部门的同事，调取了嫌疑人乘坐的公交车上的监控。"聂之轩说，"虽然也一样不能看清面貌，但她穿着那么有颜色特征的衣服，所以追踪轨迹还是比较容易的。"

"她没想到我们这时候还能在灰烬里发现所以然来。"萧朗自豪地说，"可惜，看不清她的面貌，不然这肯定就是她的真实面貌。"

"我们也正在找。"聂之轩说，"在我们南安市的监控里。"

守夜者组织毕竟是在南安安家的，而且萧闻天又是南安市公安局的局长，所以守夜者组织数据实验室的电脑直接连接了市公安局监控的数据库，可以在履行相关法律程序后，随时调阅。

"来南安了？"萧朗惊讶地说。

"根据嫌疑人特殊的衣着形态，北安市局的同行们根据公交车的行驶路线，推导出嫌疑人是从北安市长途汽车站直接上的公交车。根据长途汽车站的诸多监控，又确定了嫌疑人是从外地坐长途汽车直接抵达车站的，于是警方又连夜找到了嫌疑人乘坐的大巴司机。可惜，我们查了系统，发现这种快速大巴是乘车买票、不登记身份证的，而且很不凑巧，大巴里面的监控坏掉了。但有一点可以确定，这辆大巴是从南安市往返于北安市的长途汽车。虽然我们知道了嫌疑人乘车的大致时间，但是还是没找到嫌疑人乘车时候的影像。所以，我们就在她返回南安这一点上下了功夫，估算了大致时间，很快就在南安市长途汽车站外的一个公交站台找到了嫌疑人的影像。"聂之轩说。

"那就看她下车后去哪儿啊！"萧朗摩拳擦掌地说，"她晚上很晚才到南安吧？肯定去住处了呀！找她住处，找她住处。"

"还用你说啊？这不正找着吗？"唐铠铠责怪萧朗，"你好吵啊。"

"那也必须得吵一下。"萧朗说，"我闲了好久了！抓人是我的活儿吧！我来活儿了，我能不开心吗？"

"这趟公交是沿着淮河路走的。"凌漠一边看视频，一边在纸上画着图，念叨着，"她在潮水门这一站下的车，可是这里的公交站台没监控。"

"跟丢了吗？你不会跟丢了吧？"萧朗急得在凌漠身后直搓手。

"别吵。"凌漠说完，继续在纸上画着。

过了好一会儿，凌漠面前的白纸上已经被画得密密麻麻的了。凌漠咬着笔杆凝视了一会儿，指着纸上标出的几个区域，说："如果是到 A、C 这两个区域，那么刚才嫌疑人选择换乘的时候，不应该选择 114 路公交车。所以这次，她肯定是去 B 区域。"

"好的，这片区域的几个摄像探头我来看看。"唐铠铠翻着时间表，说，"嗯，到这个区域应该是晚上十一点四十五分以后了。"

显示屏上的画面迅速翻动着。

"哎哎哎，停停停，在那儿，在那儿！"萧朗指着监控里空荡荡的街道上的一盏路灯下。果真，路灯下闪过了一个橙色的背影。

"应该是的。"凌漠压抑住喜悦的心情说，"看她去哪儿。"

橙色的背影经过路灯，在不远处的一处商铺门口停了下来，显然是在敲门。不一会儿，店铺的门开了，橙色的背影闪进了屋内。

"什么店，什么店？"萧朗恨不得现在就开始掏枪了。

"查一下吧。"凌漠拿出警务通，对照着屏幕的位置查了起来。

不一会儿，凌漠抬起头来，兴奋的心情溢于言表，这在平时话说得不多，笑得更不多的凌漠的脸上，实在是不多见的。

凌漠说："美孚美发造型！现在是三条线索汇总在一起了！"

"真的是理发店？真的和'幽灵骑士'有关？"萧朗也一样兴奋。

"不管是什么关系，至少看起来咱们怀疑的人应该是不错的。"凌漠说。

"什么意思？"唐铠铠和聂之轩异口同声地问道，两个人都是一头雾水。

毕竟在针织衫里提取到碎头发，推导出杀害"幽灵骑士"并嫁祸曹允的人可能在理发店工作这一过程，唐铠铠和聂之轩没有参与。

"不过，刚才不还说嫌疑人和'幽灵骑士'是一伙儿的吗？"萧朗转念一想，觉得不对，说，"怎么这会儿又成了是这个嫌疑人杀了'幽灵骑士'呢？"

"现在只是一个推理。"凌漠兴奋得双颊泛红，"只要能抓得到人，我们就能获取更多的证据，说不准谜底也就揭开了。"

"那就啥也不说了。"萧朗下意识地摸了摸腰间，发现自己的手枪没有带，"通知特警支队吧！跟我去抓人。"

说完萧朗转头向大门走去。凌漠一把拽住萧朗，自己反而一个趔趄，险些摔倒。

"你急什么啊？"凌漠重新站稳，说，"你别忘了，我们的嫌疑人可能会易容。既然不知道她本来的样子，你进去抓谁？"

"呃，这个我差点儿忘了。"萧朗拍了拍自己的额头。

4

"你究竟有没有办法啊！"性子急的萧朗此时已经去万斤顶里拿了防弹衣穿上，他怀里揣着92式手枪，在凌漠身边急得像热锅上的蚂蚁——团团转，"你要是没有办法，就去找老萧，要么找你老师。"

"我爸休假去了，过几天才能回来。"唐铛铛说。

"既然组长把任务交给我们了，我们还要去求导师，这实在说不过去。"聂之轩说。

凌漠点了点头，认可聂之轩的想法。突然，他像是灵光闪现，说："嫌疑人真实的情况是短发对吧，子墨也是短发。"

"你是说？"程子墨摸了摸自己的短发，说。

"你是捕风者，伪装潜伏是你应有的能力。"凌漠说，"我要你装作嫌疑人的样子。"

"那不可能啊。嫌疑人在她平时的住处，不可能易容的，肯定是她本来的样子。而我们都不知道她本来的样子究竟是啥样，甚至连特效化妆都没有个参照物。"程子墨说。

"不需要化妆术。"凌漠说，"我们就是去探个虚实，能发现点什么最好，发现不了，也不至于暴露。"

"明白了，我们现在掌握了嫌疑人的背影、步伐和衣着，我按照这样去准备，看看能不能去店里'撞个衫'。"程子墨点点头，扔了一颗口香糖到嘴里，说，"我这就去按监控视频里的信息买衣服。"

化妆侦查的内涵还是比较丰富的，除了可以防止被犯罪嫌疑人发现以外，有的时候，好的化妆侦查，可以起到"打草惊蛇"的作用。而程子墨现在的想法就是用在守夜者组织里学会的"类似化妆"法，去"打草惊蛇"。即便被犯罪嫌疑人发现了，也不至于暴露，但是一旦惊了蛇，就能把对方从暗处逼去了明处。

这种"打草惊蛇"的方法其实很简单，就是模仿已知的信息，遮挡未知的信息，让别人通过熟悉的"已知信息"来获取侦查员们想要的线索。利用到这个具体案例中，因为监控完整地拍摄出了嫌疑人的衣着、发型、背影和步伐，经过唐铛铛进行的色差校对以后，嫌疑人的大概轮廓已经可以知道。不知道的，或者是不能模仿的，是嫌疑人的面容，那么，程子墨通过购买尽量一样的衣着，模仿嫌疑人的背影的步伐，并遮盖面容，可能就会激起其他熟悉嫌疑人的人们的认知，从而有话题或者直接能打探到关于嫌疑人的信息。

衣着就不用多说了，直接购买就好，但是模仿步伐倒是一件很有技术含量的活。

人在站立、行走时地面受力的位移运动、重力、摩擦程度都不一样，所以构成脚与地面的这种相互作用引起的形态变化也不一样，这种特征有相对稳定性，而且可以为人的感觉器官直接感知，这就是步伐特征。对于步伐特征的感知，绝对不仅仅是视觉上的感知。作为第六感超强的程子墨，因为感知程度超越常人，其模仿步伐的能力自然也超越常人。有与生俱来的能力，加之捕风者的相关训练，程子墨已经牢牢把握住步伐模仿的特征了。只要身形相差不是太远，一般人是难以通过感知来分辨这种模仿的。

"你一个人去可以吗？人多容易暴露。"凌漠问。

"重力炸弹我都一个人蹚过去了，一个理发店算个啥。"程子墨头也不回地出了实验室大门。

"那怎么行！"萧朗说，"两次情况不一样好吗？上次要不是实在没别的办法，怎么说也是我这个伏击者进去啊！"

凌漠低头想了想，他觉得一来这种情况下不让萧朗去，基本是不可能的，以萧朗倔强的性格，肯定要闹到守夜者导师那里去。二来这个嫌疑人可以以一敌五，身手不可小觑，有萧朗的保护，程子墨的安全就有了保障。权衡之下，凌漠指着萧朗身上的防弹背心，说："那你不能穿着这个去。"

"那是当然，卧底任务嘛，我又不傻。"萧朗顿时喜笑颜开，"程子墨，你等等我！"

程子墨身穿橙色的长款羽绒服，脚穿深蓝色板鞋，戴着一副大墨镜，和萧朗并排从万斤顶上下来，径直走向美孚美发造型店。

这是一家相当大的美发造型店，看门口的设施指示牌，发现这家店共有三层，一楼是普通的美发造型区，二楼是SPA（休闲水疗中心）包间，三楼是小食堂、卫生间和两间员工宿舍。在进入美发店的时候，程子墨特地注意了一下周边的摄像探头。观察的结果，让程子墨很是失望：除了拍摄到嫌疑人背影的那个摄像探头以外，就没有其他的摄像探头了，公安监控和私人监控都没有。而美发店有四个门，也就是说，嫌疑人只要选择其他门出入，根本就找不到她的踪迹。程子墨知道，还在观察监控的唐铠铛要一无所获了。

程子墨和萧朗推门进入，引发了门口一只电动招财猫的感应，猫说，"欢迎光临。"

听见声音，一个齐刘海的小姑娘热情地跑了过来。她看见二人先是一愣，然后暗自叫了一声："笑笑姐？"

程子墨知道效果已经达到，立即摘下了眼镜，看着齐刘海。

齐刘海又是一愣，操着南方口音，说："不好意思，二位，我认错人了。请问二位是做美发造型，还是 SPA ？"

"理发。"程子墨说。

"SPA。"萧朗同时说。

两人对视了一眼，萧朗说："好好好，听你的，理发。"

齐刘海看了一眼萧朗，双颊一红，掩嘴笑道："那请问是哪位理发？"

"他。"程子墨指着萧朗。

"她。"萧朗同时指着程子墨。

"这？"齐刘海一脸疑惑。

萧朗摸了摸自己今天刚刚抽空打理好的头发，一咬牙，说："好吧，是我。"

"你们真有意思。"齐刘海指引着萧朗去洗头，说，"这位女士是您的……"

"姐姐。"程子墨说。

"女朋友。"萧朗同时说。

"您二位这是演哪出？"齐刘海笑得前仰后合。

"姐弟恋，姐弟恋行不？"萧朗打着圆场，然后低头悄声对程子墨说，"就一点儿默契都没有吗？"

程子墨白了萧朗一眼，坐在转椅上翻看一本美发杂志，眼神却通过面前镜子的反光，观察美发店的情况。

萧朗极不情愿地看着自己的头发被齐刘海打湿，说："我女朋友，是不是长得像你的朋友啊？我看你开始都认错人了。"

"是啊，超级像。"齐刘海一边用洗发膏揉搓着萧朗的头发，一边说，"原来她和我一个寝室住呢。"

"是吗？会不会是我失散多年的小姨子啊？"萧朗咧着嘴说，"她姓什么啊？"

"啊？这我还真不知道。"齐刘海说，"她从来没有说过自己的名字，只说别人都叫她'山笑'，所以我们都喊她笑笑姐。"

"三笑？"萧朗说，"三笑不是牙刷吗？"

萧朗感到此时站在他头顶边的齐刘海已经笑得花枝乱颤了。

"你们店里来打工，都不用登记身份证的？"萧朗也不知道这个傻丫头一直在那儿傻乐啥，于是赶紧把话题给拉回来。

"啊？这我不懂，反正我们几个来都没有登记的。打工还需要登记身份吗？"齐刘海说。

"这我也不知道，我就随便问问。"萧朗发现不远处的程子墨表情有些紧张，也意识到自己不能太直白了，于是赶紧打圆场，说，"你的牙刷姐姐现在在哪儿啊？我来看看是不是和我女朋友很像。"

"你早来两天就好了。"齐刘海说，"她前天就辞职了，嫌这里工资太低。"

萧朗顿时一脸失望。

不远处的程子墨显然也听到了这一点，于是走过来，说："给他洗干净吧，不用理了。"

齐刘海又是一脸疑惑。

萧朗赶紧打断程子墨，紧接着问齐刘海："那你们店里这两天又招来新人了吗？"

萧朗的话一出口，程子墨顿时意识到自己的错误了。因为这个嫌疑人是有可能具备易容能力的，所以，她也可以假意辞职，然后换一副面孔重新进入这家店里。如果真的是这样，身边的几个技师都有可能是嫌疑人，那么，她的急切就会打草惊蛇。这么看，萧朗的这一问还是很有必要的。

看不出来，平时嘻嘻哈哈、没有个正形的萧朗，一旦进入抓捕状态，就变得思虑周详、谨言慎行了。上次那个重力炸弹也是那样，如果不是萧朗的及时发现，可能现场会迅速成为一片火海，什么都发现不了了。萧朗真是个很奇怪的人。

"没有啊，我们几个都在这里工作一年多了。"齐刘海似乎感觉到了气氛的异常，如实回答。

"那就行了。"萧朗从齐刘海手里拿过毛巾，自己擦干，说，"不如，我们到你的寝室里坐一坐吧。"

"她真的前天就走了，在这里大概工作了两个月。"齐刘海一脸委屈，指着寝室里一张空荡荡的床板，说，"床上用品是老板提供的，她走了以后，老板就给送去洗衣店洗了。"

"能提取到DNA的最好的物证也没了。"程子墨有点可惜地说。

萧朗坐在空荡荡的床板上，在他旁边的床板上拍了一拍，对齐刘海说："别紧张，来，坐。你们一个寝室就住两个人啊？"

"大部分人都在外面租房子住，隔壁是男生寝室，住四个，我们这一间现在就我一个人住。"齐刘海没办法不紧张。

在寝室里看过萧朗和程子墨的警察证件之后，齐刘海吓了一跳，从刚开始的轻松随意立即变得拘谨不安了。

"你们是不是发现她吸毒了？"齐刘海怯生生地说。

"你知道她吸毒？"程子墨尽可能地把语气放轻松，"没关系，小妹妹你知道什么都说出来，我们其实都知道，只是需要你验证一下。"

"这，我也是猜的。"齐刘海说，"上次我上班的时候，客人太多了，姐妹几个人都忙不过来，当时笑笑姐不知道去哪儿了，我就应老板的要求来寝室找她。当时寝室的门是虚掩着的，我幸亏没有直接推门进来。我在门缝里看见的，她拿着一个针管一样的东西往自己的手臂上扎，扎完了还躺在那里躺了一会儿。"

"她经常扎吗？"

"不啊，我就看见那一回。"齐刘海说，"虽然笑笑姐经常会请假，但是我们最长在一起的时间有一个礼拜，也没见她扎针啊。嗯，她一定是毒瘾不深。"

"没这种说法啊，小姑娘。"萧朗故作老成地说，"没什么毒瘾深不深之说，一旦沾上了毒品，这一辈子就废了。"

"这我知道。"齐刘海说，"所以我当时没敢进去，撞见别人的隐私总是不好的嘛。不过，后来我看过她用那个针管一样的东西扎上铺的床板。那天，她好像心情不好的样子。"

"是吗？"萧朗没在意这句话，接着问，"那是什么时候的事了？"

"笑笑姐刚来不久的事情吧，10月底、11月初吧。"

然而，此时的程子墨并没有在意接下来的问题，而是立即拉开萧朗，跪在萧朗刚才坐的地方，观察上铺的床板下方。

这是一张普通的双层床，上铺放着一些美发用品，当成了仓库。下铺的高度也不高，人若斜靠在床头，上铺床板就是触手可及的。

程子墨兴奋地说道，"真的有针眼。还是三角形的！"

她一边说还一边用随身带的"取证用棉签"在针眼上不停地擦拭，想从针眼里提取一些有用的痕迹物证来。

"四条线索汇总了。"萧朗沉吟道，"你注意过那个针管的样子吗？"

齐刘海摇了摇头。

程子墨从口袋里掏出手机，先对着床板下面的针眼拍完照，然后在手机里找出一张照片。这张照片拍摄的是程子墨在曹允家里遇险的时候，拼命从曹允家里夺出来的注射器，上面还残留着程子墨刺伤曹允时留下来的隐隐血迹。

"一样吗？"程子墨问。

"大概一样吧，我真的没有留意过。"齐刘海看了一眼手机，说。

"你的笑笑姐，是个什么样的人啊？"程子墨问。

"话很少，很敏感。"齐刘海说，"但是对我很好，买什么都会带我吃。只是，我不能问任何关于她自己的历史或者家人的事情，一问她就不理我了。不过后来我也就知道了，我们只聊现在和未来。"

"聊过什么呢？"

"那就太多了，关于喜欢什么样的男人啊，今天的哪个客人长得很难看啊什么的。"齐刘海脸一红。

"有没有什么特别的话题？"

"没有。"

"你刚才说，你和笑笑姐在一起形影不离待了一个礼拜的时间，就没有发现她有什么和别人不一样的地方吗？"程子墨问。

"没有啊，除了话少一点儿，其他没什么特别吧。"齐刘海说。

"那一个礼拜，上厕所、洗澡都在一起？"萧朗问。

"厕所就在对面，隔壁就是浴室。"齐刘海说，"浴室里有两个淋浴头，所以我们经常一起洗澡啊。"

"那，她的身体和别人有什么不一样吗？"萧朗问。

齐刘海顿时双颊绯红，低下头去说："你怎么问这个？"

这时候萧朗才回过神来，发现自己这样问好像确实有些不妥，于是说："警察办案啊，你知道吗？这和医生检查身体是一样的，你不要往歪了想。"

"我什么时候往歪了想了？是你问得……问得太那个了。"齐刘海说完，顿了顿，接着说，"不过，她这里有处文身。"

说完，齐刘海往自己的胸部指了指。

"对对对，我问的就是这个。"萧朗说，"文的是什么？"

"这，那我也不能盯着人家那地方使劲看吧。"齐刘海仍是低着头，红着脸说，"好像是一只猴子，但好像就一只脚。"

"一只脚？"萧朗歪着头思考着。

但也就这么一歪头，萧朗注意到寝室的桌子下面，阴暗的角落里放着一只垃圾桶，而垃圾桶里似乎有他似曾相识的东西。

"那她辞职后去哪里了，你知道吗？"程子墨问道。

"不知道，她说她有可能去浪迹天涯了。"齐刘海说，"她本来就是一个很洒脱的人，真羡慕她。"

"还有其他什么关于你笑笑姐的故事吗？"程子墨问。

齐刘海想了想，摇了摇头，说："真的没有了，她真的就是很普通很普通的一个人，和我们这里的所有技师姐妹一样。她，真的是吸毒被你们发现了吗？"

"不该问的就别问了，今天我们所有的谈话，你也都要保密哦。"程子墨微笑着对齐刘海说。

"嗯。"齐刘海使劲点了点头。

萧朗见谈话已经结束，挪到了桌子旁边，指着垃圾桶说："你这垃圾好几天没有清理了吧？"

"你怎么知道？"齐刘海木讷地点了点头，"一个礼拜没丢了，本来也就没什么垃圾。"

"我当然知道，不仅如此，我还知道你牙刷姐姐辞职之前，从外面回来给你带了鱼丸拉面。"萧朗微微一笑。

这一下把齐刘海惊得不行，她瞪着眼睛说："哇，你们真的什么都知道！"

萧朗弯腰把垃圾袋从垃圾桶里拽出来，指着里面两个厚质的保温塑料盒，说："你看看，这垃圾你都不扔吗？小妹妹你够懒的。"

齐刘海不好意思地低下头。

"那你告诉我，这两盒拉面，剩了一半的是你吃的，还是这个吃精光的是你的？"萧朗故意缓解一下气氛。

"我吃精光了，真的很好吃。"齐刘海继续不好意思。

萧朗给程子墨使了个眼色，对低着头搓着衣角的齐刘海说："那我们就不打扰了，店里的监控一会儿会有派出所的人来取。另外，这垃圾袋我就帮你带出去扔了。垃圾要勤清理哦，女生寝室要有女生寝室的样子嘛。"

第七章　血色骨灰

吾欲行善，然以学浅故，竟害己命，而遭
此恶报哉。

——《伊索寓言》

1

"一只脚的猴子。"凌漠沉吟道，此时，他的大脑里无数知识点在不停地翻滚，就像是计算机最终锁定了计算结论一样，凌漠突然说，"我知道，不是什么三笑牙刷，而是山魈。"

"山魈是什么鬼？"萧朗问。

"对，山魈就是一种鬼。"凌漠说，"山魈在神话传说中是山里的独脚鬼怪。《山海经》[1]里就有提到过。还有民间传言说，山魈一只脚，人面猴身，会变面容。"

"我去！这说明她真的会易容！"萧朗说，"不然不会在身上文一个这种鬼，而且还叫这个名字！"

"是的，我们之前的推断，都是正确的。"凌漠说。

"可不可以从公安部禁毒局的涉毒人员信息库里找一些线索？"程子墨说。

凌漠摇摇头，说："不，我觉得她不是在吸毒。一来吸毒不可能一周时间都不犯毒瘾，二来没必要使用什么三角形的注射器。不管她在注射什么，这个三角形的针眼是可以坐实她和谋杀'幽灵骑士'有关的关键。"

"结果出来了。"聂之轩推门走了进来，说，"萧朗提回来的拉面盒上提取到的女性DNA，和我们在赵元被杀案现场提取的女性DNA认定同一。"

"行了！抓住她就没错了！"萧朗拍了一下桌子，"我们之前的分析全部正确，她不仅会易容，不仅和'幽灵骑士'被杀案有关，更是杀害了赵

1　作者注：山魈的记载出自《山海经·海内经卷》："南方有赣巨人，人面长臂，黑身有毛，反踵，见人笑亦笑，唇蔽其面，因即逃也。"

元等五人。是不是可以申请通缉令了？"

"如果是个单纯的命案逃犯，下通缉令自然是没有问题的。"凌漠说，"不过，既然和'幽灵骑士'挂上了钩，我觉得咱们暂时不要打草惊蛇，要放长线，钓大鱼。"

"她用诺基亚手机，似乎和'幽灵骑士'有同样的渊源，但是为什么又去杀害了'幽灵骑士'呢？"萧朗说。

"你们带回来的录音，我听了。"凌漠说，"你还记得吗？那个女孩说，10月底、11月初的时候，山魈有一天突然心情不好，还用针头扎床板？"

"记得啊！"萧朗说。

"那段时间，不正好是'幽灵骑士'被杀的时间段？"凌漠说。

"啊！我明白了！有组织性的犯罪！灭口！"萧朗又是一蹦三尺高。

"从心理学角度看，这种可能性是最大的。"凌漠点了点头。

"这应该就是她的本来样貌了。"唐铠铠指着电脑屏幕。辖区派出所申请了《物证调取通知书》，从美孚美发造型店里提取了店里的视频。根据程子墨的指示，唐铠铠圈定了山魈的影像，并且利用图像处理技术处理出较为清晰的山魈正面像。

这一趟侦查，可以说是收获颇丰，很多怀疑都被证实了，也搞清楚了山魈和"幽灵骑士"的大概关系，甚至找到了山魈本来的面貌。虽然现在的山魈不知所终，但不管怎么说，这为下一步布下天罗地网提供了必要的先决条件。

聂之轩左看看，右看看，大家一句接一句，让他连话都插不进来。见大家都说完了，他补充道："嗯，子墨带回来的针孔擦拭物没有找到人的DNA，微量物证也真的很微量，现在考虑微量物质里可能含有类似Oka株的成分。"

"那是什么东西？"萧朗问。

"现在只是考虑啊，不能确定。这是一种毒种，就是灭活的病毒。"聂之轩说，"水痘 - 带状疱疹的疫苗里就有这些。"

"疫苗？"凌漠突然从凳子上跳了起来。

"干吗啊你这是？"萧朗被吓了一跳，"你又要和之前的新闻报道联系上了是吧？那个崔大姐不是说了和疫苗没关系吗？不然有关部门早就查出来了好吗？"

说完，萧朗还眨巴眨巴眼睛，坏笑着。他偷偷地把"崔阿姨"改成了"崔大姐"，想占一点凌漠的便宜。

"当然，这个位置发现疫苗成分肯定是不合理的，微量物证那边也强调物证量太小，他们只是猜测，并没有下达确定的结论。"聂之轩不明就里，解释道。

凌漠没说话，思考着。

就在这时，唐骏推门走进了数据实验室。

"你们看看，我给你们带回来了谁？"唐骏朗声说道。

大家一起转头看去。门口站着一个身材瘦削、英俊挺拔的青年，他穿着一身整齐的制服，胸口别着一枚金光闪闪的守夜者徽章，抱着一摞卷宗，正笑盈盈地看着大家。

这不是萧望，又是谁？

最先反应过来的是唐铛铛，她从座位上跳了起来，甚至碰翻了键盘。唐铛铛脸涨得通红，咬着嘴唇，眼泪在眼眶里直打转。萧望显然是注意到了唐铛铛的情绪变化，他把卷宗夹到腋下，腾出右手摸了摸唐铛铛的后脑勺，微笑着说："铛铛同学这是怎么了呀？"

唐铛铛终于控制不住自己的情绪，眼泪瞬间滚落了下来。

"哥，你回来啦？"坐在桌脚的萧朗蹦到了地上，一样高兴得手足无措，"大小姐这是喜极而泣！"

"成语用得不错。"聂之轩抱着胳膊笑道。

"那必须的！"萧朗下意识地把胸口的守夜者徽章扶正。

萧望注意到了萧朗的这个小动作，开心地说道："不错，臭小子，听说这里就数你进步最大了。"

"我？我哪有？"萧朗挠着后脑勺不好意思地说，"最近我们都是唯凌漠马首是瞻。"

"那只是不时之需。"凌漠说，"唐老师都给我们介绍过了，从盗婴案的整理和发现来看，真正的策划者，非你哥哥莫属。"

"萧朗居然会谦虚！"程子墨抓住了重点。

萧朗嘿嘿地笑了两声。

萧望扶了扶唐铛铛，给她递了一张纸巾，说："我们大小姐的本事，现在可算找到了用武之地，我听组长说，几起案件的关键点都是在铛铛这里突破的。"

"都是凌漠把控的。"唐铛铛抽泣着说。

萧望往前上了几步，走到凌漠的面前。两人身高、身材相仿，这样站立，正好是四目相对。萧望用肯定的眼神对凌漠说："我也听唐老师说了，你记忆力超群，逻辑分析能力超群，勇气与智慧并重，还掌握心理分析能力，这些潜质都是一名刑警最需要的潜质，以我刑警学院老师雷米的说法，你是一名可遇而不可求的好刑警，我为你感到骄傲。"

"望哥，对不起，我之前的失误，导致守夜者差点儿错失了你。"凌漠有些内疚地说。

"说什么呢，一家人不说两家话。"萧望又拍了拍凌漠的肩膀。

"哥，你刚才说什么来着？最需要的潜质？最需要的潜质不是忠诚吗？"萧朗故意岔开话题，装作一本正经地说，"忠于党、忠于祖国、忠于人民、忠于法律。"

"不错啊，誓词记得很清楚。"萧望满意地看着弟弟，说，"那你，忠诚吗？"

"那必须啊！"萧朗拍了拍自己的胸脯，但突然又意识到哥哥指的是之前自己是因为打赌才加入这支队伍，于是尴尬地搓着手说，"其实吧，我是考虑到老萧说得也不错，我这体格，不当警察是有点浪费，你知道，我从小最害怕浪费东西了。"

"你可拉倒吧。"萧望笑着说。

"铛铛，几个月没见到萧望了，见着了就哭到现在啊？没啥要说的？"

唐骏心疼地把女儿揽在怀中。

唐铛铛从一开始就没注意到萧望是被自己父亲领着进门的，此时感到自己是真的失态了，于是红着脸，抽泣着摇摇头。

"萧望，这几个月，你去哪里了？"聂之轩问出了大家心中最想问的问题。

萧望抬眼看了一眼唐骏，笑了笑，说："这事啊，一句两句还真说不清楚。如果要是写成小说，得专门用一个章节来说。不过，即便是要说，也要等到下一章来说，因为，现在我们怕是有一个更加急切的任务。"

"又有任务啦？你是因为这个任务回来的？"萧朗说，"不过，那个会易容的三笑，啊不，山魈，我们还没抓住呢。"

"怕是也没那么容易抓住。"凌漠说。

"也不是因为这个任务回来的。"萧望看了一眼唐骏，又指着自己拿进来的一摞卷宗，说，"只是我那条线，暂时也走不下去了，我那边也出了点小事情，于是组长出于多方面考虑，先召我回来了。我回来的时候，恰巧碰见了这起案件。"

"陈年积案？不像啊。"萧朗翻了翻崭新的卷宗封面，说。

"不，前两天刚发的，失踪案。"萧望拍了拍卷宗，说。

"哦，我知道了，是不是那个美女主播？"程子墨指着萧望说。

"对，不是有不小的社会影响，也不会引起组长的注意。"萧望说。

"什么美女主播？"萧朗显然是不知道这个事情，"姥爷自己注意到的？姥爷还看美女主播？"

"臭小子，瞎说什么呢。"萧望拍打了一下萧朗的后脑勺，说，"这事儿，只能暂时作为失踪案件来办理，并不能作为刑事案件立案。但是，毕竟有一定的社会影响，如果不搞清楚，难以向网民交代。而且，后期现场勘查的时候，也发现了一些异状，这才让组长下定决心接过来。"

"这是个人气挺高的主播，所以昨天在微博也上了热搜。"程子墨说，"我也是在看监控视频的时候觉得无聊才刷了一下微博。那个直播视频确实挺恐怖的，而且评论里也有各种脑洞，不过并没有看出什么，也没有什么异状。"

"我就爱看恐怖的。"萧朗说,"那还等什么啊?快和我们说说啊!"

画面里是一个狭小的卧室,除了一张床和一个简易衣柜以外,没有其他的摆设,可以推测摄像探头以及电脑应该是安装在床对面的桌子上。房间虽然狭小,但是打扮得很淑女风格,整体粉红色的格调,加上几个卡通玩偶的点缀,让人感觉这是一间少女的闺房。

一个肤色白皙、浓妆艳抹的美少女穿着粉红色的睡衣坐在床上,面对着摄像头。睡衣的深 V 领子几乎暴露了她一半胸部,而她脖子上戴着的一枚黑色十字架形状的吊坠,在雪白的胸前晃晃悠悠,也因此显得更为诱惑。她时不时蜷起双腿,不经意地露出下半身穿着的三角短裤。在桌子前面调整好了摄像头的角度后,她便开始搔首弄姿地一边哼着小曲,一边操着不标准的台湾腔和观看直播的网友聊起天来。这种聊天像是片段似的回答问题,没有任何主旨。然而,从视频片段来看,不停地有虚拟"礼物"从屏幕上冒出来。每当冒出一个"大件"的时候,美少女就会做出一脸痴迷的样子:"哇塞,兰博基尼耶,谢谢你啊大柱哥,给你一百个么么哒。"

极其造作的嗲腔,让萧朗一阵阵泛呕。

"什么时候才能看到正题?"萧朗无奈地堵着耳朵,"子墨说得对,真是太恐怖了。"

"快到了,我说的不是这种恐怖。"程子墨挥了挥手。

话刚落音,屏幕上一片漆黑。

"完事了?这是啥?"聂之轩莫名其妙地说。

"他们说的是右下角那个影子吧?"萧朗不以为意地指了指正在倒退播放视频的屏幕。

"厉害啊,臭小子,我是看到网上的截图评论才发现的。"萧望说完,把视频的最后一段又重新逐帧播放了一遍。

从一帧一帧的画面中,似乎可以看到一个影子从画面中的床底下伸出手来,直接伸向了桌子下方,紧接着,画面就中断了。

"这个不用处理也知道，应该是一个人躲在床底下，伸手关闭了电脑的电源。"唐铠铠说。

萧望点了点头。

"就这个啊？大小姐都不觉得恐怖，你觉得恐怖什么？"萧朗朝程子墨凑过脸去，问她。

"没啊，评论里猜得比较恐怖而已。"程子墨蔑视地看了一眼萧朗，"你不觉得恐怖的东西，我都不觉得恐怖。"

"完事了？这事和我们有什么关系？"萧朗见萧望没有继续展示材料的动作，失望地说。

"画面里的人，是本地人气最高的直播主播之一。"萧望说，"网名叫兔萌，真实姓名叫赵金花。"

"反差有点大。"萧朗捂着脸笑道。

"这个直播中断之后，几个经常给她打赏的人尝试去联系她，一直未能联系得上。"萧望接着说，"于是，一个忠实粉丝就报了警。"

"报警是对的。"聂之轩抱着胳膊点了点头。

"南安警方很快就核实了赵金花的身份。"萧望在屏幕上播放出一张照片。

照片上是一个看起来三十多岁的女人，皮肤蜡黄，三角眼，塌鼻梁，脸颊上甚至还有几块色斑，戴着一个黑色十字架的吊坠。

"这……是同一个人？"萧朗目瞪口呆，"不太可能吧。"

"眼神是一样的。"凌漠摊了摊手。

"化了妆，视频还有美颜滤镜，所以有一点变化是正常的。"程子墨嚼着口香糖说，"你们这是少见多怪。"

"这这这，这还叫'一点'变化？"萧朗一脸不可置信的表情，"那帮傻子要是看到她本来的面貌，还打不打赏？绝对要告她诈骗！"

"赵金花，女，28岁，安桥县安山镇第一村民组村民。"萧望没理萧朗，继续介绍当事人的情况，"已婚，丈夫是同村村民，比她小六岁，两人育有一女，今年三岁。两年前，也就是赵金花生产后一年，就到南安市来打工，留下丈夫和女儿在村里独自生活。"

"十个月前，赵金花开始使用直播软件进行直播，并以此来维持生活。"萧望说，"根据邻居的反映，最近一段时间，赵金花经常带陌生男子来住处厮混，也不避讳，男女关系非常混乱。警方去其户籍所在村庄调查的时候，也听闻了关于赵金花的传闻。"

"没有美颜的情况下还不见光死，看来化妆的技术很高啊，不比山魈差吧？"萧朗不依不饶地吐槽赵金花的相貌。

"赵金花被确认失踪后，警方对其丈夫和女儿进行了调查。"萧望说，"表面上看不出什么异常，但是其丈夫还是吐露，赵金花在一个月前向他提出了离婚，并且允诺老家的房子和孩子都归其丈夫，但她不承担抚养费。她丈夫出于多年的夫妻感情没有同意，于是这件事就暂时被搁置了。警方对其直播账号进行调查，发现她除了每个月提取出少量用于维持生活的金额之外，其他的打赏金都没有提取，仍以虚拟货币的形式存在。其账号里的打赏金，兑换成人民币的话，多达五百万元。"

"五百万！"萧朗惊愕得合不拢嘴，"一个月五十多万的收入！傻子还真是够多的。"

"我和萧朗一样，看不懂。这种直播，就是坐在那里聊聊天，凭什么能赚到这么多钱？这和不劳而获有什么区别？是因为我们国家闲人太多了？还是因为社会病态？"聂之轩说，"完全不能理解这种直播能满足这些打赏的人什么？"

"也不能一棍子打死。"程子墨说，"有一些直播还是很有营养很正能量的，有才艺、有学识的人通过直播推广自己的三观和学问，获取相应的报酬，这个还是很好的。不过确实也有很多直播很无聊，有的为了博取眼球，扭捏作态，甚至违法乱纪。直播这个领域，鱼龙混杂，当然，鱼多，龙少。"

"我们不是说直播不好，只是对无聊、病态的直播还有这么大的市场感到费解。有那时间，多读读书不好吗？"聂之轩摇了摇头。

"我倒是觉得，她不提现的这个行为比较有意思。"凌漠说，"我分析，她已坚定了离婚的立场，为了这五百万不会在离婚官司中扯上麻烦，所以一直不提现。毕竟，虚拟货币有它的隐蔽性，而且在法律上，不太好界定虚拟货币的分割归属。"

"你的意思是说，她丈夫可能会对她做出不法的事情？"萧朗说。

"不能排除啊。"凌漠摊了摊手。

"凌漠分析的动机，也是我们担心的地方。其实现场勘查也有一些异状。"萧望在大家讨论直播的时候一直没有言语，此时接着介绍道，"在去赵金花老家调查之前，警方先是找到了赵金花在南安市区的临时住处，是自己租的一居室，我们视频里看到的就是卧室。可以看得出来，赵金花还是很讲究卫生的，所以警方在对赵金花家进行现场勘查的时候，除了纸篓里的东西，没有发现任何有价值的痕迹物证。"

2

"纸篓里有什么？"萧朗问。

"有卫生纸和安全套，检出六个不同男性的DNA。"萧望摊了摊手，说，"不过，这说明不了什么，我们之前就说了，她的私生活很乱。"

"那不就是没有异状吗？"萧朗不解道。

"别急。因为警方确认了出入口，唯一出入口是大门。"萧望说，"大门的门锁是完好无撬压痕迹的，但是大门内侧的保险链断了。"

"嫌疑人在进门的时候，赵金花必须在家里，才可能锁上保险链。"凌漠说，"嫌疑人对赵金花的活动轨迹很熟悉，所以趁她洗澡化妆的时间进入室内，潜入床底，想攻其不备。因为没想到赵金花进了卧室就开了视频，所以他要先关闭视频才能犯罪？"

"大概就是这个意思。"萧望赞许地点点头。

"那会不会是保险链本来就是断的？不一定有人进来吧？"萧朗说，"视频那个，就一个闪动的影子，都是网友瞎猜的，证据坐不实啊。"

"保险链有新鲜截断的痕迹。"萧望说，"痕迹检验部门研究来研究去，对于截断保险链的工具一直不能明确，最后的倾向性意见是，牙齿。"

"牙齿？"几个人异口同声。

"为什么要调查赵金花的丈夫阮风呢，是因为经过调查，赵金花的住处钥匙别人不可能有，而阮风有。"萧望并没有继续牙齿的话题，接着说，"门锁既然没有损坏，很有可能嫌疑人就是有钥匙。可惜，警方无法掌握事发当时阮风的动态。"

"她丈夫牙口很好？"聂之轩还是摆脱不了自己的疑问。

"这个靠不住，牙口再好，那毕竟是金属链条，能咬断金属链条，没道理的。"凌漠说。

"还有人用牙拉飞机呢！"萧朗有不同意见。

"不过，究竟是不是牙齿导致的链条断裂，牙齿究竟能不能截断金属，阮风的牙齿究竟好不好，这些都没有依据予以支撑。"萧望说，"不过，这显然是有'异状'的，我们守夜者组织从成立起，就专门办一些异常的案件，所以才会有很多异常的破案经过。事出必有因，既然有异状，自然会引起我们组织的注意。上面一句话是组长说的。"

"老规矩，有异状，就绕过去。"凌漠说。

"那周围有监控吗？"唐铠铠问。

"监控都很模糊，不可能确认身份。"萧望说，"而且，这个案子没有发现有犯罪事实的发生，是不能立案的。"

"嗯，有犯罪事实、需要追究刑事责任、有管辖权，这是立案条件，我记得的。"萧朗说。

"从立案开始，就要讲法治精神了。"萧望赞许地点点头，"所以也需要我们守夜者组织能获取相关监控的权限来发现问题。"

"模糊不要紧啊，他们会看步态，从步态看心理。"萧朗指了指凌漠和程子墨。

"我听说你们之前的分析判断了，很棒，所以，现在这个案子的视频资料还需要你们去看。"萧望从包里拿出一份文件，是允许守夜者组织调取现场周边监控数据的命令。

"那还等什么，赶紧的吧。"萧朗一把抓过文件看了看，一手一个把唐铠铠和程子墨按在了电脑前的转轮椅子上。

"又要看视频，瞎了都。"程子墨揉着眼睛说。

赵金花租住的小区，是一个破落的旧小区。实在看不出，这样的一个旧小区里，居然住着一名坐拥数百万的富翁。

因为是旧小区，所以小区物业并没有在小区里安装视频监控。唐铠铠利用数字证书打开辖区派出所的数据库，调取了事发前后时间段的路面监控。从路面监控的位置看，虽然看不到小区的大门，但好在路面两头都有监控，也就是说，只要不会飞，那么不管什么人进出这个小区，总是要从路面两头的监控里路过。

难度在于，两个监控之间，住户不少，人口很多，要从熙熙攘攘的人群中找到赵金花自己就很难了，更难发现所谓的可疑的人。

不过，在茫茫人海中，程子墨还是发现了蹊跷。

"等等，你们看看这个人。"程子墨指着监控视野角落里的一个黑影。

因为人影贴着墙根在走，所以距离监控摄像探头较远。加之是晚上，颜色变色很厉害，更不可能看清容貌，所以只能说是一个不知道穿着什么颜色衣服的黑影。黑影拖着一个大行李箱，向小区所在的位置走去。

"贴着墙根走的人，要么就是性格孤僻、缺乏安全感，要么就是心里有鬼。"凌漠补充道。

"我就是觉得他和之前警方偷拍的阮风的行走视频有点相似。"程子墨说。

"快进一下，看看他有没有走出来。"萧朗抢过鼠标，点击快进键。

快进了大约一个半小时的时间，果真看到一个相似的黑影，同样拖着一个大箱子从视频里走出。

"哪有拖着箱子进来，又拖着箱子出去的？"萧朗说，"一看就可疑。"

"不是子墨发现，你发现得了？"聂之轩笑着怼萧朗。

萧朗挠着后脑勺尴尬地说："那的确找不到，这里人是有点多。"

"我校对了一下监控时间，这个人是在事发半小时前进去的，又在事发后一个小时出来。时间点，也是可以对得上的。"唐铛铛也点头认可。

"很有意思啊。"一直站在几个人身后默默看视频的萧望说，"你们注意到没有，这个人拖着箱子，在凹凸不平的人行道上行走，进去的时候，箱子每逢颠簸都会弹起来，但是出去的时候，就弹不起来了。"

"空箱子进，装着人出！"萧朗意识到哥哥的意思，"好家伙，就是他了！"

"可惜，即便是这样，依旧没有实锤。"凌漠说，"警方还是不具备立案条件。"

"那我们就继续找轨迹。"萧望示意唐铛铛按照黑影的行走方向，调取下一个路面监控。可是，在黑影有可能经过的所有路面监控下，都再也没有看见拖着行李箱的黑影。

"看看地图，不可能有其他进来或出去的路径了吗？"萧望打开了电子地图。从地图上看，路面监控应该覆盖了所有可能的必经之路。

"真会飞啊？"萧朗傻了眼。

"怎么会？"萧望笑了笑，说，"他乘车或者开车的。不过，他自己没有私家车，所以打车的可能性很大。"

"下一步怎么办？"萧朗问，"这家伙拖着箱子进来，显然就是预谋作案了啊！"

"知道预谋作案其实并没有多大的作用。"凌漠说，"我们不能确定这个黑影就是阮风，即便能确定就是阮风，咱们也不能确定箱子里的是赵金花。"

"装箱子里，还能挣扎吗？"唐铛铛弱弱地问。

"大小姐，既然这么精心预谋，那肯定是搞死了再装箱啦。"萧朗说。

"命案？"唐铛铛说。

"现在是这样考虑的。"萧望支持弟弟的观点，"但是没有任何依据。所以，我们下一步最好的办法，就是找出特定时间点，两个监控之间所有通过的出租车，然后去走访。"

"对，让出租车司机记住一个人的脸不容易，但是记住他拖着一个大行李箱，还是有希望的。"凌漠说，"毕竟事情只经过了两天。"

"铠铠，两个小时的时间，你能给我们处理出所有特定时间在特定区域出现的出租车的车牌号吗？"

"一个半小时，一个半小时！大小姐是怎么做到的？"萧朗拿着一份印有七十三个车辆号牌的纸，说，"那么模糊的监控，这么快就能处理出这么多！我们家大小姐实在是太牛了！"

"谁家大小姐？她可不是我们家的。"萧望笑吟吟地开着万斤顶向出租车公司驶去。

"我看啊，早晚是。"聂之轩坐在后排，拿着两张金属链条断裂的照片，仔细端详。

"这话我爱听。"萧朗高兴地跷起二郎腿，但转念一想，聂之轩的意思好像和他的意思并不一样，瞬间又沮丧了起来。

抵达出租车公司的时候，恰巧是出租车交班的时间。萧望把出租车号牌分发给几人，要求大家分头去联络出租车司机，在发现线索之后，务必要见到司机本人，问出具体情况。

这个活看似简单，实际做起来却没那么容易。一来每个人的记忆能力有差别，想让出租车司机回忆起两天前的情况本身就不一定百分百做得到。二来出租车司机对警察本来就不感冒，想要获得很高的配合度，甚至在即将到来的晚高峰时间回到出租车公司接受询问，几乎是不可能的事情。

几个人分头问了一圈，一条线索都没有问出来，只好在万斤顶的停车处会合。他们等来等去，就是等不到萧朗。

直到天快黑了，才看见远处的萧朗拽着一个瘦弱的身影走了过来。身影在萧朗的腋下不断地扭动，却怎么也挣脱不了萧朗的束缚。

"老王，不愿意来，我给强行拽来了。"萧朗把老王按在万斤顶的座位上。

"有你这么当警察的吗？你这是绑架！"老王委屈地小声说道。

"你这是违反纪律的。"聂之轩小声地提醒萧朗。

"他说他好像拉了一个带大行李箱的，行李箱很重，他们两个人一起把箱子抬到后备厢的。"萧朗朝聂之轩使了个眼色，说道，"这算不算共犯？"

"我冤枉啊！我哪知道那箱子里是什么！"老王跳起来喊冤。

"那我哪知道你知道不知道？要不是共犯，你干吗帮他隐瞒？"萧朗摸出一副手铐，扔在万斤顶的小桌板上。

"没有隐瞒，你问嘛，我记得就告诉你们！"老王被这砰的一声吓得一哆嗦。

"是他吗？"萧望把阮风的照片给老王看。

老王眯着眼睛看了半天，说："不确定，有点像。"

"你从三元小区附近拉了他，去了什么地方？"萧望问。

"安桥县境内的一个地方，荒郊野外的，我不认识，他指路的，我还是导航回来的。"老王说。

"手机。"萧望伸手，老王乖乖地把手机递给了萧望，萧望查看了一下，把手机递还给老王，说："感谢您的配合，配合警方办案，惩恶扬善，是每一位公民的义务。"

老王畏惧地看了看萧望、萧朗哥俩，接过手机点了点头，灰溜溜地下车走了。

"厉害了，哥。"萧朗笑着看老王离开，说，"我这是用体力逼他，你是用气势啊。"

萧望没理萧朗，展开一张安桥县地图，用红笔在地图上标注出一个红点，说："确实，这里在两座村庄之间，都是田野，嫌疑人去这里做什么？"

"那还用说，埋尸呗。"萧朗说。

萧望摇摇头，说："嫌疑人应该没有随身携带工具，即便携带了工具，最近天气干燥，土很难挖，想埋尸是很难的。电视上轻轻松松就挖个坑，其实并不符合实际。"

凌漠点头认可，说："从地图看，红点附近的区域都是田野，而不是荒地。没道理选择有主的田野，而不选择无主的荒地。"

"附近又没有公交车、出租车，他家也不在附近，这个举动还是挺蹊跷的。"聂之轩点头说。

在出租车公司外面讨论来讨论去也得不出什么想法，几个人驾驶万斤顶又回到了守夜者组织。

不甘心的萧望打开卫星地图，想从卫星地图上寻找一些端倪。随着地图逐渐放大，虽然像素也在下降，但还是似乎看见红点附近，有一个大顶棚的场所，顶棚是红颜色的标识，看上去像是一个加油站。

"不对啊，电子地图上，这里没有加油站啊。"萧朗打开手机导航，在地图上寻找着。

"那就对了！嫌疑人要去的，就是这里。"萧望胸有成竹地指了指加油站。

"焚尸？"凌漠迅速领会到了萧望的意思。

萧望点点头，说："处理尸体，无非就那么几种手段。既然不能碎，不能抛，不能埋，那么焚尸就是最大可能了。去加油站，是为了买助燃剂。而正规的加油站，没有派出所证明，是不可能打出散装汽油的，所以，他要去的，是这种乡村自营的加油站。"

"明白。"萧朗说，"去加油站调查。"

"加油站不会配合的。"萧望沉吟着摇头。

"怎么就不会配合？那个出租车司机不是不配合吗，还不是被我教育老实了？"萧朗不服气地说。

"第一，出租车司机是局外人，不过是因为怕麻烦，才不去惹事情。既然你找了他麻烦，他自然没有隐瞒的必要。第二，你那是违反纪律的行为，还想一而再、再而三地重演吗？"萧望又拍了一下弟弟的后脑勺。

"私自贩卖散装汽油是违法的。"凌漠说，"所以加油站死活也不会承认。"

"你们说，他买了汽油，倒在箱子上烧？"聂之轩低头沉思。

"不好说，毕竟嫌疑人整个行动都是有预谋的。"萧望说，"说不定这附近有什么场所或者可以用作焚尸的工具，不会引起他人的注意。不过，一定是在附近。这里的环境，如果没有交通工具，徒步行走，拖着那么大的行李箱，又拎着汽油，不会离开多远。"

"明天白天可以去那里看看，说不定就有发现。"萧朗说。

"聂哥，还有个问题。"凌漠此时突然发言，"汽油燃烧后，能把人全部烧成骨灰吗？"

"嗯，难说。"聂之轩补充道，"殡仪馆的火化炉，都是近千摄氏度，而且因为是在一个密闭的空间里燃烧，所以热的利用率非常高。即便是这样，火化一具尸体，也需要四十分钟的时间。如果是在敞开的环境下，不使用外焰燃烧尸体，一桶汽油怕是很难把尸体全部烧成骨灰。"

"虽然燃烧尸体会有灯芯效应[1]，自燃时间会很长，但是因为温度达不到，热利用率很低，确实难以把尸体全部烧成骨灰。"萧望说，"而且嫌疑人最多也就能拎动二十公升汽油，又能燃烧多长时间呢？"

"阮风是什么学历？"凌漠问。

程子墨一边咬着一根棒棒糖，一边翻着卷宗，说："初中没毕业。"

"这样的文化程度，会不会根本就没有想到燃烧的结果？"凌漠转脸看着萧望。

萧望抱着胳膊想了一会儿，说："那对我们来说，还真是个利好消息。"

"可惜现在还是不够立案条件。"凌漠说，"毕竟现实不是写小说，写小说的话，这情况就该抓人了吧。"

"程序正义是前提。"萧望说，"我们还需要更多的依据。"

"孩子们，刚才我在外面听你们说，烧成骨灰很难对吗？"傅元曼突然推门走了进来，满脸笑容地说，"这让我突然想起了几十年前的一桩旧案子，睹物思人啊，我来和你们说一说。"

---

1 编者注：灯芯效应，指人体在特定状况下，如同蜡烛一样持续燃烧。

3

1983 年，守夜者组织成立 34 周年，也是守夜者组织战功累累、最受
到部领导青睐的一年。这一年，准备接任守夜者组织负责人职位的傅元曼
三十九岁，而他最得力的助手——董连和，三十七岁。

这一年，因为傅元曼忙于投身配合警方的大型打击犯罪的行动，所以
这一起案件的主角是董连和。一直作为组织成员里"和事佬"的老好人董
连和也正是因为此案件，证明了自己的实力，从傅元曼巨大的背影里走进
了人们的视野。

在警方忙忙碌碌处理各种刑事案件的时候，《南安晚报》的一则报道
引起了南安市的轩然大波。在那个年代，没有新媒体，没有自媒体，电视
机更是奢侈品，所以人们获取社会资讯的方式几乎全部都依靠报纸，那也
是纸媒最有影响力和号召力的时代。受警方严厉打击犯罪的影响，当时社
会几乎可以用"路不拾遗、夜不闭户"来形容。所以，南安市最大的纸媒
报道出的一则吸引人眼球的资讯，迅速成为整个南安市街头巷口人们茶余
饭后的谈资。

这件事情恰巧发生在《南安晚报》的一名社会资讯版记者的身上。

记者叫何老三，虽然名字很有乡土气息，却是一名不折不扣的老学
究，也是《南安晚报》的资深记者。时值清明，何老三带着一家老小到殡
仪馆去祭拜已经过世数年的父亲，可是在骨灰盒寄存墙处发现了异常。

虽然从 1956 年开始，国家就已经进行殡葬改革，希望能变土葬为火
葬，但是，直到 1985 年，国务院才颁布规定，首次规定在人口稠密、耕
地较少、交通方便的地区推行火葬，并有强制性条款。不过在 1983 年，
火葬的意识已在南安市落地生根了。因为还没有现在的集中公墓管理模
式，所以一些不拥有自留地的城市人口在火葬后，会将骨灰盒寄存在殡仪
馆。中国人虽然对骨灰盒很讲究，但是在当时的经济条件约束下，绝大多
数老百姓的骨灰盒也不过就是个木头盒子。盒子不值钱、骨灰更让人避之
不及，所以既然不是什么宝贝疙瘩，殡仪馆也不可能去安排保险柜来寄存

骨灰。

实际情况是，殡仪馆筑了水泥墙，墙上密集排列着数十、数百个用于安放骨灰盒的龛。寄存骨灰盒的家属可以花钱租用一个龛，并且在龛顶刻上逝者的名字，把骨灰盒摆放在龛上，这样既显得严肃庄重，也方便逢节祭拜。

寄存墙本身就被打扮得阴森恐怖，再加上数千年来的封建迷信，自然不会有谁闲得发慌，去找寄存墙的麻烦。

然而细心的何老三就在寄存墙上自己父亲的骨灰盒里发现了异常。

最初引起何老三注意的是，自己父亲骨灰盒所在的龛周围，有明显的灰尘被擦掉的痕迹，骨灰盒似乎也放歪了。其实这倒没什么，何老三也不会迷信到以为自己的老父亲在天之灵不安分，因为在其他人安放骨灰的时候，确实有可能碰到何父的骨灰盒。但因为这个不正常的现象，何老三就踮起脚尖多看了老父亲的骨灰盒两眼。这一看不要紧，着实把何老三吓了一跳，因为骨灰盒的密封盖似乎已经被打开了，盖子的缝隙里，透出一丝血红色。

当然，何老三毕竟是知识分子，不可能会认为老父亲的骨灰流血了。他很清醒地意识到，那一丝红色，应该是一个红色的塑料袋露出了盖缝，可是，谁会用塑料袋装骨灰？那岂不是大不敬吗？显然，这是一个不同凡响的异常现象。

大惊之下的何老三也顾不上自己老父亲的在天之灵生不生气了，毅然决然地打开了骨灰盒。果不其然，盒子里灰白色的骨灰之上，真的放置着一个红色塑料袋，而袋子里也不是空的，装的是满满一袋白色的碎片，似乎也是骨灰。

谁家买不起骨灰盒，就干脆利用了一下何家骨灰盒的空余空间？这显然无法合理解释这一不合理的现象。

毕竟是清明节，来殡仪馆祭拜先人的肯定不止何老三一家。在何老三发现这一异常现象之后，很多人害怕自己家的先人也被冒犯，纷纷开盒检验。确实，本来盒子就不大，要是挤上两个人，实在太委屈先人了，说不定先人犯怒，就要来找后人的麻烦了。这是中国人的传统思维。

这一验，还真是验出了麻烦，有五家都发现了自家先人的骨灰盒里，多出了装满疑似骨灰的塑料袋。

这人还真是敢干，把自家人的骨灰分袋安置在五家，这是要在阴曹地府里抢地盘、收保护费吗？

何老三立即报了警。可是，在当年技术手段匮乏的情况下，这些塑料袋里究竟是什么东西，根本就无法通过检验来确定。既然不能确定，那也就不知道用什么名头来进行调查。于是，何老三利用自己的身份便利，在《南安晚报》次版刊发了一条社会新闻。这一发不要紧，人们纷纷去殡仪馆验视自家的骨灰盒，于是殡仪馆内出现了一幕奇怪的景象：数百人排着队，在寄存墙前，一个一个地去验视自家的骨灰盒。

"阿弥陀佛，我家的是好的。"

"哎？我记得当年没装这么满啊。"

"爹，您安息吧，没人挤您。"

"谁这么缺德！真有塑料袋！"

……

就这样，又有两家人发现了塑料袋。

警方没工夫投入大量警力去调查此事，但是对有巨大社会影响的案子，专办难案、奇案的守夜者组织则不能坐视不管。所以，在傅元曼的授意下，捕风者董连和他的调查小组投入了本案的调查。

当时没有破案利器——监控，殡仪馆又在一个人迹罕至的荒山中央，想要获取直接的影像或言辞证据，似乎是不可能的。所以调查小组的工作突破口，是这七袋可疑的粉末、碎片。

如果说拼尸块很难的话，拼灰更是一件不可能完成的事情。面对眼前的七个塑料袋，老董也是没辙。于是，老董叫来了精通于法医学的寻迹者朱力山帮忙。当年的朱力山不像现在患了帕金森症，无法深入研究案件，那时候的朱力山还是个三十出头的小伙子，浑身都是干劲。

朱力山接了任务，和老董一起，把七个塑料袋里的灰和碎片都平铺在实验室的台子上。然后由大块的碎片开始进行寻找、辨别，希望能从这些碎片里找到一些线索。在翻找的过程中，扬起一阵淡淡的灰尘，难免被老董和朱力山吸进肺里，想到这说不定还真是人的骨灰，老董甚至有一些犯呕。

"黑色的，是烟熏痕迹，白色的才是过火[1]。"朱力山一边找着碎片，一边和老董解说。

"从这两大片碎片的断面来看，这一块焚烧得并不彻底。"老董举起了两块碎片，从碎片的边缘来看，这本来是一块，"中间可以看到骨质的结构，说不定还真是人骨。"

"有没烧透的？"朱力山接过两块碎片仔细端详，果然，断端截面上可以看到清晰的细梁状的骨质结构，"用我们法医学的术语说，这是颅骨的板障啊！"

"是不是只有人的颅骨才有板障？"老董紧接着问道。

朱力山摇了摇头。其实他们也不能确定，这是不是有人焚烧了动物尸体而做出的一个恶作剧。

"但至少我们可以看出，这些灰烬就是骨灰。"老董若有所思，"而且，这两块碎片至少还能说明一个问题。"

"什么问题？"朱力山似乎也找到了一块有价值的骨骼碎片，捏在手里左看右看。

"骨质过火之后会脆化，折断也就很容易了。"老董说，"但是这一大块颅骨，既然没有过火，就没有脆化，那么它是怎么折断的？"

"对啊，颅骨是骨骼中比较坚硬的骨骼，怕是没那么容易折断。"朱力山放下自己手中的碎片，拿起那块板障，小心翼翼地尝试着把其中一块碎片掰断，可是没有能够做到。

"这就说明，有人在焚烧完尸体后，对大块的骨灰进行了第二步处理。"老董说，"把大块变小块，如果不是徒手能做到的话，就肯定使用了

1　编者注：过火，就是经过火焰直接灼烧。

工具。那么，寻找工具，则是我们下一步的工作。"

"对了，你这两块骨头是在哪里找到的？"朱力山又问。

"这里。"老董指了指一堆灰烬。

"颅骨附近的骨骼是最具特异性的。"朱力山仍捏着那一块碎片说，"再仔细找一找这一个区域，说不定有新的发现。"

"你那个是什么？"老董拿着一个小铁耙，继续清理那个区域的灰烬。

"这块也应该是骨头。"朱力山说，"有弧度，很坚硬。如果是人骨的话，就是尺骨鹰嘴的部位。可是有些动物也有这个尺骨鹰嘴。"

"那还是没用。"老董耸了耸肩。

"不过这个挺有意思，鹰嘴的地方有骨痂形成，说明这里骨折过，然后又愈合了。"朱力山说，"如果是人的话，骨折了会进行治疗，才会愈合得比较好。如果是动物，不可能进行复位、制动治疗，那么肯定会畸形愈合。这块骨头，显然是愈合得比较好的。所以，我觉得这应该是人类的骨头。"

那个年代，不可能有人花上很多钱带着自己的宠物去打石膏，所以这个推断是成立的。

"我内心早就确认是人骨了。"老董说，"老朱，你看看这个是什么？"

老董从灰烬中，找到一块鸡蛋大小的碎片。这一团物质看起来像是过火后被烧挛缩的组织，但却比想象中的重量要轻。朱力山接过碎片，轻轻一掰，啪的一声，碎成了两半。

"蜂窝状的？"老董看了看这一团物事，又抬眼看了看朱力山，希望他能给一个解释，毕竟人体骨骼再怎么烧，也难以烧出一团蜂窝状的样子。

"鼻窦腔。"这个对于朱力山来说，算是一道送分题。

"哦。"老董恍然大悟，从身边拿出镊子，在窦腔里刮了一刮，"可是这腔里似乎被不少东西给填满了，总不能是鼻窦炎吧。"

"当然不会。"朱力山接过碎片和粉末，放在显微镜下看了起来，"哟，这些从窦腔里刮出来的粉末，颜色也比骨灰要白。"

"窦腔是一个密闭空间吧？为什么里面会有东西？"老董不解。

这个问题朱力山也不明白，于是拿着窦腔的碎片和充斥窦腔的粉末到隔壁去进行成分检验。最基本的化学成分检验技术，在那个年代已经具备，并且能够被熟练掌握了。

所以，没过多长时间，朱力山就从实验室里带回来了检验结果：都是钙的化合物。

"人的骨骼，也都是钙的化合物吧，这个结果有意义吗？"老董问。

"有。"朱力山说，"窦腔是密闭的，刚才是被我掰开的，那么说明燃烧并没有充分摧毁窦腔，窦腔里面的钙化合物，显然不是骨骼燃烧后剩余的成分。"

"那是什么？"

"石灰。"

"石灰？"老董坐在转椅上想了想，说，"石灰池？这会是致死方式吗？"

"在石灰池里溺死，也是完全有可能的嘛。"朱力山说。

"那我明白了。"老董胸有成竹，带上手枪，重新向殡仪馆赶去。

对于寻找的范围，早已在老董胸中成熟。在那个没有私家车、没有出租车的年代，殡仪馆的地理位置实在是太偏僻了。市民想去殡仪馆的话，必须要搭乘公交车。如果是其他郊区的村民要去殡仪馆的话，就会比较麻烦了，先是要搭农用三轮车到城市边缘，然后再步行到公交车站，辗转几路公交车后，才能抵达。

既然想到去殡仪馆藏骨灰，而不是简单地把骨灰抛洒，至少需要两个条件：一是凶手是死者的直系亲属，对凶手还存留有感情，所以不愿意随意抛洒骨灰，而是选择了分装在殡仪馆的寄存墙。二是不管凶手和死者是哪里人，杀人焚尸的地点距离殡仪馆一定不远。殡仪馆白天是有人值班的，凶手要选择晚上藏骨灰，晚上又没有公共交通工具，所以如果胆大点分析，徒步的范围就那么大，锁定在殡仪馆方圆十公里应该问题不大。

另外，凶手为什么要用七个塑料袋装骨灰？拎着一大把塑料袋，显然比用一个大包装复杂得多，也容易引起路人的注意。既然凶手选择这样，也说明了两点：一是凶手不怕有路人发现，说明是在晚上走夜路的可能性比较大。二是凶手对殡仪馆的寄存墙很了解，知道一个骨灰盒装不下所有骨灰，如果现场倾倒骨灰的话，会撒出来而被很快发现。所以，他选择了这种分装的方法，既方便拎，又方便放置。只是没想到一个骨灰盒没有盖好，导致被人发现了。既然对殡仪馆了解，说明他住的地方一定不远，且有生活常识。

如果只是锁定方圆十公里，毕竟不知道死者的任何信息，所以也根本无从寻找，但是现在知道了有石灰池这一关键的线索，那么寻找起来的范围就要小很多。

以殡仪馆为中心点，老董对周边的村庄进行了逐一走访。老董是一个优秀的捕风者，除了对地形过目不忘以外，他伪装成一个收破烂的遍访周边，也没有引起别人一丝怀疑。并没有耗费太长的时间，老董就在西门村找到了一个石灰池。

那个年代，如果哪里要建筑房屋，一定会在周围挖一个石灰池，把生石灰变成熟石灰而方便建筑装修使用，但使用完后，石灰池会被填补，还能留下来的不多。毕竟老董遍访了周边，都没有发现石灰池，那么这个时候找到的石灰池，其可疑程度就非常高了。更何况这个废弃的石灰池里还有不少黏稠状的石灰，周边还有新鲜的踩踏痕迹。

唯一让老董还不能确定的是，石灰池的深度不够，说白了也就三十公分。这里想溺死一个人几乎是不可能的。但是老董还是坚持认为，假如把一个人的脑袋按在石灰池里，还是可以溺死的。

既然找到了石灰池，作为捕风者的老董就开始在村里活动了起来。为了不打草惊蛇，老董使用各种机会和村民搭腔，以期待发现线索。概率大的推理，其印证的结果成功率也高，老董很快就发现了线索。

在离石灰池不远的一个破旧院落门口，老董发现了滴落状的石灰干涸痕迹，痕迹黏附的石灰不少，一直延伸到院内，而这个院落，似乎并无人在内。装作收废品的老董没有敲开院落的大门，而是干脆一不做二不休，利用自己的开锁技术，神不知鬼不觉地打开了门锁，进入了院内。如果真的能找到什么，回去再补手续吧。

和想象中一样，这里不是闲置的房屋，但是主人并不在家。从门锁上落的灰的厚度判断，至少有半个月没人回家了。

院子里有三间房屋，正对院落大门的，是一排平房，上了门锁。左边是卫生间和厨房，右边是仓库。虽然仓库也上了锁，但是这对老董来说，形同虚设。

打开仓库大门的老董呆立在了门口，这间仓库里并没有货物，在一面墙角，摞着几叠砖头，砖头之间，有大量的草木灰烬，而整个一面墙和屋顶，都已经被严重烟熏，乌黑乌黑的。

老董用一根棍子挑了挑灰烬，发现这里除了依旧可见少量的石灰痕迹以外，灰烬里夹杂了很多和塑料袋里一模一样的灰白色骨灰。

最关键的，砖头旁边还有一把锤子，锤头上，一样黏附了骨灰。

至此，杀人、焚尸的现场就展现在了老董的面前。

4

"我明白姥爷的意思了。"萧朗说，"您是说，别说有汽油，就是那个根本打不到散装汽油的年代，即便是靠柴火，也能把尸体焚烧成灰烬。"

"那你明白错我的意思了。"傅元曼哈哈大笑，"根据罪犯后来的交代，其实他们也是使用了助燃物的，煤油。那个年代，使用煤油灯还是很正常的。"

"组长的意思是，燃烧结果如何，要看燃烧的状态，助燃物只是一个辅助。"萧望说，"煤油燃烧的温度，和汽油差不了多少。"

"窍门是在那几摞砖头。"凌漠说。

"在一个房屋内，算是较为密闭的空间，把尸体架在砖头上，尸体下方点火、助燃，"萧望说，"这样可以保证特定空间里的热利用率，而且使用外焰燃烧，所以可以达到较好的燃烧效果。和砖头贴合的部位，不能充分燃烧，所以要用锤头砸碎。"

"确实。"傅元曼说，"就是你们说的，热利用率的问题。这个案子破案后，罪犯交代，一共燃烧了两天一夜，才基本把尸体全部烧成灰烬。包括小望刚才说的'灯芯效应'，也在罪犯的交代中得到了印证。据罪犯说，使用煤油助燃后，尸体开始燃烧，并且燃烧长达五个小时都没有添补煤油。这是因为人的脂肪有助燃作用，也就是小望说的'灯芯效应'。"

"我首先得说一下地形。"凌漠指着屏幕上的卫星图，说，"加油站方圆十几公里都是耕地。这些耕地都是有家有户、有名有主的。也就是说，不论在这个徒步范围内的什么角落里燃烧，都不可能有两天一夜这么长的时间给他，因为耕地白天是有人去劳作的。"

"凶手晚上杀人，晚上去加油站，也就是说，其实他只有一个夜晚的时间去处理尸体。"萧望点头道，"所以，除非他能保证非常高的热利用率，否则，尸体是焚烧不尽的。"

"说不定也有锤子。"萧朗插嘴道。

"不论是燃烧得干净说明附近有封闭空间，还是燃烧不干净说明还存在尸骨残骸，这对我们都是有好处的。"萧望说，"这案子从一开始，我们得出的所有结论，都是基于我们的推理；实打实摆在面前的证据，可以说是一点也没有。"

"是啊，我们一切执法行为，都必须要在看到证据之后。否则，之前都只能是在法律约束条件下的调查行为。"傅元曼摸着下巴上的胡茬儿，说，"'亡者归来'式的冤案是血的教训啊！即便是我刚才说的 1983 年的那个案件，差一点也出现了'亡者归来'的故事。"

"亡者归来"的故事多发生于上世纪八九十年代，在那个年代，DNA 技术还没有在国内公安部门推广，而绝大部分人是不会在公安部门留下指纹档案的，所以对于死者的身份识别，有可能会出现偏差。

当公安部门发现了一具尸体，而尸体又高度腐败，不具备辨认条件的时候，家属有可能会错误识别尸体，最后导致办案方向完全错误。在这个时候，所谓的"死者"突然又出现了，想想倒是一件挺恐怖的事情。

之前说到，老董认定了凶手把被害人的头部按进了石灰池，导致被害人吸入大量石灰，堵塞呼吸道而窒息死亡。老董认为，这就需要具备一个条件，那就是凶手和被害人之间的体力存在悬殊的差距。在自己家中焚尸，骨灰还要送去殡仪馆而不是直接藏匿，那么这显然是自产自销的家庭内部凶案。既然是杀亲案件，体力若有悬殊，最大的可能，就是丈夫杀死了妻子。

随后的调查，也给老董坚定了信心。在对周边邻居进行了走访之后，老董得知，这是一户姓杜的一家三口。主人杜强，无业，是一个十足的酒鬼加赌鬼，成天不务正业，除了喝酒就是赌博，而且可能受智商约束，他的赌博可以说是十赌九输。醒了就赌博，输了就喝酒，成为杜强每天生活的内容。而他赌博、喝酒的资金来源，都来自于他的妻子叶凤媛。这是一个勤劳踏实的妻子，除了正常的务农工作以外，还在镇子里接各种杂活，用以补贴家里。其实也补贴不了多少，因为在杜强的殴打之下，这些血汗钱很快就被杜强拿走，然后在赌桌上被输掉了。

老董走访的所有邻居几乎都反映出，叶凤媛经常脸上带伤，却不吭一声地继续打工赚钱。从杜强的独子杜舍的小学班主任那里，老董还了解到，杜舍也会经常被父亲殴打得满身是伤地去上学。而这个八岁的小孩异常地坚强，从来不会主动说出家丑，这一点，更让他的班主任心痛不已。

就在老董准备向上级汇报，申请对杜强的通缉令的时候，一条突然得来的线索，让老董着实吓了一跳。

在走访过程中，老董用自己的工资请几个村民下了几回馆子。在那个年代，下馆子是一件很奢侈的事情，所以在这个过程中，老董和村民之间建立了浓厚的情谊。这一天，老董接到一个村民的报告，说是他昨天晚上，看见叶凤媛匆匆回家，又匆匆离开了。

而在老董的意识当中，叶凤媛是一个"亡者"，前些天他细细寻找的，就是叶凤媛的骨灰，然而此时，叶凤媛这堆骨灰，居然变成了一个活生生的人。

在刑侦战线上历经风雨、摸爬滚打十几年的老董很快就从牛角尖里钻了出来，他知道，这种情况的唯一解释就是妻子杀了丈夫。虽然还不能确定妻子是通过什么手段来溺死丈夫的，但是在老董的心中，案件发生了翻天覆地的变化：死者由叶凤媛变成了杜强，而嫌疑人却由杜强变成了叶凤媛，这为之后的寻找抓捕工作，奠定了最为必要的基础。

"这么看起来，DNA 检验对我们刑侦工作，真是里程碑一般的贡献啊。"萧朗叹道，"又能知道性别，又能确认身份。"

"也不绝对。"凌漠摆摆手。他指的是之前"嵌合体"的案件，当时聂之轩就提出，现在很多人迷信 DNA，其实 DNA 并不能作为某一起案件的唯一证据。

"组长，那后来呢？"唐铠铠托着下巴，听得入神，"我们怎么都不认识这个董爷爷啊？"

傅元曼脸上划过一丝悲伤的神色，摸了摸唐铠铠的头，说："孩子们，你们现在最重要的任务，是睡觉。期待你们明天的搜查能够发现线索。"

第二天一早，成员们坐着万斤顶先赶到了嫌疑加油站。这里不仅是一个村民经营的私营加油站，而且还是一个规模不小的生活超市。据说周边两个村里的小卖铺销售的产品种类有限，所以这里虽然距离两个村庄都有四里路，但村民们也经常会来这个生活超市购买物品。

萧望在超市里东张西望地逛了一圈，拿着一把铁铲，递给老板。

"买把铲子。"萧望说。

"二十。"痞里痞气的老板坐在自己的电脑前面，专心地打着英雄联盟。

"嘿，哥们儿，你这电脑是自己配的？这游戏怎么感觉这么流畅？"萧望付了钱，俯身在柜台上，看着屏幕。

老板打量了一下萧望，心想一个看起来漂漂亮亮的年轻人，怎么这么老土？

"嗯。"老板心不在焉地答了一声。

"能卖给我不？我也想打英雄联盟。"萧望说。

"不卖。"老板漂亮地完成了一次三杀。

"厉害厉害，这电脑真快。"萧望把手伸进自己的西服内口袋，掏出一沓钱，说，"一万块，卖不卖？"

这句话让老板吓了一跳，也顾不上激烈的团战，转头看着萧望，想看看他是不是在开玩笑。虽然配置不错，但是装配这台组装机器的时候，他也就花了三千多。

"说真的说假的？"老板讶异道。

"你先点点钱。"萧望知道老板已经同意了，于是开始拆卸显示屏，"就要你的主机，显示器不要了。"

老板用颤抖的手把钞票放进了点钞机，点完一百张钞票后，还是保持着目瞪口呆的状态。

"谢谢了，说不定以后能当队友。"萧望心满意足地抱着电脑主机，走出门外，剩下仍然目瞪口呆的老板，默默地说："这就是传说中的土豪吗？"

"一万块，值。"凌漠从萧望手中接过电脑，递给唐铛铛，"找阮风吧。"

"啊，原来你是在买监控！"一样目瞪口呆的萧朗此时恍然大悟。

"三个监控，全部连接在这台电脑上。"萧望微笑着说。

"为什么不找警方带着手续来调取？"聂之轩问。

"既然他在做违法的事情，自然不会那么轻易地把真实的监控交出来。"萧望说，"到时候他交出两个超市里的监控，不交超市外面对着加油站的监控，我们又不能现场观看，等我们发现的时候再找他要，怕是就已经被他毁了。"

"明白了。"聂之轩点头说，"先调取，再补手续。"

"现在铛铛的任务是看监控，而我们的任务，是去寻找焚烧痕迹。"萧望挥了挥手，让大家下车，"出发！"

成员们最先进行排查的，就是附近的两座村庄。参考 1983 年的焚尸案，如果想保证热的利用率，广袤无垠的田野肯定是不行的，最有可能就是选择房屋。可是前期对这两座村庄所有住户的调查情况显示，阮风和这两个村庄的人之间并不存在任何亲戚朋友关系。而且，即便是有铁哥们儿住在这里，谁也不可能把自己家的房子借给别人焚尸。所以，最大的可能，就是村庄里荒废的，或者暂时没有人居住的房屋。

然而只花了一个小时的时间，两组成员就把两座村庄所有的房屋都给排除了个遍。毕竟是需要长时间焚烧才能达到效果，所以若在屋内，墙壁屋顶一定会有非常明显的烟熏痕迹。萧望的指示是，简单观察房屋，一旦没有明显烟熏痕迹，就立即排除。

排除了所有的房屋，剩下的，只有广袤无垠的田野了。

萧望拿着铲子，用铲头碰撞了几下地面，把铲子递给萧朗，说："小子，你来试着挖挖看。"

"这我强项啊！"萧朗接过铲子，在手上吐上两口唾沫，狠狠地挖了下去。

砰的一声，铲头和地面发生了一次猛烈的碰撞，可是这连续干旱加之被冻硬的土地，丝毫没有变化。

"我的天，这完全铲不动啊！"萧朗又尝试着在铲子上跺了两脚，土地也就出现了一个一厘米深的小坑。

"是吧，在这种天气下想挖坑是不可能的。"萧望笑了笑，说，"这块区域这么大，怕是要让大家受累了。不能埋，就一定会想办法藏，大家发动自己的智慧和体力，分头找吧。有什么发现的话，在对讲机里面喊。"

一望无尽的田野里，种满了油菜的庄稼苗。在不能毁坏农民的庄稼的前提下，要寻找一块可能并不大的烧灼痕迹，进展势必缓慢。去年秋天的时候，很多农民在地里燃烧秸秆，也同样留下了烧灼痕迹，这些痕迹甚至有上千处之多。所以，成员们不仅要寻找，还要分辨烧灼痕迹是陈旧的烧秸秆的痕迹，还是新鲜的烧尸体的痕迹。

临近年关，气候十分寒冷，每个人都冻得瑟瑟发抖。当所有人都进展缓慢、瑟瑟发抖时，萧朗却是一个例外。对萧朗来说，这个季节是个好季节。因为庄稼长得都不高，所以他视力超群的优势也是发挥得淋漓尽致。他左奔右跑，进度奇快。

说巧也巧，线索还果真在萧朗搜索的范围里出现了。

大约下午时分，对讲机里传来了萧朗的声音。

"我在微信里给你们发了位置。"萧朗说,"来吧,来吧,这次我头功!"

显然,萧朗发现了非常关键的线索。这让所有人慢慢失去的信心,又被重新点燃,大家从四面八方向萧朗所在的位置靠拢。

远远的,成员们都看见萧朗光着身子,只穿着一条短裤,站在一棵大树边用毛巾擦身。

"您这又是唱的哪一出?"程子墨大吃一惊。

"看什么看,没看过肌肉?"萧朗见程子墨最先赶到,而且还一副大大咧咧的样子,自己反倒是先不好意思了,抓起裤子穿了起来。

"哎哟喂,抱歉,我对您的身体还真是没多大兴趣。"程子墨一脸鄙视。

萧望随后赶到,看了看萧朗身后的一大片池塘,说:"你下水了?现在是隆冬腊月!"

"正好冬泳了。"萧朗不以为意,"喏,我从池塘底下捞上来的一个大铁盆。我当时就奇怪了,你们看到这一块烧灼痕迹了吧?地面上灰烬感觉是陈旧的,但树干上的烟熏痕迹又很新鲜。我就觉得奇怪了,但我转念一想,这是池塘啊,是最好的抛尸场所,于是就下水看看,果真捞上来一个盆,你们看这个盆啊,明明是崭新的,可里面却有严重的焚烧痕迹,谁这么奢侈?"

这是一个不锈钢澡盆,盆沿的商标都还很新,但盆底已经全部被烧黑了,还黏附有很多黄白色的黏稠物体。

"在盆里烧,然后再扔水里?"聂之轩一边说,一边从自己的箱子里拿出一个微型显微镜。

"抛尸会浮上来的,烧成灰,嘿,哪怕没烧成灰,烧成骨头块、肉块,也浮不上来了呀。"萧朗解释道。

"萧朗分析得不错。"聂之轩从显微镜的目镜上移开眼神,说,"这里的东西,确实是人体脂肪!"

"而且这个盆也是从刚才的超市买的。"凌漠最后赶到,一眼就看见了盆沿的商标。

"嚯,你总不会记得刚才超市里所有物件的商标吧?"程子墨惊讶地看着凌漠。

"差不多吧。"凌漠答。

萧望刚准备说什么，手机响了起来，是唐铠铠打来的。唐铠铠破译了超市的监控储存硬盘的密码后，获取了这几天超市的所有监控。虽然监控只能保留五天的量，但也绰绰有余了。唐铠铠很快从特定的时间点里，找到了阮风的图像。根据唐铠铠的叙述，阮风不仅在加油站私自打了一桶汽油，而且还在超市里买了一个大铁盆和一把榔头。

"他也做好了砸碎骨头碎片的准备。"萧望微微一笑，"在盆里燃烧，更是不可能充分燃烧了，热利用率非常低，加之时间有限，我觉得，尸体的大部分残骸都没有烧尽。所以，小子，委屈你了，还得再下水一趟。"

"明白了，残骸，还有榔头。那个，你，转身。"萧朗指着程子墨说。

第八章 他的左耳

人的本能是追逐从他身边飞走的东西，却
逃避追逐他的东西。

—— （法国）伏尔泰

1

很显然，阮风是先用力将尸体残骸扔进池塘，害怕铁盆会漂浮在水面上，所以慢慢地将铁盆反扣过来沉入池塘。这样，才能形成尸体距离岸边较远，而铁盆距离岸边较近的沉物状态。

站在岸边的萧望又一次开始羡慕弟弟超人的体格，弟弟不仅能在全年最寒冷的时刻轻松下水，而且能在寒冷的水里活动自如。

如果不是活动自如，很难寻找得到这几坨黑乎乎的尸体残骸，毕竟，它们的颜色和塘底的淤泥高度相似。

萧望不知道萧朗在水下是怎么做到这一切的，但是实际结果是，萧朗用一大块塑料膜，包裹着尸体残骸，爬上岸来，他的裤衩上还别着一把榔头。

守夜者组织成员胜利班师回城。

不论是警方的评价，还是导师们的赞许，基本都认可了一点。这一帮年轻的孩子，经过数个月的集中训练，加之实战，现在已经成长为一支战无不胜、攻无不克的队伍了。

这一起看起来稀松平常的失踪案件，在守夜者的追查之下水落石出。警方接手了守夜者组织掌握的全部证据，并且申请了拘留证，正式对阮风采取了刑事拘留措施。案件的下一步侦办工作也交由警方进行。

萧望代表成员们，把案件的侦办经过以及证据链掌握的情况，向导师们进行汇报。

守夜者成员们认为，这一起案件事实清楚、证据确凿。从案件动机上来看，赵金花的不羁行为，让阮风饱受村里人的讥讽，现在赵金花又提出离婚，阮风很容易滋生"得不到就毁掉"的心理情绪。从案件的现场勘查情况来看，作案人选择了恰当的时机进入现场，并且有潜伏的动作，趁其不备作案而不敢直接作案，说明作案人相对于被害人存在心理劣势，这和警方对阮、赵的家庭关系调查吻合。现场锁芯无损，而链条被截断，说明作案人拥有被害人家中钥匙，根据调查和后期的搜查，阮风确实拥有钥匙。

在作案时间上，阮风的身影在恰当的时间，出现在现场附近，虽然不能通过身影确定身份，但是可以根据后来拉着的大箱子进行认定同一。所以，作案时间上也是完全吻合的。

在逃离路径上，虽然出租车司机无法辨认阮风的样貌，但是实际证明，阮风在案发现场附近的超市出现，并且购买了盆、榔头和汽油。而在焚烧尸体后抛弃的池塘里，均找到了这些物证。后来经过 DNA 检验，尸体残骸以及盆、榔头上黏附的人体组织，和阮风及其孩子的亲子鉴定认定同一，证明死者确实是赵金花。

"这案子我认为已经事实清楚、证据确凿了。"萧望说，"即便阮风拒不交代，我们依然拥有足够的证据起诉他。"

傅元曼看着讲台上身材瘦长的外孙，眼神里充满了慈爱，他微笑着说："很庆幸，你们能从当年老董的案件中得到一些启发，这个难能可贵。你们觉得，这两起案件有什么共同点和不同点吗？"

"从案件的总体情况来看，还是非常类似的。"萧望说，"之前姥爷说过，老董可以通过作案手法判断那是一起杀亲案件。而这一起案件，没有财物的丢失、没有性侵的迹象，而死者的社会矛盾关系集中在情色上，所以最后的结果也验证了这是一起杀亲案件。两起案件从种类和动机上看，类似。"

"而且都是焚尸。"萧朗在台下，插嘴道。

"既然是杀亲案件，犯罪分子都害怕尸体被发现，所以都必须进行毁尸灭迹的行为。从事实上看，两起案件都有用助燃物焚尸的过程，所以，两起案件都存在尸体被损坏的困难问题。"萧望说，"不同的是，老董的案子，凶手因为有很隐蔽的场所，所以拥有较好的焚尸条件，所以尸体焚毁程度比我们这一起案件要严重。虽然我们这起案件的凶手有隐藏尸体残骸的过程，但是只要不是让尸体从这个世界上消失，那么留下的，必然是证据。还有一个不同点，随着刑事科学技术的发展，别说咱们这起案件还有残骸，即便是和老董的案子一样，全部烧成骨灰了，我们也可以寻找到那些没有过火的骨质残片进行 DNA 检验，确证死者的身份。"

"技术发展，指导破案，这个是重点。"傅元曼微笑着说，"那么，你们对老董的案子是否能够结案，有什么疑惑吗？"

"您的故事不是没有讲完吗？"萧朗问。

"是，姥爷的意思是，我们这个案子，可以确定死者，所以可以形成一个完整的证据链。但是，在三十多年前，还没有 DNA 技术的时候，不能确定死者，又怎么去形成完整的证据链呢？"萧望说，"即便是 ABO 血型的鉴定，也是只能排除，不能认定。"

"我说的就是萧望的这句——证据链。"傅元曼满意地点点头，说，"很多人认为，那个年代，是不需要证据链的，只要有口供，就可以定罪。我不否认，那个年代有冤案的发生，但是我们守夜者组织办过的案件，都是扎实的、确凿的。现在我来和你们说一说，那个案子的破获。"

如果说在这个年代追捕一个人全靠高科技手段的话，在 1983 年，追捕一个人却全要靠警方的调查。在那个没有监控、乘车也无须登记身份证明的年代，在茫茫人海中追捕犯罪分子毫无捷径可走。

问题是，一起并没有立案的案件，只依靠守夜者组织的微薄力量，是无法铺开了进行调查的。因为缺乏关键证据，更不可能发布通缉令。

孤立无援的老董，必须要自己想出一个捷径。

这一天，已经是 1983 年 4 月 11 日了，距离媒体曝光骨灰事件已经接近一周。老董知道，犯罪分子在作案、焚尸后，肯定第一时间对骨灰进行了藏匿。根据之前对杜舍班主任的调查，杜舍在 4 月 2 日星期六就没有来班级上课了[1]。杜舍是一个品学兼优的好学生，逃课等行为，在他身上是

---

1 编者注：在上世纪八十年代，我国还没有实行双休日制度。

不可能发生的。所以可以由此推断，叶凤媛是在 4 月 1 日左右作案的，但无法知道叶凤媛焚尸的两天一夜，杜舍有没有坚持上课。不过有一点可以确认，在叶凤媛作案后的数天内，她和杜舍依旧潜伏在南安市。只是老董化妆侦查的结果显示，他们母子没有继续住在家里。

可是，什么原因导致她突然回家呢？她还会不会回来呢？她回来究竟是做什么呢？这一切都不得而知，除非，能从她的家里再次发现一些线索。

拿定了主意，老董申请了特别搜查令，在 11 日晚间再次潜入叶凤媛的家里。那是一个月黑风高的夜晚，老董口叼着手电筒，再次用技术开锁的方法打开了叶凤媛家的院子大门。和上次进屋的状态不同，焚尸的房间似乎被打扫过，燃尽的草木灰和周围的疑似骨灰的物质都被清理干净了，只有屋顶墙壁的烟熏痕迹无法去除。

老董心里一惊，很显然，他打草惊蛇了，好在第一次进来的时候，他已经对现场进行了拍照，并且提取了几块类似骨灰的物质、部分草木灰还有那把黏附有骨灰的锤子作为证据。

虽然仓库被打扫过，但是还是能看得出叶凤媛回家后的慌乱，甚至，她在离开的时候，都忘记把正屋大门的挂锁锁上。这算是老董的一个契机，因为一个优质的挂锁，比门上的暗锁要难开得多。

老董推门进入了正屋。这是一间很普通的居民房，没有明显的翻动迹象。但是老董走入卧室的时候，发现卧室还是有轻微翻动的，衣橱的门开着，从剩余衣物的状态来看，叶凤媛应该是从衣橱里拿了不少衣服后离开的。

"难道，她真的潜逃了吗？"老董在问自己。

虽然老董的心里有些惊讶，但是他还是很镇定地继续对卧室进行了搜寻。果真，除了衣服被拿走之外，叶凤媛还真是留下了很多的线索。

在卧室的床头，有一个床头柜，床头柜似乎没有被翻动，但是床头柜上面摆着一个展开了的笔记本，而翻开的那页被撕去了。很显然，这是叶凤媛回家来做的另外一件事情，而且，这件事情比拿衣服更重要。她撕去的，究竟是什么呢？

老董拿起了笔记本，细细地端详着，突然，他发现撕去那页的后一页白纸上，似乎有着一些并不清楚的笔迹压痕，这些压痕，显然是老董的救命稻草了。老董赶紧从上衣口袋里拿出一支铅笔，在压痕附近涂抹着。

事实证明，写字的力道太足，实在不是一件好事情。在铅笔的涂抹下，压痕慢慢地显现出它的模样——那是一串电话号码。而从区号来看，是距离南安市三百公里的北安市的电话号码。

叶凤媛冒着被抓住的危险，重新回家，打扫现场，并且拿了一个外地的电话号码后潜逃。不用说，叶凤媛显然发觉了公安正在对她进行调查，于是畏罪潜逃。

老董庆幸自己抓住了一条抓捕线索的同时，也产生了很多疑惑，而这些疑惑在最终破案的时候也没有能够被破解。因为案件未立案，警方自始至终都没有对死者和叶凤媛进行大规模的调查，只有老董一人，还是化妆侦查的。除了对班主任进行询问的时候，出于对学校保安部门的尊重，老董不得已亮明身份以外，其他所有被调查的人，并不知道老董是警察，只以为他不过是个大方的收废品的人。而在老董调查班主任的时候，杜舍已经不再上学了，这个信息也不可能是班主任透露出去的。那么，叶凤媛是怎么察觉的呢？

如果叶凤媛还潜藏在南安，抓捕难度比现在确实要小得多。但是现在去探寻消息走漏的途径，似乎毫无意义，老董现在唯一要做的事情，就是通过那一串电话号码，找到叶凤媛的痕迹。

老董不愧是一名优秀的守夜者组织成员，他见叶凤媛闻风而动，预料到她即便被捕，依旧会负隅顽抗。毕竟，叶凤媛有数天的时间对自己的供词进行包装，也有充分的时间教会她八岁的孩子如何应对警察。于是，老董安排朱力山做了三件事情，这三件事情，对后期的审讯起到决定性作用。

"哪三件？"萧朗急着问。

"别急，待我慢慢说来。"傅元曼继续他的故事。

老董并没有冒失地去拨打这个号码。要知道在1983年，虽然短途电话得到了一定的发展，但是打外市电话还是非常不便的。而且，很少有人家里安装电话，都是在街头巷口有一部电话，通过电话来呼唤街坊里的邻居。因此，通过已知的电话号码，并不可能定位到个人。

为慎重起见，老董亲自赶赴到了北安市，在当地警方的配合之下，找到了一台黑色的转盘电话机，而那个被用铅笔复原出来的电话号码，就属于这台电话机。这台电话机位于一个胡同口，而这个胡同里，居住了二十一户人家。

既然叶凤媛会把电话号码抄在自己的笔记本上，那么她的联系人应该就在这二十一户人家之内。而她的联系人，要么是亲戚，要么是朋友。

老董找到了当地辖区派出所，对这二十一户人家进行了研究。可惜，研究的结果实在不尽如人意：这二十一户城乡接合部的人家，没有任何人和南安市有所联系，更没有人有什么亲戚在南安市。

既然没有捷径可走，无奈之下，老董选择了在巷口蹲守。不过，这一守，就守了七天。好在这几天气候宜人，守株待兔的老董，也不觉得无聊。在那个年代，派出所的户籍档案里，是没有当事人的照片的，而叶凤媛的家里，也一样没有照片。所以叶凤媛和杜舍的模样，只存在于老董依据调查证词而衍生出的想象中。

于是，摆在老董的面前的一个问题就是，每天在这个街头巷口进出的人们，谁是叶凤媛？作为捕风者的老董，对自己能否认出叶凤媛，充满了信心。一个杀人后落荒而逃、寄人篱下的人，一旦出门，一定会表现出高度警戒的状态。可是在这七天中，并未出现这样的人。因此老董可以断定，叶凤媛在这个躲避风头的关键时刻，决定足不出户了。

在改革开放初期的时代，物资还不富裕，想像凌漠那样跟随外卖小哥找到目标是不可能的。但是，老董选择了和凌漠类似的办法。

老董利用派出所的关系，找到了一台小手推车，然后把手推车装饰成了一个装满儿童玩具的小车。像是一个圣诞老人，老董一边叫卖，一边在胡同里穿梭，引来十几个孩子追逐戏耍。在那样的年代，孩子们哪见到过如此琳琅满目的玩具车啊！

只有一个孩子，在一个院落口，犹豫不决。无疑，车里的玩具对他有强烈的吸引力，但是心里的某件事情阻碍了他的脚步。这个孩子，不是杜舍，还能是谁？

叶凤媛发现门口的杜舍时，已经来不及了。老董一个箭步向前，挡住了叶凤媛回院落的脚步，并出示了传唤证。叶凤媛并没有乖乖就范，而是突然袭击了老董。不过，一个普通的农村妇女，又怎么可能是守夜者组织精英的对手？即便在抓捕过程中，老董被八岁的杜舍用青砖拍了一下脑袋，血流满面，老董还是轻而易举地把叶凤媛控制住了。

用现在的流行语说，老董是一个佛系的刑警。虽然老董很纳闷一个八岁的小孩子是如何举起一块重达三公斤的砖头，然后狠狠地砸在他头上的，但他还是把这件事情隐瞒了下来，为了保护这个孩子。在老董看来，母亲杀死父亲，这就意味着杜舍很快就是一个孤儿了。

为了不让老董变成组织内部的笑柄，傅元曼后来仔细询问了老董脑袋开花的原因。若不是傅元曼的敏锐，这个细节恐怕就是永远的秘密了。说出了这个细节之后，老董顺水推舟向傅元曼申请，将杜舍安置在南安市福利院，由他本人资助，继续生活下去。老董希望，杜舍可以在他的帮助之下，走出人生阴霾，走上正确的道路。

除此之外，老董还把这一户窝藏叶凤媛母子的家庭给隐瞒了下来。他们是一对普通的年轻夫妻，他们曾经因为介绍打工的原因彼此认识了，此时可能也只是因为可怜他们母子，才会不问原因包庇他们。

接下来的审讯，还是按照老董预料的方向在发展。叶凤媛经过多天的思考，已经想好了多种说辞。只不过，想在前面的老董，把她狡辩之路全部堵死了。

最开始，叶凤媛狡辩说她只是在自己家仓库里焚烧了一些杂物。在老董的嘱咐下，朱力山对仓库里寻找到的碎片进行了磨片，在显微镜下看，明确了磨片里可见哈佛氏管，而且还有明确的人类特征，也就是说，从仓库的灰烬里，找到了人类的骨灰。这是朱力山按照老董的安排做的第一件事情。

"姥爷，等会儿，什么是哈佛氏管啊？"萧朗再次打断了故事的讲述。

"每一个骨单位都是圆筒状，与骨干的长轴呈平行排列，中央有一个细管，就是哈佛氏管。哈佛氏管的形态是通过显微镜辨别是否是骨、是否是人骨种属鉴定的关键指标。当然，这是那个年代的鉴定方式，现在一般都通过做DNA来鉴定了。"聂之轩简短地解释完，点头向傅元曼表示故事可以继续。

可是，这个发现已经被叶凤媛预料到了，所以她就开始狡辩说不知道仓库里曾经焚尸，她的丈夫也没有死，不过是去外地打工了。老董没有听信她的狡辩去寻找杜强，因为在老董蹲守叶凤媛的时候，朱力山率队对叶凤媛家进行了第三次搜查，这也是老董安排的第二件事情。朱力山找到了一张X光片。X光检查技术在七十年代开始被我国的医院投入使用，1983年的时候，各市级医院都已经配备了X光检查设备。那时候拍一个X光片不便宜，拍摄者通常会把X光片这个稀罕玩意儿"收藏"起来。杜强的这次收藏，对案件起到了关键作用，因为X光片上的尺骨鹰嘴骨折线的形态，和朱力山在灰烬堆里找出来的鹰嘴骨折线愈合形态完全一致。这种一致，是可以进行同一认定的一致。也就是说，这次杜强的胳膊骨折，去医院进行了摄片，并且把片子保存了下来。

X片上有人名，死者就是杜强，毫无疑问。

叶凤媛的最后一根救命稻草是，杜强并不是她杀害并焚尸的，是有其他人来他家作案的。根据常理推断，外人是不可能在杀人后，把尸体拉进死者家里进行焚烧的；更不可能跋山涉水地要把骨灰寄存起来。但是，常理推断毕竟是推断，而不是证据。好在，老董已经安排朱力山对现场遗留的锤子进行了勘查。

在没有DNA的那个年代，指纹比对技术却已经很成熟了，老董安排朱力山做的第三件事情，就是从锤子把上找到了叶凤媛的指纹，而且是黏附有石灰的指纹。

至此，叶凤媛无路可走。

在短暂的抗拒之后，叶凤媛把自己整个作案过程和盘托出，而作为交换条件，就是希望老董可以把杜舍安置好。

杜强是一个渣男，除了喝酒赌博，就只会打老婆孩子。每次喝多了酒，他总是会找茬打老婆孩子。这一天，杜强又喝多了，走在石灰池的附近时，摔了一跤，浑身上下都沾满了石灰。而在他昏昏沉沉地重新站起来的时候，恰好遇见了正出门接他的妻子。于是，他把这一跤的怒火，全部撒在了叶凤媛的身上。可是，在酒精的作用下，他没有能够击到叶凤媛就又摔倒在石灰池边，昏迷了过去。叶凤媛知道，待他醒来，自己和孩子可能会被狠狠揍上一顿。恐惧加上积怨，叶凤媛顺势把杜强按在了石灰池里。

在叶凤媛看来，她很后悔没有把骨灰干脆就撒在石灰池里，那么，案件永远也不会被揭露。她的后悔并不来自于怕死，而是来自于对八岁儿子的担忧。

但是不管怎么说，案件就此破获。

2

"很漂亮的一个同一认定。"程子墨感叹道。

"确实精彩。"凌漠说，"看起来有很大的运气成分在里面。但是我们破案，又何尝不是利用各种巧合和运气呢？如果我们细心寻找，一定可以找得到各种线索，即便是由巧合和运气组成的各种证据和线索，但如果不是一丝一毫的线索都不放过，那么自然也就没有巧合和运气的存在了。说白了，看似巧合，实则必然。"

"姥爷的重点是，以现在的办案程序和证据要求，这起案件并不是铁案。"萧望说。

"不会啊，挺扎实啊。"萧朗奇怪地说。

"如果叶凤媛狡辩说他是自己在石灰池里淹死的，顶多也就是个侮辱尸体罪。"凌漠说。

"可是自己淹死的，为什么要焚尸啊？"萧朗说。

"你那是常理推断，组长之前就说了，推断不是证据。"凌漠反驳。

傅元曼还是一脸微笑地看着眼前的年轻人们，没有说话。

萧望低头沉思，在他的脑海里，把自己办的案件过程重新又走了一遍，同时，他把自己代入成犯罪嫌疑人，想尽办法去狡辩。因为这种臆想出来的狡辩之辞，很有可能就会成为之后犯罪嫌疑人的"合理怀疑"。

想着想着，还真是让萧望给想出了一个"合理怀疑"。

"明白了，咱们的案件，也有缺陷。"萧望说。

傅元曼的脸色出现了一丝如释重负的表情，在他的心里，已经对这个优秀的外孙彻底放心和信任了。

"死因？"萧朗问。

"对，死因如果不确定，就不能确定是阮风杀死了赵金花。这是最基础、最根本的证据，我们却忽略了。"萧望说。

"这有什么好说的。"萧朗说，"阮风带着箱子去赵金花家，不是去杀人，难道是去拉废品？"

"如果他就说自己是去拉废品，是不是合理怀疑呢？"凌漠反问萧朗，"你又被常理推断塞进了牛角尖。"

萧朗一时语塞。

"为了防止阮风狡辩，就必须要确定赵金花的死因，还要根据赵金花的死因来确定死亡性质。"萧望说，"这样，才算是证据链的彻底闭合。"

"说得好。"傅元曼说，"无论是可以看得到的客观证据，还是我们推导出的主观证据，任何一个单一的项目，都不能给犯罪行为定罪。我们要做的，是把客观证据和主观证据全部串联起来，一环扣一环，没有漏洞。只有具备完善的证据链，我们探寻出的真相，才是真正的真相；法律体现出的正义，才是真正的正义。"

"明白了，是聂哥出马的时候了。"萧望用目光寻找聂之轩的身影。

"在你们来汇报的时候，我就已经让聂之轩去做这件事情了。"傅元曼又是微笑着说道，"虽然案件很快就要破案了，但是我们还是要争分夺秒地把所有的事情做在前面。犯罪嫌疑人有好几天的时间去思考如何躲避法律的制裁，自然他也会想得到我们找到尸体残骸后他该怎么办。所以，在审讯前，如果我们掌握了完善的证据体系，即便犯罪分子会抵赖，也是没有用的。我们有证据，审讯人员有信心，侦破工作才能顺利进展。"

"一定会顺利进展的。"聂之轩推门走进了会议室，"死者舌骨大角骨折，骨折断端有生活反应[1]。虽然尸表已经完全炭化了，但是我们通过开颅，还是看见了死者颞骨岩部出血的窒息征象。由此可以判断，死者是被嫌疑人扼压颈部导致机械性窒息死亡。"

"之前朱老师教过我们，所有的死亡，只有扼死是自己不能形成的。一旦看见扼死，就一定是他杀。"凌漠补充道。

"至此，这个案子就顺利破获了。祝贺你们。"傅元曼站起身来为孩子们鼓掌。

"对了，组长。"聂之轩说，"解剖之后，阮风就低头认罪了。我也参与了审讯，并且问到他是如何弄断门上的金属安全链的。"

"哎呀，这茬我都差点儿忘了。"萧朗坐直了身体。

"他说，从换完乳牙之后，他就可以随意用牙齿磨断金属。"聂之轩说，"这显然是人类不该具备的能力。"

"牙齿异常坚固。"傅元曼沉吟道，"可能是基因决定的吧。"

听到"基因"二字，萧朗和凌漠对视了一眼。

"可惜，我们是不可能去研究一个活人的牙齿为什么这么坚固的。"傅元曼说，"而且，这对于他作案，并不是最关键的证据。我们只要知道，这个世界上，真的是有很多科学暂时不能完美解释的个体差异现象，但我不认为那是超能力。"

"对，那不是超能力。"凌漠低声说，"那是'演化者'。"

会议是散了，但是萧望却对凌漠最后的那一句耳语产生了巨大的兴

---

1 编者注：生活反应，是指人体活着的时候才能出现的反应，如出血、充血、吞咽、栓塞等，是判断生前伤、死后伤的重要指标。

趣，于是邀请他们去附近的饭店庆功。

说是"庆功"，更准确地说，应该是进一步地交流。从饭局的气氛上看，比平常的聚会要严肃多了，大家的话题基本都是在围绕"演化者"来展开的。

凌漠详细介绍了他们的推断过程：从"幽灵骑士"开始，他的催眠能力已经超出了我们经常理解的催眠，而导致这一切的，就是聂之轩在他大脑里发现的异样蛋白质——基因突变的结果。无独有偶，除了"幽灵骑士"，山魈似乎也有着某种用常理科学不能解释的"超能力"。如果一个人是巧合，那么两个人就是必然了。受到了"基因嵌合体"的启发，凌漠和萧朗弄明白了基因、基因突变、基因进化、基因演化的关系。他们分析，这两个人，或者说，还有一些他们不知道或者不能确定的人，都是因为基因演化而产生了一些异于常人的变化，而利用这些变化去作案，将多多少少会为警方带来一些麻烦。

不可否认，在茫茫的人群之中，总是有一些异于常人正常能力的人，虽然不会像 X 战警那样过于夸张，但是其表现出来的能力还是能让人瞠目结舌的。电视台就有那么一档节目，节目嘉宾都是正常人，却有着异于常人的能力。虽说这些能力有的是与生俱来，有的是后天训练，但归根结底，都是有上限的，都是可以用科学来解释的。这些人为什么会具备这样的能力？自然是因为基因的原因，不过这些能力可能对他们正常生活不会有什么影响，有的或者可以帮助他们在某种领域优于常人，仅此而已。

萧望大致明白了萧朗和凌漠的解释，他问："究竟是不是有人利用某种方法来促进人类的'进化'呢？"

萧朗直接抢答："显然是不可能的。"

凌漠说："对，首先要明确一个概念，演化永远都不会是进化。"

萧朗见凌漠插话，赶紧抢着解释："随着基因技术的日新月异，确实可能有人会去研究针对性进化基因的药物。但是，确保基因进化、定制'超能力'是绝对不可能实现的。因为即便是有针对性地催化基因突变，也不可能保证突变的方向，'进化'可以，那么'退化''变化'都可以。

哎呀呀，反正通俗地说，本意是想弄出一个超级能力，却很有可能弄出一个癌症。更何况，人们还不能准确地搞清楚基因的变化如何影响每个人不同的功能。"

萧望认真地盯着萧朗。

"我解释得这么透彻，你还听不明白？"萧朗惊讶道。

萧望微微一笑，总结道："所以，定制超能力，并组织超能力犯罪团伙的可能性，是没有的。"

"嗯。"萧朗和凌漠同时狠狠地点了点头。

不管凌漠和萧朗把这个过程描述得有多复杂，但是萧望还是听明白了。很快，他陷入了沉思。在凌漠和萧朗怀疑到基因突变之前，他也曾经设想过因为"基因"而产生的作案动机——基因选择。

萧望在对系列婴儿盗窃案进行调查的时候，分析认为丢失婴儿的父母，似乎都有着那么一点点长项。比如，最近丢失孩子的家庭是一个体育世家；之前还有科学家的家庭也丢失了孩子。所以，萧望对于这一现象，曾经有过猜想，是不是有人在基因选择，寻找那些优秀家庭的孩子进行盗窃，并且训练成人，成为这个犯罪集团的"打手"。

萧望的这个考虑不无道理。如果不是利用某种手段来促进人类"演化"，而是通过基因选择的方式来寻找那些可能的"演化者"，从而组织犯罪集团，从事犯罪活动，这个倒是有可能会实现。

"那不如去那档节目里直接绑人好了。"萧朗用这样一句话，也减少了这种猜测的可能性。

可是，毕竟上过节目的人目标很大，而且都是成人，很难控制，自然不可能采用这种方式。不过，选取两岁以下的婴儿，这个风险太大了。毕竟，并不是说长跑冠军的儿子一定是长跑冠军，狙击手的女儿一定是狙击手，所以这种基因选择，并没有一定的医学理论基础可以支持。

总之，猜来猜去，大家都知道这回事一定是和"基因突变"导致人体"演化"，表现为某种功能有质的飞跃等一系列关键词有着紧密联系。但是，究竟是用哪种方式来实现这一目标，大家还是没有能够得出一个可靠的说法。

　　凌漠又提出一个问题，如果真的有这么一个犯罪组织，那么他们的作案动机又是什么？"幽灵骑士"策划越狱，然后杀人，看起来像是在"替天行道"，但和"幽灵骑士"应该属同一组织的山魈的行为则令人费解。

　　如果说山魈杀害"幽灵骑士"是为了杀人灭口，防止组织信息被透露的话，那么山魈在三年前谋杀旅馆老板赵元一家以及几名住客的行为则完全无法理解。毕竟，那起案件开始侦办的时候，警方就对赵元一家及几名住客的身份背景进行了详细的调查，别说这几个人并不可能是"逃脱法律制裁的犯罪嫌疑人"了，这几个人的人生平淡得似乎没有一点点波澜。既然和"幽灵骑士"作案目标的背景不符，那么山魈的行为就令人费解了。

　　而且，如果相信山魈就是杀害"幽灵骑士"的人，那么她在"幽灵骑士"的手心里塞进一个"守夜者"的字条又是什么意思？挑衅？还是诅咒？

　　近几年来，国内治安形势稳定。虽说各地每年都有个别没有能够被侦破的命案，但是绝大多数都是因为机缘巧合在现场未留下有价值的线索，又或是明确了犯罪嫌疑人而未能抓获。像"幽灵骑士"和山魈犯下的这几起案件这样，存在明显异于常理现象的案件，还真是没有发现。那么，这个神秘的组织，其目的和作案目标究竟是什么，现在没有充分的依据去支撑。而且，守夜者组织成员也仅仅发现了"幽灵骑士"和山魈两个人的踪迹而已。

　　当然，凌漠在席间说出了他的担忧，就是那几起和疫苗有关系的案件。凌漠这几天抽空翻看了很多关于疫苗的文献，确实，并没有案件中所述的副作用。更重要的是，疫苗问题导致的通常都是大规模的问题，因为疫苗是批量生产的，小孩子也都是需要强制注射的。从这一点来看，那三个所谓的"受疫苗影响"的孩子确定是疫苗作用的依据不足，而且，理化部门确实没有在微量物证中提取到确定性的依据。很有可能，这就是巧合，也很有可能，大家都是受了第一则报道的影响。

　　既然凌漠自己都对这一线索没有了信心，大家的话题就又回到了"幽灵骑士"和山魈的身份上。

虽然两个犯罪嫌疑人的 DNA 都已经被守夜者组织寻找到，但是经过录入前科人员 DNA 数据库系统，并未发现两个人曾经有前科劣迹。而且，似乎也没有和失踪人口比对上。两个人的面貌后来也经过人像识别，但显然在系统里，并没有他们确信的身份信息。

那么，这两个人是从何而来呢？

萧望坚定地表示，婴儿失窃案一定和这个神秘的犯罪组织有着某种联系。可是所有丢失的婴儿和其父母的 DNA 都已经录入了系统，如果这两个人就是曾经被盗窃的婴儿，一定早已比对上了。既然没有比对上，大家认为肯定是萧望的推测存在某种漏洞。

可是，萧望的坚定又从何而来呢？

因此，话题就重新回到了萧望还没有回答的问题上。

在过去的四五个月里，萧望去哪儿了。

3

故事还要从守夜者组织集结一周后，萧望因比赛规则选择"主动淘汰"开始说起。

当时萧望毅然决然地要替弟弟妹妹们承担责任，主动退出守夜者组织，而根据"游戏规则"，导师们并不能做些什么挽留下萧望。其实"老谋深算"的导师组有着自己的打算，傅元曼知道萧望一直在怀疑嫌疑人 V（也就是后来的"幽灵骑士"），而且萧望的思路很有说服力，与其淘汰他，不如给他一个机会，暗中行事。于是，导师组给萧望派了一个"秘密任务"。

在首周的案情研究中，萧望根据案犯 V 总是关注时间的这一细微举动，判断整个越狱大案的策划者正是这个 V。虽然后来事实印证了萧望的推测，但是在当时看起来，还是显得依据不足。当时的萧闻天对小儿子萧朗不抱太大希望，而对大儿子萧望充满期许，希望他能成为守夜者的栋梁。派他出去做任务，另一方面也是给自己和萧望一个台阶，一个可以用来回归的台阶。

不管导师组以及警方当时对这个 V 的真实重视程度如何，抓住 V 成为萧望独自一人唯一的一项任务。而对于萧望来说，能否重归守夜者组织，就要看他的工作成果如何了。几个月的时间很快就过去了，即便是"幽灵骑士"已经伏法，萧望依旧没有归来，所以成员们都知道，萧望看似空手而归，实则带回来很多重要的线索。

现实情况也是这样。对于傅元曼来说，这个之前丢出去的棋子，获取了很多意外的收获。

"幽灵骑士"在看守所羁押期间，除了经常关注时间这个特点以外，并没有暴露出更多的心理特征。而且，从被抓获一直到越狱这么久，他一直对自己的所有信息闭口不谈，公安机关对他的真实身份一无所知。当然，毕竟只是一个小小的盗窃犯，也没有人花大力气去查清他的身份。

可是，这对于萧望来说，可以利用的信息实在少之又少，唯一掌握的，就是"幽灵骑士"在被抓获的时候拍摄的正面标准照，而利用这个照片在拥有数千万人口的南安市寻找一个故意逃避警方的失踪的人，是不可能完成的任务。更何况，"幽灵骑士"在逃脱之后，完全有可能远离南安市。

而萧望初次抓住"幽灵骑士"的尾巴，是一次偶然的契机。

在未获取任何有效信息的情况下，萧望想到了去了解"幽灵骑士"盗窃案的细节。

其实，这只是一起非常简单、非常常见的盗窃案件。之所以没有拘留、罚款了事，是因为涉案金额逾越了治安处罚的上限，并且他到案后，对抗侦查，拒不交代自己的真实身份。即便没有查清真实身份，依旧是可以追究刑事责任的，所以"幽灵骑士"就在侦查办结后，被扔进了南安市看守所候审。

而盗窃案件本身的经过是这样的："幽灵骑士"在一天上班早高峰的

时候，挤上了一辆满载的公交车。在公交车上，他用裁纸刀割裂了一名中年妇女的背包，然后从里面拿出了一部手机和一个钱包，后来经过民警的清点，总金额超过了一万元。从后来的案件证词里看，现场应该是有不少人看见了"幽灵骑士"的作案过程，但这些围观群众，却集体选择了沉默。"幽灵骑士"在得手后，手持着女子的手机，并把她的钱包夹在腋下，挤到了公交车的后门处，可能是准备在下一站下车。可是，后门处恰恰就在被盗女子的视线范围内。被盗女子发现了"幽灵骑士"夹着自己的钱包，于是大呼"小偷"，并死死拖住了他。后来公交司机直接把车开到了公交派出所，"幽灵骑士"束手就擒。

这是一个很有意思的盗窃过程。看似是一个蠢贼被抓现行的过程，但在萧望的眼中却并不是这样。他认为，"幽灵骑士"的举动，恰恰就是为了暴露自己，而暴露自己的真实目的，就是入狱。

了解完盗窃案的全部过程，不仅令萧望增加了"幽灵骑士"就是始作俑者这一判断的信心，更是因为一个不经意的发现，让萧望抓住了"幽灵骑士"的尾巴。

根据办案民警说明的办案经过，在民警打开公交车门，把"幽灵骑士"按倒在地的时候，他突然开始猛烈抽搐，并且口吐白沫。

这不算什么新鲜事。民警在日常打击盗窃犯罪的时候，别说是遇到装作癫痫发作了，就是利用事先藏在身上的刀片进行自残的案例也是非常常见的。犯罪分子的目的，就是使用苦肉计来逃避打击。

在普通人看来，这不过是一句简单的陈述，但却引起了萧望的重视。一个故意暴露自己，为了入狱的贼，为什么突然要装癫痫来逃避打击？他的行为实在是太过矛盾了，除非，他这个癫痫并不是装的，而是真的。

说到这里的时候，聂之轩插话了："这就不谋而合了。后来我又对'幽灵骑士'的尸体进行了尸检，并且发现了他的大脑皮层有部分软化灶，而这里的软化灶很有可能会导致大脑异常放电而产生癫痫。如果说他的大脑过度放电是他完成集体催眠的主要机理，那么经常性的癫痫应该就是他的并发症了。虽然在看守所的一小段时间并没有发现他有癫痫病史，但这种疾病的发作很有可能和外界应激因素有关，属于不定时、间歇发作。"

萧望当然非常赞成聂之轩的看法，因为这个线索确实十分关键。

当时，越狱案正是发案伊始，南安市几乎是全警动员。当然，绝大多数警力被安放在了各大高速公路、国道、县道的路口。数百个卡点严防死守，生怕那二十多个越狱犯逃离南安市。整个南安市就像是一个被扎紧了口的口袋，密不透风。更有其他警力在汽车站、租车点进行寻访调查，而需要身份证才能购票的机场、火车站，警力则不那么充沛了。不过，除了"幽灵骑士"以外的其他越狱犯的身份信息都已经被录入了协查系统，只要人一出现，110 指挥中心会立即报警。

可是，"幽灵骑士"恰恰是那个没有被警方获取身份信息的人。

萧望自然知道这一点，也知道警方对一个小盗窃犯的追查不会花大力气。所以，他去了火车站和机场，亲自寻访。

这一寻访不要紧，线索就此浮出水面。一名火车站的售票人员提供了一条关键的线索：在一周前，一个男人来购票，在拿到火车票的时候，突然倒地抽搐、口吐白沫。后来在几个好心人的帮助下，这个男人慢慢复苏，然后一句话都没有说，拿着火车票走了。

这是天赐的线索啊，萧望兴奋地调取了一周前的监控画面。画面里那个倒地抽搐的人，不是"幽灵骑士"又是谁？

"幽灵骑士"购买火车票的身份信息是一个叫作"吕成才"的人的，可惜，真正的吕成才在"幽灵骑士"购买车票的时候还没有发现自己的身份证丢了。"幽灵骑士"依旧是一个没有被获知身份的人，他拿着盗窃得来的身份证购买了去往沈阳北站的火车票。

他去沈阳做什么不重要，因为萧望的调查之路，突然就这样出现了曙光。

时间不等人，此时距离越狱案发生已经过去了一周有余，萧望当即购买了飞往沈阳的机票，并于当天夜里，抵达了沈阳。

沈阳警方给予了萧望充分的配合。

既然不知道"幽灵骑士"的真实身份，而且此时吕成才已经挂失了身份证，"幽灵骑士"不能再使用这张身份证，所以在沈阳市的调查，还得从零开始。沈阳警方建议，调取沈阳北站的高清广角监控照片，寻找"幽灵骑士"的动向。

沈阳北站站前广场的高塔之上，安装了一个延时拍摄的高清广角监控摄像探头，每隔一分钟，就会拍摄一张可以覆盖整个广场的高清大图。因为图像清晰，萧望可以从放大的照片中寻找到任何一张清晰的人脸。

根据在南安火车站获取的"幽灵骑士"的购票信息，萧望很轻易地算出了"幽灵骑士"抵达沈阳北站后出站的时间，并调取了数十张由高清广角镜头拍摄的、每张超过10G的照片。

说起来简单，可在人头攒动的广场上找一个嫌疑目标谈何容易？

萧望一个人花了一整天的时间，差点儿把眼睛都看瞎了，好在真的找出了"幽灵骑士"的行踪。在发现"幽灵骑士"的那一刻，萧望的成就感爆棚了，之前付出的一切努力，都有了收获。

照片显示，"幽灵骑士"在下车后，并没有去出租车打车点和公交车站，也没有搭乘地铁二号线，却是在北站南广场上转悠。不久，一个女人和"幽灵骑士"进行了交谈，并且带着他走进了距离北站不远的一家足浴城。

萧望二话没说，申请沈阳警方的配合，对这所足浴城进行了包围、搜索，并找到了那天和"幽灵骑士"接头的女子。

然而，接下来的调查让追捕工作再次陷入僵局。很遗憾，这名女子并不是萧望之前考虑的幕后策划人，而只是一名普普通通的足浴技师。经过对照片的反复辨认，这名女子始终想不起来和"幽灵骑士"接触的经过，因为她每天都要按照店老板的要求到广场上拉客，然后领回店里进行足浴服务，一名普通到不能再普通的客人，她完全有理由毫无印象。

期盼落空了，萧望没有放弃。在他看来，一下车就先奔足浴城，说明这个"幽灵骑士"对足浴这项活动情有独钟。虽然第一次行动以毫无收获的结果收场，但基于东北人热心的性格，沈阳警方并没有对萧望置之不理。在沈阳警方的积极配合下，萧望遍访城内各家足浴城。功夫不负有心人，还真让他再次找到了线索。

距离沈阳北站不远处的一家足浴城的一名技师供述称，这个"幽灵骑士"曾在他抵达沈阳的第三天，来进行足浴。在足浴的过程中，他总是催促说自己要赶火车，让技师动作加快。之所以给技师留下了深刻的印象，是因为这个人是"六趾"。

这就是后来萧望给萧朗等人打电话通报信息的源头。当然，之所以第一时间把这个信息传递回去，是因为萧望很了解犯罪嫌疑人被抓获后的"标准化采集"的流程以及羁押至看守所之前的体检工作流程。这两项工作的规定要求，都没有涉及脚趾。毕竟手指不管是五根还是六根，都要捺印指纹，而脚趾的特征就显得没用了。萧望知道，看守所的记录，绝对不会察觉"六趾"，巩膜异色没被发现也是一样的道理。

"幽灵骑士"居然依旧是乘坐火车离开沈阳的，而且他来到沈阳，也就待了两天时间。他来沈阳做什么并不重要，重要的是，他离开沈阳去了哪里？吕成才的身份证在那个时候已经挂失，不可能再次使用了，"幽灵骑士"是不是又通过偷盗的方式获取身份证买票？

只有可能是这样！萧望坚定地相信自己的判断。不仅有此判断，萧望更是想出了别出心裁的办法：沈阳北站有个派出所的办事点，专门为遗失身份证的人员办理身份核实手续。如果有人遗失了身份证，可以去这个办事点办理一个临时证件，并可以凭此买票上车。于是，萧望就去了这个办事点，并查询了那个特定时间点去办证的人员信息。丢身份证的人并不多，只有三个。而通过购票系统查询这三个人的信息，萧望立即发现了端倪。其中一个叫韦士的人，在相临近的时间段内，连续购买了两张火车票，一张是去韦士老家天津的，另一张，是去南安的。

结论很简单，"幽灵骑士"返回了南安。

他回南安的原因暂时不得而知，那个时候也没人能想到在南安处决人犯的那个人就是"幽灵骑士"。但萧望立即乘飞机返回了南安，并报经萧闻天同意，占用部分视频侦查警力，寻找"幽灵骑士"在南安的踪迹。可惜，南安火车站没有高清摄像探头，视频侦查部门也没能从周围的摄像探头里找到"幽灵骑士"的影像。

再次丢失线索的萧望，重新把调查重点转移到了"足浴城"上。在萧望看来，这个一有空就要去泡脚的人，不仅仅会在沈阳泡，在南安也会泡。事实证明，这真是一个屡试不爽的办法。根据"六趾"这一线索，萧望从四家足浴城里都问出了"幽灵骑士"光顾过的线索。

于是，在萧望的"追捕地图"上，四个红点圈出了一个"幽灵骑士"的活动区域。而接下来的一段时间里，萧望就成天在这个区域里游弋，在附近的足浴城里寻访，期待发现"幽灵骑士"的线索。

这一找，还真的找到了。

萧望和"幽灵骑士"的正面交锋有三次。

第一次。

在指定区域的批发市场闲逛的时候，敏锐的萧望看见了远处有一个身影一晃而过。在过去的一个多月里，天天研究"幽灵骑士"的萧望恨不得把他的照片放在枕侧，所以至少在印象上，萧望对"幽灵骑士"已经很熟悉了。他相信自己的直觉不会错，那个身影就是他！

萧望三步并成两步，挤过人群，向"幽灵骑士"消失的方向追去。很快，"幽灵骑士"的背影再次出现在萧望的视野当中。生性谨慎的萧望自知仅凭一己之力不一定能控制得住他，于是一边紧随而去，一边电话通知萧闻天，请求派出特警前来支援。然而，正在市场里闲逛的"幽灵骑士"不知是不是因为有所察觉，突然开始转向狂奔。

突如其来的变化让萧望猝不及防，他一面打开手机的实时定位，一面撒开步子追了过去。批发市场人流量非常大，所以"幽灵骑士"也一样发挥不出速度优势。两个人一前一后在人群中艰难地向前挪动。"幽灵骑士"像是提前有准备似的转过了几个弯，不是在向人少的地方移动，而是向人多的地方移动。

在经过一片服装摊点的大棚的时候，突然砰的一声，大棚顶部用于固定顶棚的数十条钢筋居然巧合似的全部断裂，顶棚的大幅帆布应声坠落，把棚内的数百人严严实实地压在了布底。顿时，熙熙攘攘的批发市场服装大棚内，呼救声和谩骂声此起彼伏，人们越是想挣脱出来，越是互相影响甚至站不起身。于是，及时赶到的特警小分队的任务立即从抓人变成了救人。可毕竟帆布的重量不轻，而当时一片混乱的情况下，也不知道人员伤亡的情况。

一番努力后，包括萧望在内的被压群众被全部救出，所幸除了两人轻伤外，其他人都没有大碍。可惜的是，在混乱中，早已不见了"幽灵骑士"的身影。

第二次。

对这场意外的事故，萧望百思不得其解，更是担心自己打草惊蛇，把"幽灵骑士"赶出了这片被自己锁定的区域。无奈并没有其他的办法，于是，心怀不安的萧望继续在区域内追寻"幽灵骑士"的身影。

为了提高寻访的效率，萧望找萧闻天要了一辆侦查用车。好在没过多久，正在开车兜圈的萧望发现了远处路口"幽灵骑士"正拦住一辆出租车向前驶去。这一瞥让萧望心口的热血再次沸腾，他果真再次抓住了"幽灵骑士"的尾巴。萧望一边直接打开了手机定位，一边向萧闻天汇报位置，并请萧闻天通知出租车公司，让公司联系出租车司机，让司机择机停车。

萧望开着车的同时，脑海里想出了无数种抓捕"幽灵骑士"的办法，然而这些预想瞬间又落空了。前方的出租车突然调头，加速朝萧望的方向开来。萧望再一次不知所措了。在两车交汇的时候，萧望清楚地看见，坐在后座的"幽灵骑士"挑衅地朝他咧嘴笑着。

显然，萧望又暴露了。

既然暴露了，也等不了特警赶到了，萧望急打方向，来了一个漂亮的漂移，紧跟着出租车追去。距离还没有缩短的时候，萧望看见出租车突然右转下坡，向一座写字楼的地下车库驶去。

从开阔地向室内开，这显然更容易被人瓮中捉鳖，"幽灵骑士"是犯了一个战术错误吗？萧望此时已经顾不上多想，一边打电话通知萧闻天指派特警直接包围写字楼周围，一边驾车向地库入口驶去。

地库的入口是一道无人控制的门闸，摄像探头可以直接扫描车牌并开闸。萧望见出租车入闸进入地库，于是加速下坡。可是，在门闸口，他不得不急踩了刹车。不知道为什么，虽然液晶显示屏上显示出了他的车牌，门闸却没有打开。

萧望就这样硬生生地被挡在了门闸之外。

经过了短暂的思考，萧望选择开车冲撞门闸。门闸还挺结实，萧望三次倒车，撞击了四次，才把门闸撞开。几乎是在把门闸撞飞的同时，萧望的车子已经拐进了地库。

地库的中央，停着那辆出租车。出租车司机一手拿着崭新的一百元纸币，另一手拿着手机，一脸蒙地待在原地，看着疾驰而下的萧望，更是一副胆战心惊的表情。萧望知道，钱是"幽灵骑士"给的，而出租车公司要求司机择机停车的电话刚刚打到。

萧望来不及多想，直接调头重新向地面冲去。可是他刚到地库口，就被写字楼内闻声赶来的保安拦了下来。萧望也顾不上解释，直接弃车向写字楼一楼跑去。

特警刚刚赶到，正在部署包围，萧望知道，已经来不及了。

写字楼一楼是通透大厅样式的设计，周围四通八达，即便是特警提前一步赶到，也不一定能守得面面俱到。"幽灵骑士"选择这一处逃生之地，算是最佳选择了。

特警获知情况后，立即对写字楼内以及写字楼周边进行了搜索，可是一无所获。萧望分析"幽灵骑士"可能在从一楼逃出后，乘坐其他交通工具离开了。

狼狈不堪的萧望再次让"幽灵骑士"从天罗地网中逃脱，而且他还得去赔偿门闸的损失。当然，损失也不是白赔的，萧望要求保安对自己的车过不了门闸进行解释。经过保安的反复排查，认定门闸控制系统是正常的，没有任何损坏或者被人为操纵的迹象，而之所以门闸未开，是因为门闸机关的机械出现了故障。

这还真是够巧的，十秒钟之前，出租车还可以顺利进入门闸，十秒之后，轮到萧望的车了，门闸就出现了机械故障。虽然萧望不愿意相信，可是事实就是这样。

第三次，萧望醒悟了。

4

被"幽灵骑士"两次逃脱抓捕之后，萧望意识到，自己真的暴露了。事实情况也是这样，无论萧望如何寻访，再也找不到"幽灵骑士"的任何踪迹。不出意外的话，他应该是改变了自己的活动区域，以逃避萧望的追踪。

既然得出了这个结论，萧望决定重新回到原点，从足浴城开始调查。因为他知道，这个已经形成了的习惯，会一直伴随在"幽灵骑士"接下来的生活中。

于是，萧望每天的工作从逛街变成了逛足浴城。事实证明，萧望的判断还是正确的，而且，这一次的发现，让萧望的肾上腺素再次迸发。

和以往不同，这一次，走进足浴城的萧望出示证件、询问是否见过"六趾"的时候，技师指了指楼上，说："他刚刚接受完服务，在楼上包间里睡着了。"

听到这句话，萧望的血液都要沸腾了，恨不得立马就冲上楼去，但过去两次的经验，让他很快冷静下来，重新做了判断。他觉得自己是可以冲进去抓捕"幽灵骑士"的，但是那样的风险太大。一来萧望没有弟弟那样的体格，单打独斗能有多少胜算还不好说。二来对对方的情况了解甚少，他会不会伤人、有没有带武器这都不好说。毕竟这里是公共场所，为了公众的安全，萧望还是决定通知特警前来抓捕。还有一个促使萧望下决心的条件是，他隔着包间的门，听见了屋内的鼾声。

当特警包围了整个足浴城后，一队特警破门而入。

这算是萧望最接近"幽灵骑士"的一次，所以也是他最为失落的一次。包间里除了一个长得奇奇怪怪的物件之外，什么人都没有。而之前一直没有停歇过的鼾声，正是从这个奇奇怪怪的物件里发出的。

"幽灵骑士"再一次在特警到来之前，逃出生天。

在越狱大案进入决胜阶段的时间点，萧闻天能够反复派出特警支持萧望，也算是对自己大儿子的充分信任了。可是，在特警们看来，他们连"幽灵骑士"的影子都没见到。希望越大，失望也越大，萧闻天表示，"事不过三"，特警是不会再次支持萧望了。

沮丧但不气馁的萧望紧接着做了两件事情。第一件事情，是对现场的窗户进行了勘查。刑警学院的刑事技术课程那可不是吹出来的，学刑侦的萧望对刑事技术一点也不陌生，他还在足浴城外墙上，发现了一枚新鲜的、大约 41 码大小的看不清鞋底花纹的足迹轮廓。

鞋印有没有鉴定价值这个不重要，重要的是，"幽灵骑士"不是一个人在"战斗"。"幽灵骑士"从二楼窗户逃出的时候，完全没有必要在外墙上踩上一个足迹。唯一的可能，就是有人从窗口进入，放置那个奇怪的物件之后，带走了"幽灵骑士"。

萧望醒悟了，正所谓"螳螂捕蝉，黄雀在后"，他一直以为自己的行动很保密，未曾想，他的所有行动，都在另一个人的掌控当中。而这个人，是"幽灵骑士"的同伙。"幽灵骑士"并没有主动察觉他的存在，每次都是在接受这个人的提醒和帮助后逃出的。果然，这是一个神秘的组织，而非一个单打独斗的人。

萧望立即把调查情况汇报给了傅元曼。此时，守夜者组织内部的信息不断外泄，傅元曼对此也忧心忡忡。这个躲在萧望身后的人，一直只是为了救出"幽灵骑士"，而并没有对萧望造成伤害，所以傅元曼判断这个组织只是为了做自己的事情，并不愿意公开和警方对抗，那么萧望暂时就没有危险。基于此，傅元曼向萧望下达命令，停止和警方以及守夜者组织成员的联系，把工作完全转入地下，只和傅元曼单线联系。这就是后来萧望突然失踪的原因。

萧望的第二件事情，就是研究这个奇奇怪怪、可以发出鼾声的物件。

显然，它的作用不过就是为他们的逃跑争取更多的时间。虽然萧望对机械原理并不精通，但他也能看明白，它的机械原理其实很简单，通过一个发条，带动两条杠杆，杠杆的末端有粗糙接触面，接触面摩擦而发出类似鼾声的声音。机械的组件都很山寨，像是用随手获取的东西组装成的，唯独这个发条，还是有一点研究的价值的。

现在这个时代已经是电气化的时代了，闹钟都是电子钟了，小孩的玩具都是充电能上天的无人机了，相信很少有家长会去买八十年代的那种上了发条就可以蹦蹦跳跳的玩具青蛙给孩子玩。这种古老的发条似乎已经没什么用处了，然而在这个机械中却出现了。

萧望的思路是研究发条的来源，看是否能获取一些信息。很快，他的这个问题就解决了。因为，在这枚发条的底座上，印着一个显眼的 logo（商标），还有几个小字："南安卷簧"。

不用惊动警方，萧望自己用百度就找出了这家企业的资料。南安市卷簧厂，成立于上世纪七十年代，是国有企业。因为效益不好，在九十年代初期，就出现了大量员工"停薪留职"的情况；九十年代中期，大批员工下岗，可以看出这个厂子那时候就已经是病入膏肓了。1998 年，南安市卷簧厂正式关门大吉。虽然关门了，但是厂子是国家的，位置又不好，所以历经二十年，厂子还在原址，并没有被夷为平地。

这个暗中帮忙的人，一定和这个"南安卷簧"有着某种关系。究竟是自己保存了老产品，还是去废弃的厂子里现取的残货呢？萧望既然想到了这个问题，便决定孤身一人前往"南安卷簧"的厂址探一个究竟。当然，他不想孤身也没有办法，警方是不可能再配合他进行活动了。

在南安土生土长的萧望居然不知道南安的西北郊区还有这么一块贫瘠的地方。成片的红砖结构房屋，基本都废弃了，有几栋房屋甚至因为年久失修而垮塌。因为交通不便、人员稀少，开发商还没有把开发的目光投到这里。就在这一片满目疮痍的地区中央，有一座废弃的厂房，那就是南安市卷簧厂了。

这一栋由红砖堆砌起来的厂房，没有二十年，也有十几年没人进来过了，到处都是厚厚的灰尘和随处可见的蛛网。

萧望小心翼翼地通过垮塌的厂门走进厂房，空荡荡的，一览无余，哪还有什么丢弃的旧产品？

如果不是来这里现取的旧货，那么最大的可能就是这个帮凶曾经在这个厂子里干过，自己身边保留有一些老发条，在那种关键的时候就用上了。范围进一步缩小，萧望知道，只要调出南安市卷簧厂曾经的职工名单，黑暗里就出现了曙光。

准备撤离的萧望无意中一瞥，竟然看见厂房的角落里除了他的足迹外，还有一趟新鲜的足迹——居然有人不久前来过！可是，从厂房拐角的灰尘可以看出，这里并不可能堆积过旧货，这趟足迹也只是单纯地在厂房角落里走过。这个人来做什么？和案件有没有关系？萧望不得而知，但是他知道，一切看起来的巧合都不会那么简单，这个足迹必须要研究清楚。

萧望取出随身携带的比例尺和照相机，把鞋印完完整整地照了下来。经过他的测量，这是一枚 37 码的胶底鞋鞋印，而萧望记得，在"幽灵骑士"逃脱的足浴城外墙上，提取到的帮凶鞋印是 41 码的。不是一个人？还有其他人？和案件没关系？无数个疑问在萧望的脑海里翻滚。可是，刑警学院刑事侦查系毕业的萧望，对足迹的进一步研究也没有那么多办法。现在指望警方协助也不现实，不过好在，他有个在刑事技术部门工作的母亲。

在傅如熙的安排下，下午，萧望就坐在了南安市公安局刑事科学技术研究所痕迹检验实验室里。

帮助萧望研究足迹的，是有数十年痕迹检验工作经验的老民警赵欢。

"赵叔叔，能看出什么不？"

赵欢是个谨慎而仔细的痕检专家，既然仔细，动作也要慢一些，慢得连极富耐心的萧望都有些坐不住了。

"看起来身高只有一米六不到。"赵欢推了推鼻梁上的眼镜，说，"微胖，像是个男人。"

通过一枚足迹和一趟足迹分析人的身高、体态、性别甚至性格，早已经是比较成熟的技术了，不过并不一定准确，只是统计学意义上概率大小的问题。

范围进一步缩小了。在等待赵欢研究足迹的时候，萧望已经通过南安市公安局拿到了南安市卷簧厂在宣布破产之前的所有人员名单。名单上有三百多人，通过赵欢的这一系列推断，范围估计最少缩小到了四分之三。

这已经超出了萧望的预期，他高兴得面颊通红，准备告辞离开，却被赵欢一把拉住。

"我还没有说完。"赵欢慢条斯理地说道，"这个鞋印很新，没有什么磨损。还有，我把鞋印录入'全国鞋印样本数据库'比对，比对出来一个结果。"

显示屏一分为二，一边显示的是萧望照回来的足迹，另一边是一双鞋子的照片，并有详细的文字叙述：该鞋印为南安市第二监狱特制胶底鞋，入狱犯人均会发放穿着，为犯人私人所有，出狱不回收。

萧望知道这个比对结果意味着什么，现在的范围已经缩小到不仅仅是四分之三了，很有可能，犯罪嫌疑人已经浮出了水面。

以下，是傅元曼通过公安协同办案系统给萧望提供的犯罪嫌疑人的情报：

裴俊杰，男，1965年出生，身高一米五九，南安建筑大学毕业，学的是建筑工程设计。1990年大学毕业后，分配至南安市卷簧厂做技术工人。1993年在南安市卷簧厂"停薪留职"，并于同年犯"流氓罪"被判处有期徒刑十五年。

流氓罪是我国1979年颁布的《中华人民共和国刑法》中设立的一个"罪名"，包含甚广，量刑甚高，最高是可以判处死刑的。1997年刑法修改后，废除了"流氓罪"。而纵观这个裴俊杰的"犯罪事实"，以现在的法治眼光来看，顶多也就是个寻衅滋事罪。但在当时，因为他身上带了刀，伤了人，虽然对方伤得并不重，但裴俊杰还是被判了十五年。

裴俊杰在南安市第二监狱被关了三年，后来因为有重大立功表现而被减刑六年，2002 年出狱后，行踪不明。

身高对上了，工作单位对上了，连鞋印的来源都对上了。不管给谁看，帮凶定是这个裴俊杰无疑了。

另外，还有一条线索更是加重了裴俊杰的嫌疑。

作为建筑工程设计专业的早期设计师之一，裴俊杰可谓是生不逢时，被分配去了一个和专业毫不相干的厂子。但在狱中，他灵感大发，把自己的毕生所学运用得淋漓尽致，设计了南安很多著名的建筑。而重大立功表现就是，他设计了很多密不透风的司法监管场所——看守所和监狱，其中，南安市看守所就是他的杰作。如果是他协助"幽灵骑士"策划越狱的话，首先在建筑结构上，他们可以说是了如指掌了。

虽然裴俊杰已经杳无音信了十几年，但是公安部门如果花点心思去找他的话，也不是一件难事情。可是，萧望并没有向傅元曼提出这一要求。

萧闻天并没有看错他的这个儿子，萧望对一个案件的宏观把控性，可能连萧闻天本人都难以望其项背。在这个节骨眼上，萧望没有盲目去找人，因为他的心里还是有很多疑惑的。

第一个疑惑就是，帮凶策划了好几次逃脱，为什么这么轻易就留下了重要线索？其次，救出"幽灵骑士"的帮凶和这个裴俊杰的鞋印并不相符，难道是因为组织成员有很多人？再次，这个关键的鞋印为什么会出现在老厂子里，裴俊杰并没有在案后返回旧工厂留下重要线索的必要。最后，也是最无法解释的疑惑：胶底鞋的花纹确实是南安第二监狱的特制花纹，但裴俊杰出狱十几年了，为什么会保留有崭新的胶底鞋？而且还是在这个关键的地方留下这双崭新胶底鞋的鞋印？

萧望做出了很多假设，而最让他惶恐的一种假设就是：假如有人了解裴俊杰的资料，但找不到他，利用萧望运用公安特种技术，是最容易找到裴俊杰的。如果真是这样，如果发条、鞋印都是被有目的地伪造的话，上面的疑惑就都可以解答了。而在此之前的一环扣一环，都是一名刑警常规的"顺藤摸瓜"的方法，如果真是有人很了解刑警的办案模式的话，萧望就成了别人的棋子。

不管这是事实，还是萧望的臆测，萧望决定试他一试。

第二天，萧望开始大张旗鼓地"查询裘俊杰的动向"，反复出入于特警支队。虽然此时特警们都被派出去执行追捕任务，但是萧望还是装作一副案件很有进展的样子，忙忙碌碌的。

非常不巧的是，在萧望决定设下圈套的那一天，特警队突然都走空了，毫无征兆。当然，萧望后来也知道，这一天晚上，恰巧就是越狱大案的决战之夜，特警们都去抓捕逃犯 A 和 B 了，后来又去支援了萧朗和凌漠。萧望和萧朗这一对亲兄弟，同一天晚上，在进行着不同的任务。虽然他们互不知道对方的计划，但却无意中帮了对方一把："幽灵骑士"和帮凶两人分别去做不同的事情，失去了策应，才使得"幽灵骑士"落网。

萧望的计划是，把自己家在郊区的老宅伪装成裘俊杰的藏身之处，然后大张旗鼓地率队去抓。因为消息已经放了出去，即便没了特警，这件事情萧望也要去做。但萧望不能亲自去做，因为如果他的猜测都是事实，他正被身后的那双眼睛牢牢盯紧。

无人帮忙，责任就落在了母亲身上。

在萧朗回家偷车，并给母亲留下深情一瞥而离开后，其实傅如熙也随即出发了，带领着刑科所的技术民警。他们伪装成特警，在萧望的带领下，对萧氏老宅进行了"突袭"，结果当然还是失望而归。不过，真实情况是，在萧望命令收队的时候，老宅里留下了刑科所的两名年轻民警，他俩的职责是和萧望里应外合，抓捕尾随而来的"帮凶"。

后来的进展，一切都符合萧望的推测。夜幕降临的时候，身高和裘俊杰相仿的傅如熙穿着厚重的棉袄，把头脸遮得严严实实，鬼鬼祟祟地回了家。深夜之时，有人触动了萧氏老宅的大门，意图侵入。

相信这个人就是设计利用萧望找到裘俊杰的人，而他的目的是抓住或者杀死裘俊杰。可惜的是，毕竟不是侦查部门的民警，缺乏实战训练，在高度紧张的情况下，年轻民警贸然出击，导致那个黑影没有进门就夺路而逃。

而早已守在门外的萧望想里外夹击都没有能够实现，只能拼命追逐黑影。可是，萧望不是萧朗，他们之间的距离越拉越大，萧望只能眼睁睁地看着黑影在巷道尽头"跨"墙而出。

确实，黑影不是翻墙，而是"跨"！他是用一记惊人的跨栏动作，跨过了两米多高的院墙逃离了。

这个弹跳力，怕是到奥运会上也是无人能匹敌的。不过即便是在高速追逐之中，萧望也很清醒地端详了那个黑影。黑影并不是拥有惊人的跳跃力，而是在自己的脚底安装了某种高跟鞋状的机械，这个机械帮助他获得了高速奔跑力和跳跃力。

这一幕，让萧望不自觉地想到了南安师范大学老师赵健、李晓红之子被盗案[1]，那几乎是一模一样啊。

相仿到什么程度呢？

萧望追丢嫌疑人之后，立即返回老宅进行勘查。现场留下的足迹，是41码普通运动鞋的足迹。而嫌疑人打开大门的方式，是破坏大门的猫眼玻璃，然后伸进来个什么物件，打开了大门。萧望记得，在那一起婴儿被盗案的现场勘查中，也发现了少量碎玻璃。虽然当时不知道这些碎玻璃的来源是哪里，但现在想起来，和眼前的景象应该是一模一样的。

这人就是婴儿盗窃案的主犯，但这个人为什么要来找裘俊杰呢？据了解，裘俊杰的户籍上，一直处于未婚状态，又没有可以偷走的孩子。他花了这么大的力气绕着弯子去利用萧望找裘俊杰，说明裘俊杰一定有关键作用。而且，这一切，这个组织，和婴儿被盗又有着什么关系呢？

不管怎么说，眼前的一切印证了萧望的推测，他被别人一直盯着，而毫无所觉。下一步，萧望决定就从这里查起。

如果反省一下，萧望是什么时候被人紧盯的呢？最大的可能就是他调动沈阳警方，第一次对足浴城进行搜查、调查开始的。以此为起点，萧望

1　编者注：《守夜者》第一部中，这对夫妇的孩子在夜晚被盗，偷盗者轻松翻过了一人多高的围墙，躲过了身为体育老师的夫妻俩的追击。

整理了自己的行动路线，并且通过傅元曼的关系调取了大量的监控视频，期待从中寻找到一些线索。

最先发现线索的，还是沈阳北站广场上广角镜头拍摄到的高清图片。

在萧望去沈阳北站派出所临时证件办理处调查的时候，身后一直跟随着一个戴着鸭舌帽、穿着灰色卫衣的男子。虽然看不清眉目，但是萧望确定，"帮凶"就是他。

因为这个人的左耳萎缩到只有三分之一大小，形成了一个 U 形的肉疙瘩。而对跨越数十年的盗婴案了如指掌的萧望清晰地记得，在二十年前，曾经有个被盗的婴儿，其外表的描述和这个人出奇地相似：他的左耳是"豁耳朵"。

一个二十年前被偷盗的孩子，如今开始偷盗别人的孩子了？

第九章　校长的沉默

所谓世人，不就是你吗？

——（日本）太宰治

1

"机械！特殊的机械！"在萧望漫长的讲述之后，凌漠抓住了重点，"利用机械逃跑、利用机械开门，甚至利用机械伪装鼾声。"

"还有那个掉落的顶棚和出现故障的门闸，说不定都是这家伙动的手脚。"萧朗补充道。

"是的。"萧望点了点头，说，"这个豁耳朵应该精通机械，而且精通我们警察的办案思路，所以才会唱这么一出。我怀疑，那个鞋印，应该是他伪造了鞋底，并用机械伪装了成趟足迹。毕竟，那么多灰尘的厂房，如果有人在一旁伪造足迹，也必然会留下他自己的足迹。"

"太可怕了！"萧朗惊呼道，"可是这个偷盗婴儿的犯罪组织，目的究竟是什么呢？"

"而且还没有前科劣迹，查不到身份。"聂之轩说。

"等等，"萧朗突然说，"既然豁耳朵就是当年被盗的婴儿，为什么'幽灵骑士'和山魈都不是？他们可能都是一个组织的。"

"我觉得还是问问妈。"萧朗一边说，一边拨通了电话。

这一问不要紧，还真是问出了症结所在。因为公安部的前科人员DNA信息库和失踪人口DNA信息库居然不是数据共享的，也就是说，这两个数据库并不相连。"幽灵骑士"和山魈的DNA被获取后，都被录入了前科人员DNA信息库，却没有被录入失踪人口DNA信息库，当然不会比对成功。

发现症结之后，进展也就顺理成章了。

经过比对，"幽灵骑士"和山魈居然都是二十多年前在南安市及周边被偷盗的婴儿。

"幽灵骑士"名叫方然，出生于1995年2月7日，于1997年7月12日，在江南市长江区被盗。他的父母都是高科技研究人员。

山魈姓李，被盗的时候还没有落户口，所以没名字，出生于1993年12月17日，于1995年7月5日，在南安市安桥县被盗。她的父母都是农民，当时没有报警，是后来补录的DNA信息。

虽然山魈被盗案没有在萧望的那本"盗婴案"卷宗里出现，但是恰巧，山魈被盗的农历日期，居然也是六月初八[1]。要知道，萧望归纳出的连环偷盗婴儿案的一个重要规律，就是每逢六月初八，作案人就会去偷盗婴儿。

继而，萧望还提出，从他这几个月对盗婴案的研究来看，之前以为的基因选择什么的，似乎不正确。因为确实有的被盗婴的家庭只是普通家庭，并不存在优秀基因，而且有的被盗婴的优秀家庭，也是通过后天努力而成功的，和基因并无关系。

可是，既然不是选择优秀基因，那么这个组织偷盗婴儿的标准是什么呢？为什么被偷盗的婴儿长大后，似乎都有一些科学不能解释的能力呢？"幽灵骑士"可以集体催眠，山魈似乎可以易容，而"豁耳朵"也有着掌控机械的能力和超强的大脑。

即便是和基因有关系，那犯罪组织的操纵者又是怎么做到的呢？

这一切都不得而知。

守夜者组织似乎抓住了这个犯罪组织的一点点尾巴，而整件事情的轮廓似乎也开始慢慢暴露出来。但是，关于下一步如何找到"幽灵骑士"和山魈，甚至挖出犯罪组织，似乎并没有什么好办法。

为了保证万无一失，萧望让凌漠去暗中调查裘俊杰的资料。调查完才知道，裘俊杰出狱后一直隐藏在山区中当农民，平平静静地过着日子，没有做出不寻常的事件，最近也没有任何异常的情况。

---

1 编者注：在《守夜者》第一部中，萧望调查到的三十一起婴儿被盗案，都发生在农历六月初八这一天。

　　既然这样，萧望敏锐地感觉到，问题出在裘俊杰的那一大堆"杰出设计"上。毕竟，被"幽灵骑士"策划越狱的南安市看守所，就是裘俊杰设计的。

　　可是，即便知道这一点，下一步又该怎么去查呢？

　　此时，夜幕已经降临。虽然守夜者成员们看到了曙光，但并不知道光明何时才能到来。继续熬夜也没有作用，只有各自回寝室睡觉。

　　萧朗躺在床上，辗转反侧，无法入眠，可奇怪的是，他的脑海里并不是被那个神秘的犯罪组织所占领，相反，姥爷的一个讳莫如深的表情让他的心里总是在打鼓。在他二十年的人生当中，从没有见过姥爷出现这样的表情。

　　在调查阮风故意杀人案的时候，姥爷列举的类似的案件，是发生在1983年的一起案件。当时的调查者，是守夜者组织里的捕风者老董，董连和。在列举完案件之后，唐铠铠提出，为什么他们这些从小就听爷爷、爸爸辈讲破案故事的孩子们，都不认识这个曾经在守夜者组织里叱咤风云的老董。就在这个时候，傅元曼出现了那个让萧朗心里很不踏实的表情，敏感的萧朗总觉得这里面有什么他不知道的隐情。

　　如果不惹事，那就不是萧朗了。

　　见哥哥已经熟睡，萧朗悄声爬起。他的目的地，是位于训练场后方、大沙盘一侧的小红楼。因为他曾经听姥爷说过，这一栋小红楼，是原来守夜者组织的"仓库"。用现在的话说，它承担了存放档案和物证的双重功能。

　　既然姥爷不说、爸爸不说，这里面存放的档案总不会骗人吧。

　　经过一片漆黑的操场，萧朗蹑手蹑脚地向小红楼靠近。突然，小红楼二楼的窗户，闪过了一丝光亮。

　　萧朗的心中一紧，居然有人比他先进去了！难不成，是那个一直困扰他们的"内奸"？好嘛，本想偷偷摸摸地了解点情况而已，没想到天大的功劳摆在了他的面前。守夜者组织里这些人的身手，除了司徒霸，谁还是他萧朗的对手？

　　走近小红楼，萧朗更加确认了自己的判断。小红楼一直被一条银色的大铁链紧锁，因为一般用不上以前的档案和物证，所以这么长时间以来，萧朗还从来没见这条铁链被打开过。然而，此时的铁链已经被技术开锁打开，并放在了一旁。

萧朗弓着身子，直接上了二楼，直奔那个露出亮光的房间。房间的门虚掩着，一个黑黝黝的身影正伏在案前，背对着房门，用便携式手电取亮，专心致志地看着一本卷宗。萧朗闭住呼吸，三步并作两步蹿到了黑影的背后，在黑影还没来得及回头的时候，就用一个过肩摔把黑影牢牢按在了地上。

"内鬼，我逮到你了吧。"萧朗骑在黑影的身上，让他丝毫动弹不得。

"是，是我。"黑影在萧朗身下艰难地喘息道。

不论是谁，有多熟悉，此时的萧朗都不会轻易被骗开。但是听见这个声音，萧朗还是挪开了屁股，让黑影翻身坐了过来。

"我的天，你是有多重！"是凌漠的声音。

毕竟凌漠是和他一起共同冒着生命危险抓住"幽灵骑士"的人，换作别人，萧朗才不会轻易相信他。正是因为在那一起惊心动魄的战斗中，二人建立了战斗情谊，才使得他俩互相充分信任，虽然表面上并不友好。

"你来这里干什么？"萧朗厉声问道。

"你不也来了？"凌漠从地上爬了起来。

"我……我……我是看见这里有亮光！来抓内鬼的！"萧朗掩饰内心所想。

"你言语结巴，眼神闪烁，你在撒谎。"凌漠说，"你是来找董连和的资料的。"

这么私密的内心活动都被凌漠看破了，萧朗只有用沉默来回应了。

"我也是，老师也不愿提起他。"凌漠重新坐到案前，快速地翻阅着卷宗。

萧朗知道，这里的"老师"指的是凌漠的导师唐骏，而凌漠的内心和他一样，对这个老董充满了好奇。看起来他俩还真是一对活宝，总是能想到一块。不过，被揭穿还是挺尴尬的，于是萧朗只能旁顾左右而言他："你这阅读速度也太快了吧！能记得住吗？"

"记得每一个字。"凌漠简短地回答。

"这老董咋这么神秘啊？"萧朗随手从写字台上拿起一本卷宗翻看，感觉和老董并没有什么关系。

"我差不多已经搞清楚了，你没必要再看了。"凌漠把萧朗手上的卷宗抽回来，和案上其他的卷宗一起抱起，放回了档案架。

"那你有什么发现没？"萧朗急着问。

"没有，我想想吧，明天和望哥一起讨论一下。"凌漠站起身，把萧朗推出房间，小心地关上了大门。

老董，全名董连和，1946年11月生人，在他20岁的时候，从部队直接被选调进入守夜者组织，任捕风者。当时22岁的傅元曼是和老董同一年、同一批进入守夜者组织的，成为守夜者组织的第二代核心成员，两人关系很好。

十几年间，傅元曼用自己超出常人的判断力和观察力，担任守夜者组织的策划者，破获的大案、疑案、奇案不计其数。如果不是守夜者组织在成立伊始就被当时的组长老郑明确规定，组织成员不参与案件破获后的论功行赏，那么傅元曼能获得的功勋章恐怕多得都没地方挂。月朗星稀，在傅元曼的光芒下，老董显得有些跑龙套。

不过，老董并没有因此而丧失工作的积极性。他依旧十分努力地工作，并利用自己的特长，在不同的领域发挥着作用。比如之前说的那一起发生在1983年的杀人焚尸案，几乎可以说是老董凭借一己之力力挽狂澜。从1983年开始，到老董去世的1994年之间的九年间，老董开始慢慢发挥出自己捕风者的特长，和傅元曼遥相呼应、相得益彰，成为守夜者首屈一指的"双煞"。只是可惜了这个一代神探，仅仅活到了48岁，就英年早逝了，而且还不得善终。

他的悲剧也恰恰源自当年这一起杀人焚尸案。

当年叶凤媛在被老董追寻的证据锁链完全锁死退路之后，和盘托出了她的犯罪过程。如果放在现在，法庭要考虑到整体案件的前情，虽然叶凤媛满足故意杀人的全部要件，而且还有毁尸灭迹的加重情节，但是其动机是为了保护自己和孩子不受家暴。因为杜强有长期家暴的行为，且在石灰池摔倒的时候，还有家暴的可能，法庭会考虑对叶凤媛从轻判决。可是，那个年代的法律，要求从重、从快处置严重暴力犯罪。叶凤媛很快被法庭判处"死刑，立即执行，剥夺政治权利终身"[1]。

换句话说，"立即执行"意味着叶凤媛被从快剥夺了生命，连再看一眼儿子杜舍的机会都没有。老董抓捕叶凤媛，并被杜舍用青砖开瓢的那一刻，也成了杜舍母子永别的时刻。

而作为侦查机关一员的老董，并没有顾忌到叶凤媛的审判和执行情况。但是有点法律知识的人都知道，叶凤媛不判死刑，最起码也是个死缓或无期。对他来说，那个失去父母、没有亲戚的杜舍，实在是太可怜了。老董早年离异，自己独自拉扯儿子董乐长大，可以说是用心良苦。而且，1974 年出生的董乐，仅比杜舍大一岁。老董看着和儿子年龄相仿的杜舍纯净的眼神，自然会产生共情。

此时的老董，正忙着安排杜舍。在那个年代，社会保障体系不如现在完善，老董自己又不符合收养杜舍的条件，唯一的办法，就是南安市福利院了。老董动用了很多自己的关系，终于把杜舍安排进了福利院。

即使是这样，老董还是不能安心。从他自己的育儿经验来看，单亲家庭的儿童都有可能出现各种心理问题，更不用说失去父母的孩子了。福利院可以保障好杜舍的衣食住行，却不可能关注到他的心理问题。

无奈，对于心理学，老董也是知之甚少的。没有别的办法，老董只有在繁重的工作、照顾儿子的生活之余，抽出时间去探望杜舍，关注其心理问题，并渴望用陪伴的方式缓解其可能存在的心理症结。与此同时，细心的老董把每次探望、陪伴杜舍的过程都简要地记录了下来。看起来，除了工作、董乐之外，杜舍已经成为老董人生中另一个组成部分了。老董去世之后，日记被同事们找到，经过统计，在长达十一年的时间当中，老董去

---

1 编者注：现在已经没有死刑立即执行之说了，所有的死刑必须由最高人民法院核准后才能执行。

探望杜舍超过 600 次，平均每周都去过一次以上。

在三年后的 1986 年，21 岁的唐骏被招录进入守夜者组织。这个学习心理学的天才，一进入组织，就展现出他惊人的心理学功底，释放出了令人钦佩的能量。老董当然也注意到了这一点，所以在随后的探望中，老董有时会邀唐骏一起参与，一起对杜舍进行心理辅导。

然而，事实证明，效果是不佳的。仇恨的种子一旦萌芽，想要覆灭可以说是难比登天。

1994 年 2 月，还在过年的假期里。在家里安顿好刚刚考上警校、寒假归来的儿子董乐之后，老董独自一人再次赶去福利院。当时杜舍已经19 岁了，按理说应该成人独自走上社会了，但是在福利院里，杜舍学习成绩很差，并没有考上大学，又无处可去；他自己平时也是沉默寡言，不愿离开福利院。在老董的游说之下，福利院暂时给杜舍提供了一个职位，帮助福利院做一些图书管理的工作。在老董的前几次记录当中，反映出杜舍的精神状况像是出现了问题，会无缘无故地发脾气，即便是在静止的时候，也会出现肢体的轻微抖动。这一切都让老董非常担心。

根据唐骏的叙述，老董失踪的这一天，给他打了个呼机。要知道，在1994 年，拥有一台寻呼机已经算是非常时髦的一件事情了。可惜，当时的唐骏带着老婆正在农村老家拜年，找不到电话机回电话。现在分析，老董应该是邀唐骏一起前往福利院的。唐骏没能和老董一起去，老董也就没有能够再回来。

最先发现老董失踪的是董乐，在初一晚间老董还没回家的时候，董乐就去找了傅元曼。傅元曼动用了所有朋友、同事的关系，都没有能够找到老董，还是在正月初二的中午，返回南安的唐骏提出了老董可能去的地方——福利院。守夜者成员们当即赶往了福利院，发现果不其然，杜舍也失踪了。

当时，大多数人认为老董可能带着杜舍去某个地方散心了，毕竟当时还是春节假期，但唐骏敏感地感觉到，事情可能不妙。在唐骏的坚持下，警方在南安市进行了大规模的寻找，依旧找不到老董和杜舍的行踪。此时，唐骏又提出了新的设想。

正月初四，唐骏在董乐的帮助下，找到了老董记录杜舍成长情况的记录。他发现了一个可疑的地点。

当年在叶凤媛被枪决后，她的安葬问题也引发了很多麻烦。没有亲戚、朋友帮助处理叶凤媛的身后事，而当时杜舍只有八岁，也处理不了这些。最后还是在老董的帮助下，叶凤媛被安葬在距离福利院不远处的一座小山上。之所以这么安排，老董主要是希望杜舍没事的时候可以去祭拜母亲，可以把自己内心的愁绪在这里发泄，算是给杜舍安排了一个树洞吧。记录也证明，老董偶尔也会带杜舍到坟墓边去。

在唐骏的带领下，警方对小山进行了包围，并进行地毯式搜山。

虽然没有找到老董，但是却发现了关键线索——在距离杜舍母亲坟墓不远处，有一处小山洞。引起警方注意的是小山洞里居然有几根麻绳，而且麻绳之上，还有红色的斑迹。

技术人员对麻绳进行了勘查，提取到的是人类的血迹，血型是 O 型。而老董，是 O 型血，杜舍是 AB 型的。

一直在守夜者组织坐镇指挥寻找老董行动的傅元曼听见这个消息，心里咯噔了一下，他立即找来了女儿傅如熙。

我国 DNA 技术运用于侦查破案是从 1996 年开始全面推开的，但是在国外学习了数年生物遗传学的傅如熙早已知晓此方法。所以，在被分配至南安市公安局后，傅如熙就带领科研团队研究 DNA 检测技术在侦查破案中的作用。当时的局长敏锐地感觉到这项技术可能会给刑侦破案工作带来颠覆性的成果，所以打报告斥重金购买了 DNA 扩增仪 [1]。

当时大部分警察根本不知道这个东西有什么用，但当傅如熙负责任地表示，麻绳上的血迹就是老董的血迹的时候，守夜者组织内震惊了。

长达半个多月时间的悬赏开始了，一方面悬赏寻找老董，一方面悬赏

1　编者注：DNA 扩增仪，主要用于科研及临床、检案的基因扩增等功能。

捉拿杜舍。

在那座小山的背后，流经着一条河，统称三水河，流经南安的这部分，称之为南安河。这条河的水因为蓝藻污染变得污秽不堪。当时，唐骏曾表示要对这条河进行打捞，可是打捞难度实在太大，而且大部分人对老董的个人能力很相信，认为老董还不至于被一个十九岁的年轻人害死，所以并没有进行打捞。

可是，在半个月后，这条河下游的岸边，有人发现了一条断胳膊和一条断腿。又过了三天，另一条断胳膊和断腿在下游被发现。

经过傅如熙的检验，这四条断肢，都是老董的。

整个守夜者组织顿时沉浸在极度悲伤和极度愤慨的气氛当中。显然，老董被杜舍杀害后残忍分尸，然后被弃尸到肮脏的南安河中。一个十一年如一日，兢兢业业帮扶杜舍的人，就这样不得善终，而且因为最终没有找到老董的躯干和头颅，他都没有能够被全尸安葬。

愤怒变成了力量，守夜者组织成员们疯了似的查找杜舍，终于在一周后，在南京郊区的一座大山里，把杜舍抓获。

显然，这个十一年前曾经有着纯净眼神的儿童，已经在心里埋下了复仇的种子，这种子经过十一年的萌芽，终于破土而出。他承认自己杀害了老董，然后将他抛入了南安河，对自己的所作所为丝毫没有悔意。

虽然他一直没有交代自己的分尸行为，但是守夜者组织分析可能是老董被抛入河中，被那些在河面上运行的运沙船的螺旋桨给"分尸"了，所以这并不能成为矛盾之处。案件就这样被移交检察机关起诉。

事情在这里再次发生了转机。

检察机关依法对杜舍的精神情况提请了鉴定，经过南安市精神病鉴定委员会的鉴定，杜舍属于间歇性精神分裂症，有"限制刑事责任能力"。这个鉴定无异于给了杜舍一块免死金牌，因为根据法律，限制刑事责任能力意味着减轻处罚。最终，杜舍被判处无期徒刑、限制减刑、送金宁监狱执行并强制治疗。

守夜者组织内部一片哗然。

当然，哗然也是正常的。精神病鉴定本身就是一种主观性的鉴定，其结果取决于鉴定人本身的能力。而精神病鉴定的进行是要求在有精神病鉴定资质的精神病医院进行，鉴定人并不是公安机关的法医，所以，在很多时候，精神病鉴定成了犯罪嫌疑人的"免死金牌"。其实，精神病鉴定是需要把握一个主旨的，就是"社会功利性"。所谓的社会功利性，就是指杀人的行为，如果有目的、有利益，就不该被纳为精神病杀人的行列。比如，这起案件，杀人可以达到复仇的目的，这个就是有社会功利性的，即便杜舍真的存在精神病史，也不应该被纳为精神病杀人[1]。

总之，杜舍是不用死了，而且事实也证明，他好好地活到了现在，43岁，目前仍在金宁监狱里接受精神病的强制治疗。

当然，这期间还发生了一件悲惨的事情。1995年，在老董死后一年，杜舍被判决结束后不久，老董的儿子董乐，由于一起"飞机杀人案"，被判处死刑。

凌漠找了很久，也没有找出董乐杀人案的卷宗，对这一起案件的信息没有丝毫掌握。但是，凌漠坚信，这一起案件和杜舍杀害老董的案件有着紧密的联系，而且随后守夜者组织出现了二十多年的蛰伏期，也是和这起案件有着直接的因果关系。

一个与人为善的老董，就因为这样一个"农夫与蛇"的故事而失去了生命，还搭上了儿子的生命。在某种意义上说，老董是被灭门了。

这也许就是守夜者组织导师们对此事闭口不谈的原因吧。

2

"忘恩负义！"萧朗恨得咬牙切齿。

"等会儿，凌漠，你刚才说，那个杜舍是被关押在哪里？"萧望则从

1　作者注：当然，这只是包括笔者在内的一部分人的想法，并未获得业内共识。

沉思中醒来。

"金宁监狱，卷宗里是这样写的。"凌漠说。

萧望立即打开了公安办案协同系统，查询金宁监狱。

金宁监狱，位于沈阳市郊，1993年设计完成，1994年投入使用，被称为最密不透风的监狱。因为该监狱具有精神病强制治疗的资质，所以当年很多来自全国各地的有精神病疾患的重刑犯都被关押在此。

"金宁，是金子的金，安宁的宁吧。"萧望说，"这所监狱，是裴俊杰设计的。"

"获取图纸，为了复仇。"短暂的沉默后，凌漠最先做出了反应。

"可是，老董唯一的儿子已经被判死刑而且执行了，妻子也是早年离异，守夜者组织的老成员们一个个都有据可查，谁还有动机策划了这么大一场跨越二十多年的阴谋呢？"萧望说。

"也是。"凌漠低头思考。

"南安看守所和金宁监狱都是裴俊杰设计的。"萧望说，"这一切的一切，是不是都有所联系？"

此时，在守夜者成员们的心里，似乎都已经亮起了一盏明灯，他们知道，他们距离最后的答案已经不远了，可是不知道为什么，依旧还找不到头绪。

"你们在干什么？"唐骏推门走了进来。

这毕竟是守夜者组织年轻成员们的一次小范围秘密会议，导师们并不知道。所以在唐骏突然出现的时候，大家都吓了一跳，甚至还有些慌乱。好在唐骏并不是来揭穿他们的，而是来布置一项新的任务，而且看起来，唐骏并没有偷听他们的谈话。

"这个闹人的网络啊，真是一波未平一波又起，总是要想方设法保持热度，这不，又闹出事了。"唐骏把一沓材料扔在桌子上。

虽然此时的成员们都还沉浸在老董案的思考当中，但是现实任务是第一要务，所以他们不得不把自己从思考中解脱出来，处理新的案件。

唐骏开始是不太愿意接受这个任务的。毕竟，他已经离职很多年了，连警察都不是，也就是被赶鸭子上架来当当老师，往大了说也就算是个编外顾问。不过，在这个节骨眼上，把任务交给唐骏协调负责，是傅元曼对他的信任，而这种信任是不能被辜负的。

任务是接下来了，但毕竟一个心理学教授是没有执法权的，真正的调查工作还是要由守夜者组织的年轻成员们去完成。

事情始于一个爆料帖。

这个帖子的撰写人是一名十二岁女孩的单亲母亲，在网络上本来并没有多少影响力，但帖子发出后，迅速成为红爆一时的热点。帖子写得并没有多煽情，但可能是内容很容易博眼球，所以不知道怎么就火了。

帖子上称，自己的女儿今年十二周岁，初一，因为自己工作太忙，所以选择了一所私立封闭式中学——南安国栋中学，让女儿就读。所谓封闭式，是指孩子们周一入校后，学校便处于一种封闭式状态，孩子住校，学校有专人负责孩子们的饮食起居，外人，包括家长，除特殊情况外，也不允许入校。这样不仅仅省去了家长的麻烦，也培养了孩子的自理能力。因为有超高的重点高中升学率和极低的事故率，这算是一所管理模式优秀的中学，每年都会被教育局颁发各种奖项，家长们也很放心。

事情发生在三天前的周末，那也是寒假前的最后一个学习周。周五是期末考试日，在下午考完试后，孩子们被家长接回家。这个化名花花的十二岁女孩在坐上母亲驾驶的轿车后，就被母亲发现有明显的不对劲。

用专业术语说，孩子出现了共济失调，甚至连自己走路都很勉强，像是严重醉酒了一样。因为当时天降大雪，气候恶劣，粗心的母亲对自己的驾驶技术很是担心，所以开始并没有把这当回事。开车回家后，孩子似乎恢复了一点，然后母亲就询问她怎么回事，总不会是学坏，考完试喝酒了吧？

花花窝在沙发里想来想去，自己也说不清究竟发生了什么事。

即便是这样，还是没有引起母亲的注意。一直到花花意识渐渐清楚，去卫生间洗澡，母亲准备帮她洗衣服的时候，发现花花的内裤裆部有大片血迹。这一发现，让母亲差点儿没晕了过去，花花才十二岁！

难道是月经初潮？难道是男同学？无数个猜想在母亲的脑海里翻滚，因为她从来没有想过在这个平静的世界里，会有不堪入目、禽兽不如的事情出现。可是，非常了解花花的母亲知道，她的浑浑噩噩并不是在故意隐瞒着什么。

在被反复盘问后，作为班长的花花回忆起自己在考试后曾去自己的班主任——也就是南安国栋中学校长的办公室里，把期末考试的试卷统一封存在校长那里。她隐约记得，校长给她倒了杯水喝。

母亲一下子就炸锅了。

当天晚上，义愤填膺的母亲居然没有选择报警，而是在自己的微博里写下了这场遭遇，并且要求学校给个说法。经过一夜的发酵，第二天清晨，也不知道是啥原因，这条微博顿时引起了轩然大波。甚至在第二天一早，母亲到学校去讨说法之前，这件事就已经在学校的教职员工之中传遍了。

急性子的校长表示对此事毫不知情，并且赌咒发誓，差点儿给当事学生的母亲跪下来博取信任。在争执不下中，学校迎来了几名刑警。原来，因为网络的炒作，网警早就发现了此舆情，并且通过指挥中心指派辖区刑警队主动介入了此案。

经过询问，双方各执一词。

花花一口咬死，自己去了校长办公室，喝了杯水，然后意识全无，等完全醒过来的时候，已经在家了。校长则辩解说，自己确实在收取试卷之后，给花花倒了杯水，是想通过她了解一下班级同学的情况。整个对话过程都很正常，直到花花离开办公室，什么也没有发生。

既然这样，重任就交给刑事技术了。

南安市江北区公安分局派出女法医带着花花到了南安市第一人民医院妇科进行了检查，经过检查，确认花花处女膜完整，会阴部未见明显损伤。

不放心的刑警们，又提取了花花的会阴部擦拭物和带血的内裤送区公安分局 DNA 室进行了检验，经过检验，确认这两处检材里的 DNA 分型和花花认定同一，并未发现其他人，尤其是其他男人的 DNA。如果说花花当天洗了澡，可能遗失证据的话，那么内裤上的证据还是很可靠的。

证据是不支持花花母亲的推测的。

当然，警方也考虑过两个问题。第一，既然会阴部没有损伤，那么为什么内裤上有血？既然不放心医生的检查结果，警察又带花花去了市里医院进行检查，检查的时候，女法医全程在场，甚至拍摄了隐私部位的照片，并对检查过程进行了全程录像。确实，没有任何损伤。那么，这里的血，只有一种解释，那就是月经初潮来了。

第二，花花既然当天下午一直处于浑浑噩噩的状态，当然不可能是因为喝多了酒，很有可能是受某种药物的影响。可是警方提取了花花的血液和尿液进行理化分析后，未发现任何药物。当然这个也很好解释，毕竟报警是第二天的事情了，一个十二岁的青少年，代谢能力是很强的，一天的时间是可以把药物代谢殆尽的。

虽然没有证据，调查工作却不能放下。经过调查，校长名叫韦氏忠，今年五十八岁，投入教育事业也有三十六年了。这三十六年来，韦校长一直兢兢业业，从乡镇的民办教师开始做起，慢慢地成了全区、全市的优秀教师，再成为公办小学、中学的校长，可以说是桃李满天下。五十五岁的时候，韦氏忠受雇于国栋中学的校董事会，成为该中学的校长，并承担一个重点班的班主任工作。经过三年工作，他送出的第一批初中毕业生，升入省重点高中率为百分之九十八，也就是说全班五十个同学，只有一个上了市重点，其他全部上了省重点。花花这个班是他带的第二个初中班。

警方选取了一些他的同事、老领导、学生和家长进行询问，大家对韦校长的为人可以说是纷纷点赞，韦校长有着极好的口碑。评价中除了说他有一个容易着急上火的脾气之外，并没有任何不良评价。

那么，仅仅凭当事人的一句话、一条带血的内裤，是不可能立案的。于是，刑警队向花花的母亲出具了《不予立案通知书》，并且在微博上发布了调查通报。

讨说法没能讨着，听警察这意思，还是报假案？花花的母亲，还有大批看热闹的网民不乐意了，纷纷质疑。

即便有几个警察大 V 在微博上拼了命地辟谣、科普，但是效果还是不佳。

"如果没有用药，为什么会浑浑噩噩？"

"如果没有被性侵，为什么内裤上有血？"

"如果只是猥亵，而不是强奸，会不会查不出损伤？"

"如果洗了澡是不是就查不出他的 DNA 了？"

这只是问问题，还有一些"共情"的。

"如果不是真的被性侵，谁会拿自己的女儿出来说事？"

"听说花花妈去学校的时候，校长都差点儿跪下了，没干缺德事干吗要跪？"

"女孩才十二岁，怎么会说谎？我十二岁的时候从不说谎。"

"那杯水里肯定有问题，要求调查校长办公室里所有的水！"

更有一些看热闹不嫌事大的。

"人肉那个人渣！"

"这个学校学费超高，超有钱，为了息事宁人买通警察也不是不可能啊。"

"警方进行了妇科检查，要求公布检查的照片！"

"要求公布校长办公室的视频！"

"要求警方公布调查的名单，我们也要去调查！"

"现实版《熔炉》啊！"

甚至还有一些满口胡诌的。

"我大姨的邻居的儿子的高中同桌就是这学校毕业的，她也被性侵过。"

"这校长以前是镇里的，镇小学的女生有一半他都玩过。"

……

总之，整个网络上可以说是群情激愤，对公安机关的调查结果丝毫不信。遇到这种事情，警方还是很头疼的。所谓的公布女孩的隐私部位照片，那是绝对不可能的，这种作为证据使用的涉及隐私的照片，别说无关人等了，非办案人员都是不能看的。公布调查名单，那也是不可能的，毕竟作为警方侧面了解情况的证人，也是需要被警方保护身份的，不然得被电话骚扰到疯。至于监控，警方该调取的都调取了，但校长还不至于未卜先知地在自己的办公室里面装个监控。

涉及办案细节和个人隐私，警方都是会积极保护的。如果为了不被网民骂，就可以牺牲掉当事人的尊严和隐私的话，那警方也就太没有担当了。

可是，除了这些，剩下的就是警方的客观证据了。可是这些证据对网民来说是没用的，因为他们既然不相信警方，那怎么会相信警方的鉴定结论？

这就是一个比较突出的问题了：证有容易，证无难。

正当区公安分局宣传部门焦头烂额的时候，第二波网络攻击到来了。

最先被爆出的，是韦氏忠的个人资料。这份资料可以说是非常详尽，从韦校长个人的信息资料到家庭情况，从他的个人履历到获奖情况，再到他的家庭住址和联系方式，几乎面面俱到。若不是在网络上传播，给人感觉这就是一份个人履历表。

显然，这些资料一爆出来，韦校长瞬间倒了霉。警方知道他倒霉，是在他的信息资料被爆出来后的第二天。韦校长来派出所报了案。这时候的韦校长精神已经处于一种濒临崩溃的状态。他的电话根本不敢开机，一开机就是各种污言秽语的短信、微信，甚至电话会一直不停地响，接通了就是一顿对他祖宗的问候。这还是次要的，关键是他有家不能回，家门口总有几个人游荡，在他家门口用油漆写上"色狼""禽兽""败类"等词。甚至连韦校长的老婆和孩子也不堪其扰，躲去了外地找清静。

本来认为韦校长是个大好人的亲朋好友和邻居们，此时也禁不住"众口铄金"，开始对韦校长戴起了有色眼镜，觉得网民的意见还是要信一点的；对这个人，还是要离得远一点的。最让韦校长受不了的，平时和他走动最多的一个朋友，带着孙女在街上看到了他，一把把孙女就搂怀里了，生怕韦校长会对他孙女怎么样似的。

派出所也受案了，到韦校长家附近抓了两个写大字的人，拘留了几天。警方能做的，也就这些了。

其次，是两段视频。一段是事发当天下午，花花冒雪抱着一摞卷子走进校长办公楼的大门。另一段是二十七分钟后，花花跌跌撞撞地离开校长办公楼。

这两段视频不是监控视频，而是有人拿手机拍摄的。警方查了一下，查不到拍摄者是谁。但是这视频更是给了网民一些说辞：警察你说，如果不是校长动了手脚，这两段前后状态完全不一致的视频怎么解释？

再次，是一张照片。照片里是市领导和包括韦氏忠在内的校董成员们握手的照片，气氛显得格外亲热。这只是一张放在学校网站上的照片，题为"市领导亲切慰问我校教职员工，并表彰优秀教师"，照片上注明了市领导、韦氏忠，用以说明两者之间的亲密关系。网民们都确信韦氏忠的"背景"不一般，却并没有人去看看这张照片的出处。

最后，也是最具杀伤力的一波。一个圆脸的中年女人，在镜头前哭诉，说自己的女儿在小学的时候，曾经被时任某小学校长的韦氏忠长期性侵和威胁。

这段视频基本上是坐实了韦校长性侵女学生的"事实"。网民们都觉得韦校长长期利用自己坚实的"背景"做一些令人不齿的勾当，政府、公安都成了他的保护伞，受害者家属为了孩子考虑也不敢发声，以致他现在还逍遥法外。

虽然警方尽全力去寻找这个哭诉的母亲，但始终找不到她的真实身份。

一方面鉴于后来这些所谓的"证据"的蹊跷，另一方面也确实是顶不住舆论的压力，在省公安厅的介入下，南安市公安局正式受理，并复核此案。

未曾想，这一复核，还真就复核出了问题。

3

这里所说的问题，并不是韦校长有什么问题。

在经过了两天的复核后，市公安局刑警支队的侦查部门，几乎找到了原来所有可以做证的人，甚至找到了更多可以证实韦校长品行的人。但其实这是没有用的，因为网民可以说他是"道貌岸然"。

刑警们也尝试去找那些故意放出所谓证据的人、拍摄花花当天视频的人和那个在镜头前哭诉的母亲，也一样丝毫没有头绪。

这就有意思了，既然可以在镜头前哭诉自己女儿的遭遇、可以公布自己拍摄的证据，为什么就不选择去报警呢？甚至连警方去寻找，都找不到。这是一个挺矛盾的问题。

而真正发现确实有问题的，是萧望、萧朗的妈妈——萧闻天的老婆傅如熙。

显然，复核案件不可能仅仅是重新调查。为了防止下级公安机关有舞弊现象，或者因为能力有限而出现鉴定错误，所有的鉴定还是要重新做一遍的。

花花会阴部没有损伤这一点，倒是没有争议，毕竟区公安分局的女法医在妇科医生对花花进行妇科检查的时候，进行了拍照，并且录像。如果真的有隐瞒下来的损伤，视频里也就完全暴露了。

有争议的，是内裤上的血。

区公安分局DNA检验师的工作流程是这样的：拿到嫌疑内裤，对内裤上的血迹剪取了三小块，直接进行前期处理，并放进了机器，得出的结果是，未见男性DNA基因型，DNA基因型和花花本人一致。

在傅如熙的眼里，这样的操作，是不完善的。

1996年DNA技术开始在全国推广以后，迅速取代了血型鉴定技术。因为血型鉴定只能排除、不能认定，所以在可以直接进行同一认定的DNA检验技术面前瞬间失去了它的功效。可是，这不能说它是无用的。

以前，在血型鉴定之前，要先进行预实验，考虑是血之后，再进行确认实验，确定这个斑迹就是血，然后进行种属实验，确定是人血，最终才进行ABO血型的鉴定。而现在，DNA实验室把前面的步骤几乎全部省略掉了。因为很简单，如果不是血，就做不出DNA，如果不是人血，就做不出仅仅属于人类的DNA图谱。所以，看起来，那些费事的步骤是没有用的。

对可疑斑迹进行预实验、确认实验的，基本都是法医在现场发现了斑迹，做一下实验，这样可以保证送检的检材是有效的。

而在这个案子中，这个环节就被忽略掉了。

送检的办案人员认为，这条内裤上不是血还能是什么？所以并没有进行前期实验。而 DNA 检验师们，直接把检材放进了机器做 DNA，也确实做出了 DNA，那么这不是血还能是什么？

他们忽略了一点，内裤上的分泌物，也是可以做出 DNA 的。

严谨的傅如熙，依旧保持着良好的职业习惯。虽然送到她这里来的检材 100% 都是没问题的，但这并没有让她轻易省略掉工作步骤。傅如熙按照操作规程，剪取了小块内裤，进行了血迹的预实验，结果是，阴性。傅如熙很是惊讶，于是又剪了一块，还是阴性。确证试验，依旧是阴性。

通俗点说，内裤上没血。

DNA 的结果，是内裤上黏附的分泌物的 DNA。

既然不是血，那这一大片红色又会是什么呢？傅如熙连夜叫来了理化部门，对内裤上的红色斑迹进行了理化成分的分析。

结果是：甘油、酒精、甲醛、树胶、抗氧化剂、酸性大红等。

通俗点说，这和红墨水的成分一致。

所以，没有损伤，没有流血，更没有之前推测的月经初潮。

看似这对案件的办理并没有多少帮助，这个红墨水并不能帮助警方证明花花没有被性侵。

但随后出现的问题是比较大的。红墨水是从哪里来的？总不能是写作业不小心滴进内裤里的吧？而且从对韦校长办公室的勘查记录来看，也没有红墨水，都是中性笔，现在哪还有人用红墨水？

难道，这是一起"碰瓷"案？

难道，是花花的母亲为了讹学校？

显然这是不可能的，因为从对花花母亲的调查来看，她是一个比较成功的女企业家，有自己的企业，挣钱也不少。能上得起这种私立中学的家庭，显然也不差碰瓷能骗来的那点钱。

或者，是花花自己动的坏心眼，想达到某种目的？

显然这也是不可能的，因为事情发生了这么久，即便是使用了化名"花花"，但还是有很多人可以对号入座的。这对于一个刚刚步入青春期的少女来说，得不到任何好处，只有坏处。

那就是，这个校长得罪了谁？

显然这同样是不可能的，因为之前说了，调查了那么多人，都说韦氏忠是好人，并没有发现有社会矛盾的存在。

这就解释不通了。

解释不通也就罢了，事情并没有停止恶化。在傅如熙和理化部门民警通宵检验的时候，韦氏忠居住地辖区派出所在半夜里接到了报警：韦校长跳楼自杀了。

傅如熙接到消息后，立即电话告知出勘现场的同事，希望他们打起十二分精神，防止有隐藏命案的发生，毕竟，韦氏忠有一个想陷害他的仇家的这种可能性是很大的，那么用自杀的方式隐藏杀人行为也不是不可能。

不过，傅如熙多虑了。经过现场勘查，韦氏忠是在自家阳台上坠楼的，现场是个封闭的现场，排除了其他人侵入的可能性；起跳点痕迹物证证明韦氏忠是自己搬了凳子，踩着凳子越过阳台栏杆而坠楼的；尸体上也没有可疑的附加伤；甚至，现场还有一封遗书和一部警方抵达时显示屏仍亮着的手机。

显示屏上显示的是关于此事的一条微博，在微博的热门评论里，尽是之前说的那些暴露韦氏忠身份的信息以及所谓的证据，而最新进入热门评论的，是暴露韦氏忠妻子、孩子详细信息的跟帖。这就意味着，从明天天亮开始，韦氏忠躲去外地的妻子、孩子将会面临大批网民的言语攻击。攻击自己还可以忍，但连累家人，这让本身就是个急性子的韦氏忠的精神彻底崩溃了。

遗书经过文件检验，确认是韦氏忠在自然状态下书写的，遗书的内容很多，总结成一句就是："只有以死证清白。"

然而，校长的死并没有证明清白，因为第二天一早，他的妻子、孩子果然"如约"遭受到了攻击。好在网警早已发现这个苗头，不得已地开始了删帖活动，同时政府也安排工作人员对韦氏忠的妻子、孩子进行心理疏导，确认他们信任韦氏忠是清白的决心。不过网警、政府的工作量并不大，因为这个热点舆情可能是因为韦氏忠的死亡而迅速自动平息了。

不过，毕竟有一条人命丧在了网络暴力的手里，而且，这个事件、这一场网络暴力，又是谁策划的，还未可知。

究竟是不是花花和她的母亲策划了这次事件，是最先需要被确认的。要查清这个问题，除了对花花母亲的经济条件、社会矛盾进行调查之外，还要搞清楚一个事实，那就是这个十二岁的孩子，当时浑浑噩噩的状态究竟是不是真的，因为毕竟没有通过理化检验进行确认。

因为有当时花花离开校长楼的视频，视频上的她看起来并不像是装的，所以傅如熙所在的法医部门，又对当时妇科检查的录像进行了研究。

这一研究不要紧，还真是发现了问题。在妇科医生对花花进行检查的视频中，傅如熙出于一名 DNA 检验师敏锐的观察力，发现花花的臀部似乎有个黑点。她对其会阴部的特写照片进行观察，果然确定花花的臀部上，有一个类似针眼结痂的痕迹。

这个发现，不仅仅是确认了花花可能被注射了致幻剂而导致意识模糊。而且，细心的傅如熙发现，这个针眼是三角形的！

丈夫和儿子们都在守夜者组织里工作，傅如熙不可能不知道有个行踪诡异的、被守夜者追捕的嫌疑人喜欢用三角形的注射器针头。

所以，在傅如熙的建议下，案件交到了守夜者的手里。

"原来网络暴力是真的可以要命的！"萧朗唏嘘道，"一帮看热闹的人，逼死了一个无辜的人，可怜，可悲。"

而萧望则冷静许多，他一直在埋头看卷，最后总结一句："山魈作案的可能性有多大？"

"这就不好说了。"程子墨嚼着口香糖说，"和山魈有关的案子，看起来互相完全没有关联性啊。她总不会今天杀个人、明天害个人，纯粹是为了自己的兴趣爱好吧？"

因为案件缺乏关联性，所以这个看起来类似三角形的针眼疤痕并不能说明什么。

萧望也不深究，接着说："花花的口供有问题啊！"

"什么问题？"凌漠好奇道。

"前后几次口供出奇地一致。"萧望说，"甚至一字不差，就像是背下来的一样。而且，你们想想，既然这事是真的，她当时处于那种浑浑噩噩的状态，还能记得那么多事情吗？甚至连校长倒水、倒水的杯子是什么样子都记得？"

"按照常理来说，导致花花这种状态最可能的药物，是致幻剂。"聂之轩说，"这种药物是有可能导致她在服药之后，对服药前后这一段时间的记忆出现缺失。"

"你的意思是去调查花花和她妈？"萧朗说，"之前不是说她们有经济实力，一般不会去碰瓷么？而且真的被致幻了的话，就可以排除她娘俩的嫌疑了。"

"我是这样想的。"萧望说，"如果花花母亲一开始只是想讨个公道、查个事实，自己都没有想到事情会闹这么大，那么，为了面子，尤其是现在韦氏忠居然自杀了，她为了避责，必然会要求花花把证词咬死的。"

"明白了，所以需要我们去'忽悠'花花，毕竟是个孩子嘛，要从她嘴里'忽悠'出实话。"萧朗点头道。

"解铃仍需系铃人，从她入手是唯一的办法。"萧望合上了案卷。

"我去。"萧朗呼的一声站了起来，随后又想了想，指着凌漠说，"我和凌漠一起去。"

"要去你一个人去。"凌漠头也不抬。

"你们去的话，怎么开口？直接问她有没有被性侵？"萧望呵呵一笑。

萧朗这时候才反应过来，他去自然是不合适的。既然他去不合适，那么这个任务自然而然地就落在守夜者组织的两名女成员——程子墨和唐铠铛的身上。

叛逆的程子墨和害羞的唐铛铛，显然都不是询问当事人的最佳人选，可惜，除了她们，其他人都不合适。不管怎么样，还是要试一试的。一人为私、两人为公，去两个人是必须的；而且，不能当着花花母亲的面去询问，因为那样做，就丝毫没有用处了。

萧望提出了一点，根据刑事诉讼法的规定，询问未成年人，需要有监护人在场。所以，依照法律，程子墨和唐铛铛此行的目的，并不是去获取口供，而是从孩子的嘴里问出可以顺藤摸瓜的线索。

然而，这两个不是最佳人选的人选，却完成了这个艰巨而重要的任务。完成的方式，也是不可思议的。

守夜者组织牢牢抓住了花花母亲的作息时间，基本是早出晚归。而此时的花花，已经放了寒假在家，这无疑给二人提供了询问的最佳时机。

花花是一个漂亮而且精明的女孩，在程子墨和唐铛铛亮明身份后，她邀请二人在家里的客厅坐了下来。不过也就是坐了下来，肯定是有过准备的花花，在母亲不在场的时候，一言不发。就算程子墨使出浑身解数，花花还是不说半个字，爱理不理地专心玩电脑游戏。

越是有所防备，越是有问题。

程子墨和唐铛铛都是这样想的，但却拿她没有办法。

"你玩的这是什么游戏啊？"唐铛铛注意到花花正在玩的电脑游戏，总是在一个关卡无法通过，反反复复的已经十几次了。

"网游，瞎玩。"花花又失败了一次。

"要不，让我试试？"唐铛铛试探道。

花花疑惑地看了唐铛铛一眼，让开了电脑前的座位。唐铛铛坐在了电脑前，立即就像是换了个人似的，双手灵活地在键盘上舞蹈着，十几分钟后，唐铛铛对女孩说："其实，我不会玩这个游戏，不过现在，我打赌你能玩通关。"

失望中带着疑惑的花花重新启动了游戏，果不其然，她顺利地通过了那个关卡，又顺利地通关了整个游戏。一直在身边拽着即将暴走的程子墨的唐铛铛，默默地等到了她通关的那一刻。

"姐姐你真厉害。"花花应该是比程子墨更早看透了门道，"你们真的想知道吗？你们知道以后，不会和我妈妈说吗？"

希望之门打开了。

真相一旦决堤，很快就在花花的口中如洪水一般泛滥而出。

和萧望推断的情况差不多，花花隐瞒了一部分事实。当天，花花把卷子送到校长办公室的时候，校长确实倒了杯水给她喝，并且和她聊了一会儿，这些供词都是真实的。被隐瞒的，是后半部分。根据花花讲述，她后来想起，聊完之后，她似乎离开了校长办公室，并且在走廊里遇见了一个阿姨，似乎是初二的年级主任，不过这一点她不能确认，因为那一段记忆已经很模糊了。但她清楚地记得，那个阿姨的额头上有一个圆形的小凹陷。

这一段隐瞒下来的证词，看似简单，但实际上并不简单。因为这至少可以证明，花花顺利地离开了校长办公室，而且遇到了比校长更可疑的人，距离失忆点越近的人，就越可疑。而且从这一段证词来看，校长真的可能是无辜的。

走出了花花家，程子墨第一时间向萧望进行了报告，并且向唐铛铛问了个问题："她玩通关了游戏，就信任你了，你是怎么做到让她通关的？"

唐铛铛则害羞一笑："你知道什么是外挂吗？"

一个临时做出来的外挂，征服了一个小女孩的心，获取了一个重要的线索，值得了。

可是，在她们返回守夜者组织的时候，希望似乎落空了。因为根据第一时间的调查显示，初二年级的主任胡春丽当天并不在学校，有充分的不在场证明。

而且胡春丽和山魈，一个胖，一个瘦；一个方脸，一个瓜子脸；一个高颧骨，一个平颧骨；一个双下巴，一个尖下巴。从花花的供述来看，这不像是山魈的本来面目。

"这就奇怪了，所谓的年级主任不在学校，而学校又是封闭式的，外人进不去，什么情况？"萧朗打着哈哈，"不过山魈会易容啊。"

"有针对性的仿造容貌我是不信的。"聂之轩说，"如果说她有可能可以改变容貌的话，那么有针对性地仿造容貌是科学不能解释的。不然的话，人脸识别还有什么用？"

"花花说的是'似乎'，她也不能确定。"程子墨耸耸肩，说，"毕竟你说过，用药前后会有记忆缺失。"

"她还说了，那人额头有个小凹陷，那个年级主任有吗？"唐铠铠补充道。

凌漠摇了摇头。

"凹陷？酒窝吗？"萧朗问。

这一问让聂之轩一口水直接喷了出来："你的酒窝长额头上啊？这种特征用法医学术语说，是'骨质凹陷'。有的人天生会有小灶性的颅骨外板凹陷，有的人头部受过伤，也会留下凹陷的痕迹。这种凹陷是骨骼决定的，不是酒窝那种软组织决定的。"

"你们记得美发店的视频吗？"凌漠突然说。

4

凌漠的记忆力真的不是吹的，即便是再不起眼的特征，也能够印在脑海里。

在当时发现山魈打工生存地点的时候，守夜者组织曾经调取了那个美发店的监控录像。根据守夜者成员们分析，那个山魈，才是山魈的真实面目。然而，因为她可以改变自己的面目，所以这个所谓的"真实面孔"似乎并没有多大用。而成员们更多的注意力是集中在萧朗提取回来的那个鱼丸拉面盒子上的 DNA，毕竟，DNA 是一个不可变的要素。

因为没有引起重视，所以大家并没有注意到山魈究竟有什么面部特征，在大家看来，因为可变，所以无用。

而凌漠却依稀记得，那张山魈本来的面目上，似乎是有个"骨质凹陷"的。

毕竟美容店的视频量很大，记录了很多镜头，也有山魈经过摄像头前的镜头，所以在唐铠铠调取出近距离视频，并进行单帧截图后，大家都恍然大悟。

那个花花口中像是年级主任的"阿姨"，应该就是山魈！山魈又出来作案了！

这个发现大大激发了守夜者组织成员们的积极性，一个普通的网络热点案件，居然和他们百思不得其解的案件扯上了关系，看似已经断掉的线索，居然鬼使神差地又接上了！

而且很多不可思议的点也都解释通了：为什么花花会误认为是年级主任，为什么会有一个莫名其妙的妇女出来在视频前哭诉自己的遭遇。这一切都拜山魈的易容技术所赐。

可是，山魈为什么蛰伏三年多又要出来逼死韦氏忠呢？韦氏忠不是号称与人为善、没有仇人吗？那么山魈的动机又是什么呢？

看起来，这应该是案件的突破点。可是萧望却没有选择把守夜者的兵力铺在调查动机上，这项工作他通过萧闻天布置给了南安市公安局刑警支队去做。

接下来，萧朗提议对年级主任进行调查，毕竟山魈可能是在模仿她。为什么会模仿她，会不会是和她很熟呢？但这个想法被萧望否决了，萧望觉得，如果是有针对性的模仿，一定会彻底栽赃，那就会找个当天在学校的人，这样就可以隐藏她的易容线索了。而且，年级主任的办公室并不在校长楼里，这样也容易暴露现场。加之聂之轩确认，有针对性地易容，是不科学的。所以，萧望觉得，让花花觉得山魈像是年级主任，只是一个巧合。

最好的切入点，还是学校。

成员们最先来到了学校，对学校的周边环境进行了考察。说老实话，这个封闭式的学校建得有点像牢房。四周都有两米多高的高墙，为了防止学生夜间翻墙出校而造成安全问题，围墙上还架起了铁丝网，另外，四周都有完善的监控摄像探头直通保卫科的实时显示屏。学校唯一的出口，就是带有保安室的校大门。

校长楼位于学校的角落，是一栋三层小楼。这栋楼里，除了校长、副校长、办公室主任的办公室以外，还有校档案室和校史馆。毕竟是校长室，所以这栋楼内外的监控是最少的。看来看去，仅有的三台监控，都不能完全覆盖校长楼的出入口和走廊。

在对学校进行考察的时候，唐铠铠调取了校长楼附近的三台监控记录。可惜，完全找不到任何可疑人员的影子。当然，只要稍微瞄着一点，进入校长楼可以完全避开监控。

而从拍摄到花花进、出校长楼的角度看，正是一个没有监控的角落。既然是一起蓄意诽谤的案件，那么嫌疑人山魈躲在这个角落里拍摄她进门，再跟进去迷晕花花，再先一步出门拍摄她出来就可以了，并没有操作难度，也不会被监控记录。

这条捷径行不通。不过，好在学校真的封闭得很好。

如果说花花当时意识不清，会把易容了的山魈当成年级主任，那大门口看起来猴精的保安小哥，绝对不会犯这样的错误。既然学校是封闭式的，那么任何一个进入学校的陌生人，都必须经过保安小哥这一关。

这件事情闹得很大，但群众都不知道有"蓄意作案"这一情节。大多数人，包括保安小哥都为校长被舆论逼死而唏嘘不已。突然有警察来问事发当天有没有其他人进入，他顿时就精神了起来。

经过仔细回忆，保安小哥反映，当天确实进来过陌生人。按照学校的条例，是不准陌生人进入的，可是这个陌生人说自己是来送文具的，而且她确实背着一个装满了文具的双肩包。这很好理解，虽然是封闭式的学校，但是学校里的教职员工还是需要生活的。学生们的日常生活用品、文具等，也都是依靠外界送进来的。所以来送菜、送文具、收垃圾的人进出校也都是每天会发生的事。而且，老师们电话订购这些用品，显然也不会事先通知保安。不管有多封闭，这毕竟只是个学校，而不是监狱。

这一线索让成员们欣喜万分，他们立即调出了当时的校门口监控。果真，一个穿着灰色卫衣和暗绿色长羽绒服的女人，在保安室门口和保安说着什么。

唐铠铠现场对视频进行了处理，把女人的面部图像放大。显然，她又进行了易容，并不是美发店拍摄到的本来的样子，而且，乍一看去，确实很像花花口中的年级主任。

"胡春丽主任？"保安小哥一听，立即否认道，"不不不，怎么会是胡主任？我确定不是她。"

这就是熟人和生人的区别，即便面容确实有几分相似，但是身型、步态、声音、举止都是完全不同的，所以保安小哥可以一口否认，而花花只能含糊其辞。

山魈在特定的时间点进入，又在特定的时间点离开。成员们基本已经确定了她的作案过程：随意易容，并以送文具的借口进入学校；在校长办公室附近蛰伏，直至花花独自一人进入；等花花从校长办公室出来，在走廊的隐蔽处对花花进行搭讪，趁其不备对其进行肌肉内注射致幻剂，导致花花暂时昏迷；昏迷后，山魈在花花内裤上滴上了红墨水，并潜伏在楼外，拍摄花花离开时的状态。

如果山魈真的对花花进行猥亵行为的话，恐怕校长更是跳进黄河也洗不清了。为什么没有进行进一步的动作，守夜者成员们的分析是，这个山魈还是有良知的，她的目标是韦氏忠，不想殃及其他人。或者，她能体会到作为一个女性，真的被侵害后的感觉。

而且，在旅社老板被杀的现场，即便是房子已经被拆迁，她还会定期去烧纸祭祀。这个动作，就说明了在她的内心里，良知还没有完全泯灭。

可是，分析出山魈是嫌疑人、分析出她的作案过程，似乎对案件的破获并没有多大的用处。勘察完学校里的环境，并没有给成员们带来惊喜，案件的侦破工作仍处于僵局。

关键时候，唐铠铠又提出了意见。

唐铠铠说，有一种生意，叫作网络水军。一个网络话题出现，即便非常吸引人眼球，如果没有大号转发或者幕后推手操纵，也是很难成为网络热点的。有一种人，就是做这种生意的。他们操纵了大批水军账号，对某一个话题进行转发和评论，操纵这个话题成为热门话题。而一旦上了热门榜，就会被更多的人看到，包括那些吃饱了没事干，所谓正义的键盘侠。

从接手这个案子开始，唐铠铠就注意到了这个舆论热点的不正常。大批量水军账号在话题初期进行推进，连转发评论的话都差不多。然后在韦氏忠死亡后，热点又莫名其妙地平息了。这说明这个话题一直被网络水军所操纵，达到目的后，话题就结束了。

于是，唐铠铠对初期进行推进的网络水军账号进行了分析，很多账号虽然使用了IP代理，但是依旧能够指向一家叫作南安市热潮文化传媒有限公司的网络公司。

在这个年代，网络水军之所以会在网络上横行霸道、操纵舆论，就是因为其隐蔽性。因为很难获取犯罪证据，在疑罪从无的原则之下，难以对他们进行打击。

不过，网络水军推进一个事件，那是需要收钱的。如果一切都像守夜者组织成员们推测的那样，那么在这个案子里，花钱买水军的，只有可能是山魈。

不管有没有结果，这是现在唯一还能被守夜者抓住的线索，所以不管怎么样，都要去这家公司看看。

热潮文化传媒有限公司的办公地点是在南安市财富广场写字楼里，这里是南安市最大的写字楼群，每栋写字楼的占地面积都很大。但是这家公司的门脸倒是不大，只有三十多平方米，三四个人在里面办公。

萧望亮明了身份，对公司的情况进行了了解。

公司的工作时间似乎说明了他们并不是干多么正当的活。他们每天午后开始上班，一直工作到午夜，而上午竟然不是工作时间。干什么活，需要大晚上偷偷摸摸的？

萧望也不掩饰，直接向公司老板说明了来意。

"这怎么可能的啦？我们是合法公司，做合法生意的啦。什么网络水军？我听都没有听过的啦。"操着广东话的老板辩解道，"不信我可以公开我们的数据库给你看。我的微博、微信都可以给你看啦，你看有没有人给我们打钱买水军啦。"

不出所料，这个公司老板自信有着隐蔽的手段，所以并不会承认。尤其这是一个导致人死亡的案件，一旦承认，就等于把自己弄进牢里去了。

唐铛铛也是不客气，花了一个多小时的时间对这家公司的服务器和账户进行了检查。

一无所获。

很显然，他们赚钱的手段藏得很深。

不过，这在萧望的眼里并不算是坏事。萧望认为，很多人购买热门话题，或者购买水军的行为，会在网络上进行，因为他们不愿意暴露自己的真实身份。可是这个网络公司老板如此自信没有留下网络痕迹，正是因为他们的交易根本就不会留下网络痕迹。

一个可以易容的人，与其在网上邀约，不如亲自前往。

萧望推断，在花花母亲周五晚上七点半发布微博之后，山魈就应该前往该公司，进行了交易。

写字楼里是有监控的，但是悬挂点太高，根本看不清进出的人的容貌，而且山魈还会易容。虽然是晚间，但是一栋楼里几十家公司，加班的职员也是不少，如何判断谁才是山魈呢？

好在发帖距离事件发生的时间间隔不长，现在又是冬天，萧望判断，山魈既然敢来，自然是对这里并不设防，更不会更换衣物。守夜者组织成员们，只需要在视频里等待那个穿着灰色卫衣和暗绿色长款羽绒服的女人出现就可以了。

在财富广场保安部的监控数据库办公室里，几名成员目不转睛地盯着屏幕里的视频影像。时间跳到了周五晚上八点十分，萧朗突然跳了起来。

"来了！来了！看到了！"萧朗大声叫道。

萧望做了个"嘘"的手势："看她进来不重要，重要的是看她出去。"

成员们纷纷屏住了呼吸，等待着山魈的离开。

半个多小时过去，山魈重新出现在了视频里。她显得很轻松，在大门口四周看了看，然后推开玻璃门，走了出去。

"快，切换这个时间大门口的视频。"萧望指着屏幕右上角的时间。

写字楼的外墙上装着一个监控摄像探头，可以覆盖楼前广场的全部范围。

山魈悠闲自得地穿过广场，来到广场边缘，在一排摆放整齐的共享单车旁站了一会儿，然后骑着一辆共享单车向东北方向离开了。

"走，我们去皮卡丘里。"萧望兴奋得面颊通红。

皮卡丘里是守夜者组织专用的操作室，在那里，用守夜者组织的专享账号，可以调取南安市任何一个监控摄像探头的视频影像。既然成员们已经知道了山魈的逃离方向，那么根据这条路线上的高清交警摄像探头，就可以找出山魈的逃离路线。

唐铠铠操纵着电脑，萧朗开着皮卡丘，引着万斤顶按照山魈逃离的路线一直前进，七弯八拐地开进了一条胡同。

视频显示，山魈就是在这里停下了共享单车，徒步走了进去。

可是，这是一大片居民区，山魈又是住在哪一间房呢？

萧望的脑子紧张地转动着，现在该怎么办？是不是通知特警包围这个区域？看起来这个办法并不好。一来这片区域实在太大了，不来个几百人根本就无法包围，即便是包围了，又怎么找出山魈？二来守夜者组织内部，不能排除有泄密的可能，如果特警被调来之前消息走漏，山魈就会轻易逃离。三来是萧望追捕"幽灵骑士"的前车之鉴，如果"嗜耳朵"也在暗中保护山魈的话，那他们的一举一动就真的可能打草惊蛇了。

问题是，现在怎么办？

"我们可能忽略了一个问题。"凌漠打破了沉默，"共享单车是需要手机扫描二维码才能开锁的。"

"对啊！她和'幽灵骑士'一样，是用诺基亚的。"萧朗说，"按键机怎么扫描二维码？"

　　"诺基亚肯定是他们组织内部之间联络的专用手机。"萧望拍了一下自己的脑袋，说，"而扫码用车的，肯定是山魈的另一部私自置办的智能机。如果说诺基亚手机的号码和信号被他们进行了加密处理，避免被我们发现的话，那山魈的这部私自置办的智能机，一定是不设防的！"

　　说话间，唐铛铛已经调取了一路走来最清晰的一个视频截图。截图里，穿着深绿色羽绒服的山魈骑着一辆编码为"019764"的黄色共享单车。

　　"查找当天使用这辆车的手机号码，我们就可以把山魈给定位出来了！"看着越来越接近的谜底，萧朗的声音都发抖了。

第十章　最后的照片

任何命运，无论如何漫长复杂，实际上只反映于一个瞬间：人们大彻大悟自己究竟是谁的瞬间。

——（阿根廷）博尔赫斯

1

"你不是能分析出人藏在哪儿吗？"看着唐铠铠正在紧张地处理着定位，萧朗用胳膊肘戳了一下凌漠。

和抓曹允的现场不同，现在在大家面前的，是一大片繁华的居住小区，一眼望去，至少能有千余户居民。在一个废弃的小区里找到曹允的藏身之地，准确率是可以达到很高的，但是在这里想找到山魈，显然没有那么容易了。

唐铠铠面前的显示屏上，定位点正在不停地闪烁，周围的地图在慢慢放大。这个小红点，在一块正方形的中心停止了闪烁。

"哎？这里怎么和周围的楼房不一样啊？"萧朗指着正方形的图形说。

"嗯，居民楼的卫星图都是长方形的，这里显然不是居民楼。"萧望让唐铠铠把地图再次缩小，"你们看，这里位于居民小区的中央。"

"开发商为了保证周边居民生活方便，将原本位于小区中央的水塘重填，并加盖了每层高五米、使用面积共10000平方米的两层高的生活超市。"凌漠一边翻着百度一边说，"哪是什么为了居民方便，就是为了赚钱吧。"

"她在超市买菜！"萧朗跳起来说道。

"我们需要赶紧出发。"萧望说，"这不是一般的嫌疑人，她会易容，一旦进了居民区，连摸排都摸不出来。超市说不定是最好的抓捕现场。"

"真不等特警？"凌漠问。

"怕是来不及了。"萧望说，"我们徒步进去。行动！"

萧望和萧朗冲在最前面，凌漠、聂之轩和程子墨紧随其后，唐铠铠手持随身定位仪殿后。抓捕工作肯定比想象中要复杂，因为现有的移动定位装置并不能定位精确位置，有个几十米的误差是很正常的。几十米的误差范围，也就只能确定山魈是在超市里头罢了，具体在超市的什么位置，就要靠人眼定位了。

可是，山魈会易容，在这种昏暗的光线下，她额头那个小小的骨质凹陷也很难被发现。此时的萧望也不知道下一步该怎么办，只能一边快步行走，一边思考着如何实行抓捕。

走了五六分钟，和周围居民楼间距显得有些拥挤的生活超市出现在眼前。和大家的想象有点不一样，这个建筑的面积也太大了。

"这么挤的小区还弄个这么大的超市？"凌漠说。

"这，这也太大了！"萧朗说，"两层，每层都有大半个足球场那么大。我们怎么找？"

"我们的目标有不确定性，所以不能疏散群众，只有秘密侦查、抓捕。寄希望于她出来的时候不设防，没有易容。"萧望简单地答道，一边把耳麦塞进耳朵里，一边说，"准备行动。唐铛铛直接赶去监控室，程子墨去办公室亮明身份并获取超市图纸，我和聂哥把住门口，凌漠你负责搜索一楼，萧朗你负责搜索二楼。行动要求：一、未经允许不得使用武器；二、现在是超市人流高峰，首先保证群众安全；三、全程保持通信联络，随时报告情况。"

"明白。"大家纷纷戴上了隐藏式的耳麦。

"凌漠就位。"

"萧朗就位。"

"程子墨就位，对方正在找图纸。我需要五分钟时间熟悉图纸。"

"唐铛铛就位，监控是实时的，清晰度一般。不过，监控摄像探头太多，操控室的屏幕最多只能显示九宫格，现在只有不停地切换镜头来寻找。"

萧望给聂之轩使了个眼色，示意一人把守一个大门。

五分钟后，耳麦里传来程子墨的声音，语速极快："搞明白了。超市框架结构是这样的：靠东的绝大部分面积都是营业面积。一楼靠西是货物通道，我已经让他们封闭了。二楼靠西的是办公区域，就是我和铛铛所在的位置，和营业区域之间不连通。二楼全封闭，没有出口。一楼南侧是你们把守的两个大门，北侧是一排窗户，但窗户外面有大幅广告牌遮挡，不能出入。一楼收银闸机内是营业区域，闸机外面有一些小的店铺，西侧的楼梯就是通往办公区域的通道。所有顾客都只能从大门和一楼的出入闸机进出。营业区域内有扶梯连通一、二楼。"

"这超市密闭不透气啊？"耳麦里传来萧朗的声音。

"安装了新风系统，利用机械换气。"凌漠说，"封闭对我们是好事。"

萧望放下一点悬着的心，但还是有所顾虑。其实守门口的难度，一点都不亚于搜索和看监控。毕竟是一个川流不息的生活超市，进进出出的人非常多。虽然进超市的人无须关注，但是每一个通过超市大门走出去的人，都必须要仔细观察，防止目标漏网。虽然他们掌握了山魈日常的模样，但是保不准她在出门的时候进行了易容。从之前的案例监控来看，山魈的易容技术那不是一般的厉害，如果不是有针对性地去看，还真的很难从茫茫人海中寻找到山魈的踪迹。把守大门的责任确实是很大的。

"搜索难度大吗？"萧望问。

"全是货架啊，还那么高，难找啊。"萧朗说。

"注意隐蔽身份。"萧望说。

"好咧。"萧朗答了一声，随后耳麦里传来他推起一辆购物车的声音。

时间一分一秒地过去，萧望有一些焦急。如果山魈离开了超市，等唐铠铠再次定位的时候，想抓她已经没那么容易了。

"来不及了，你们没有发现吗？"萧望说。

没有回应，说明大家都还没有发现目标。

"试试打电话吧。"凌漠压低了声音说。

凌漠的这个主意让萧望直拍大腿，是啊，既然这个山魈私自使用了手机，他们也掌握手机号码，这个时候打她的电话，如果能听到电话铃声的话，不就能找到她了吗？不过，在这么大，又人声鼎沸的超市里，这个方法真能行得通吗？

"我正在打，萧朗注意听。"凌漠说，"我一会儿会冒充电话推销。"

是啊，萧朗的听觉辨别能力超强，在这个时候能用得上吗？

"电话通了，一直没接，你听见了吗？"凌漠的声音。

少顷，萧朗低声说："听见了，你接着打，在零食区。"

一边说着，萧朗一边向零食区靠近，路上，他顺便摸了一根擀面杖攥在手里。萧望已经指示过，在人群密度这么大的地方，腰间的手枪是发挥不出作用的。

"零食区没人啊。"在萧朗接近零食区的时候，唐铠铠说。

萧朗沿着手机铃声，猛地一下闪现在两排货架中间。果真没人。不过，萧朗的"狗耳朵"是不会犯错的，因为他一眼就看见货架上两袋锅巴之间，放着一个正在响铃的智能手机。

"不好，她把手机扔在这儿跑了！"萧朗叫道，"她察觉了！"

"铠铠，能看到萧朗吗？"萧望急切地问。

"看到了。"

"立即回放这个摄像探头的录像，看看刚才是谁把手机丢在这里的。"

不一会儿，唐铠铠说："看到了，一个黄衣服女人，穿的是羽绒服、黑裤子、白鞋子。她掏出手机放到这里，直接就朝东北方向去了。"

"立即找。"萧望放弃了他把守的大门，来到了闸机跟前。

毕竟嫌疑人在二楼，这个时候还在这里死守着大门没什么意义。这个任务交给聂之轩一个人应该就没问题了。

就在萧望越过闸机的一瞬间，他的眼神一闪。

一条黑影正从一楼沿着扶梯向二楼跑去。那个身影对于萧望来说，是多么熟悉啊。

"看到了，看到了！"唐铠铠突然发出兴奋的声音，"她在东北角饮料区最后一排货架后面。她手上有个手机！是诺基亚！诺基亚！"

大家都知道，那个样子貌似诺基亚 8310 的手机意味着什么。

"大家小心，她不是一个人！"萧望猛地意识到了什么，立即退回了闸机外面，重新回到了大门口，"你们要注意一个左耳有残疾的人！"

"是'豁耳朵'？"凌漠问道。

"可能山魈通知了在一楼的豁耳朵。凌漠，速去二楼支援。"

"收到。"

萧望走到聂之轩的身边，说："不能排除'豁耳朵'会混杂在人群中回到一楼的可能性。我去一楼补漏，大门就交给你了。必要的时候，请保安封闭大门。"

聂之轩点头。

"子墨立即到大门，协助聂哥。"萧望对着耳麦说道。

"我正在接近饮料区，她在做什么？"萧朗低声说。

"正在，正在搓脸。"唐铠铠不知道该用什么词来形容山魈现在的动作。

话音刚落，突然轰的一声，夹杂着无数细碎的噼里啪啦声，一座货架轰然倾倒。这一座货架在倒到一半的时候，就砸在了相邻的货架之上。就像是多米诺骨牌一样，这一片的货架一个跟着一个地倾倒了。货架上无数饮料瓶、食用油、面粉袋什么的砸落了下来。其他的还好，这面粉从货架顶端一砸落，瞬间像是在超市二楼东北角放了一颗烟雾弹，这个区域顿时一片狼藉。

唐铠铠一声惊呼："萧朗，萧朗被砸了。"

"别慌。"萧望急忙说，"视频跟住山魈，随时报告她的踪迹。另外确定有没有其他群众受伤。"

"看不清了，现在看不清了。"唐铠铠惊恐地喊道。

"我正在靠近。"凌漠的声音，"货架是往东倒的，说明不是山魈做的。'豁耳朵'动手了，但我现在看不到他。"

"咳咳咳，我没事。"突然传出的萧朗的声音，让大家顿时放下心来，"哎哎哎，这怎么和溜冰一样？地上都是油。我去，我的鞋底抹油了。有两个群众受伤了，我检查一下。"

萧望很欣慰，在这种高度紧张的抓捕行动中，萧朗能够按照他的意志第一时间抢救群众，说明他成长了不只是一点点。

二楼的群众见货架突然倒了，第一反应并不是逃离，而是纷纷向东北方向靠拢过来围观。这种稀罕事，一辈子还真是碰不到第二回。不过，人越聚越多，生生把凌漠给挤在了围观圈之外。

"还好，人没事。"萧朗检查完伤者，重新站起身来，手里还攥着那根擀面杖。

"我看到她了，她在沿着最东边的墙壁往南边走。"唐铠铠说，"我调下一个监控摄像探头。"

"好咧。"萧朗说，"我正朝南边过去。哎呀呀，我这鞋真是滑。那家伙是黄衣服对吧？"

"我也在往那边去。"凌漠说。

还没走出十步，奇怪的事情又发生了。本来停留在超市正东角落里的一排手推购物车突然自己开动了起来，发出哗啦啦的声音。

稀罕事真是一件接着一件，对于群众来说更是难得，于是大家伙又来围观远处的那一大排手推车是怎么自己跑起来的。

不过，大家都忽略了一个问题。这么长一排的手推车队伍的重量，加上越来越快的速度，万一撞到了人身上，那后果简直是不堪设想。

"'豁耳朵'这是又弄了个什么新奇玩意儿了？"萧朗说。

"不好，手推车要撞上人了！"凌漠突然大叫了一声，"让开，都让开！"

驱动手推车的机械明显不会像导弹一样能够定位，但是正是因为毫无准头，所以这鬼魅一般的手推车猛地向人群中冲了过去。这个时候，大家才开始反应过来，四散逃窜。

折回去疏散人群的凌漠眼看着手推车猛地撞了过来，扑过去推开了一个八九岁的孩子，但自己却被狠狠地撞了一下，摔了出去。

"我好像，肋骨断了。"凌漠艰难地吐字。

手推车被这一撞，也改变了方向，径直朝扶梯冲了过去。扶梯上正准备上来看热闹的群众一见这景象，转头就往回跑。无奈，在电扶梯上逆向奔跑，速度实在是慢得可怜。

好在手推车一冲上电扶梯，轮子立即被电扶梯的磁铁吸住了。巨大的惯性让手推车队伍先是剧烈扭曲，然后哗啦啦倒了一片，把扶梯的上下口都给堵了起来。扶梯也因为有外力作用而启动了紧急停止的模式。

这么一来，一楼和二楼之间的通道就被堵住了。惊吓过度的群众开始纷纷想办法往一楼逃走，有的从扶梯旁边的围栏上翻了过去，跳上扶梯下楼，也有的踩着东倒西歪的手推车，连滚带爬地越过障碍下楼。

手推车的附近顿时混乱不堪。

"她在洗漱用品那边！"唐铠铠叫道。

"别慌，凌漠你不要移动了，萧朗去逼近。"萧望指挥着。

这个时候的萧望已经站在了扶梯一楼的出口。他一方面叫喊着让大家注意安全，小心别发生踩踏，另一方面则留心观察"豁耳朵"会不会也跑了下来。

突然，扶梯侧面夹角的黑暗角落里，啪啦一声响，是玻璃碎裂了。

萧望顿时很警觉："子墨，看图纸，电梯后侧的窗户能不能跑掉人。"

不一会儿，程子墨回答："窗户后面是广告牌，但我不知道广告牌的质地，如果能割裂就能跑掉人。"

萧望二话不说，向破碎玻璃处跑去。可是他还没跑到，哗啦一声，整个超市暗了下来。

断电了。

"子墨，配电室在哪儿？"萧望紧接着问道。

"在扶梯下来径直方向的墙角。"

"我中调虎离山之计了，窗户根本出不去！"萧望恍然大悟，他回头看了看远处墙角的配电室，铁门大开。'豁耳朵'应该是混在人群中逃到了一楼，但过不了萧望这一关。于是他躲在扶梯后，打破了玻璃，等萧望让开扶梯口的时候，又从扶梯上蹿到了配电室，断了电。不过此时他在哪里，没有人知道。

好在断电十秒之后，整个超市内的应急灯全部亮起来。虽然没有之前那样犹如白昼，但此时的超市内部还是清晰可见的。

"想摸黑跑啊？"萧朗还在二楼，轻蔑地说，"不知道有应急灯这种东西吗？”

话音还没落，就听到唐铛铛喊："我这边全部黑屏了！"

"是的。断电是为了断监控。"萧望说，"'豁耳朵'发现我们用视频锁定了山魈。"

"怎么办？没视频我们就像瞎了一样。"把守大门的程子墨说，"要不要封锁大门？"

"封锁！"萧望下达了命令，和保安一起，给群众解释。

"我去，这里没有山魈的影子，她又不知道跑哪里去了。"萧朗失望地说道。

此时整个超市里已经乱得不成样子，大家已经放下了看热闹的心情，都想尽早离开这个是非之地，闸机处拥挤不堪。

然而，火上浇油的是，不知道是从哪里突然滚过来一个铁球，滚到了萧望的脚边。萧望低头一看，着实吓了一跳，这家伙，看这样子就是一颗手雷啊！他大喊一声："卧倒！"然后一个侧扑，把身边的一个正在逃命的女子扑倒在地。

众多群众当然来不及反应，纷纷回头看着这个帅帅的"神经病"。

不过，这颗"手雷"并没有爆炸，而是从一端猛烈地往外冒烟。用后来萧朗的话来说，这就是一颗山寨版的催泪瓦斯。

不过，没有杀伤力的催泪瓦斯此时却非常具备恐怖性。不知道谁喊了一声："着火啦！快跑啊！"

人群开始猛烈地向闸机方向移动。

"封锁大门！告诉大家没有着火！是安全的！不能引发踩踏！"萧望躺在地上大喊。

而此时的二楼，比起像没头苍蝇一样乱找的萧朗来说，凌漠要冷静多了。他肋骨受伤，依靠在扶梯的旁边，默默地看着无数条奔跑着的双腿。

然后，他大喊了一声："萧望，她在你的后面，穿着62号超市服务员红马甲！"

在断电的那一刻，凌漠和萧望一样意识到，监控没了。在这千钧一发的时刻，凌漠选择了看腿。毕竟他瘫在地上，看腿的视角是最方便的。他记得"黑裤子，白鞋子"这个特征。一双接着一双的腿从他身边经过，他默默地记录着。在排除了其他可能之后，剩下的，即便是最不可能的，也就是真相。

这是动画片里柯南说的，关键时候还挺好使。

山魈已经在短暂的时间里完成了易容。她变成了一个苍老的大妈，邋遢的头发，蹒跚的脚步，还有佝偻的脊梁。她穿着一件超市导购员的红马甲，黄色羽绒服不知所终。但是唯一没变的，就是黑裤子和白鞋子。

她经过凌漠的时候，凌漠牢牢记住了。在排除了其他人之后，他认定，那个已经跑到闸机附近，准备从萧望身边越过的大妈，就是山魈。

萧望从耳麦里收到了信息，抬眼望去，和眼前这个大妈撞了眼神。大妈脸上的表情，从急促变成了绝望。

"撒！路寡！撒！"大妈的背不驼了、脚也不跛了，她突然转头往扶梯跑去，一边跑还一边歇斯底里般地喊着。

谁不知道这是暗语？谁不知道山魈现在的目的，是吸引所有人的注意，然后让"豁耳朵"逃出生天？萧望可不会再跌倒一次了。

"聂哥，去二楼支援萧朗。"萧望发现在程子墨和保安的呼吁下，人群的骚动平静了许多，他突然觉得自己冷静了下来，"子墨在大门口稳住人群，持武器，亮明身份，女人放行，男人凭身份证离开，注意看耳朵。我去恢复供电，马上来支援子墨。萧朗，拔枪，他们有催泪瓦斯，不排除有武器。"

几个人在不同的地方纷纷拔出腰间的手枪，除了凌漠。

山魈从扶梯重新返回了二楼，看见倚靠在扶梯口、捂着季肋部[1]的凌漠，此时的凌漠，正准备拔枪。她跑了过去，狠狠地一脚，踹在了凌漠的伤处。汹涌的疼痛涌了上来，凌漠一声闷哼，差点儿昏死过去。他放弃了拔枪，因为他知道，此时自己根本没这个能力，如果被她抢去了手枪，那

---

1 编者注：将腹腔进行九分法划分后，左右上腹部为季肋部。

可就糟糕了。好在山魈踹了这一脚之后，就往南边跑了去。

"南……南边。"凌漠忍住痛苦，喊道。

另一头的萧朗立即持枪冲了过去。此时，聂之轩也冲了上来，简单看了看凌漠的伤势，持枪向南逼近。

超市恢复了供电，一片大亮。

"铠铠，立即恢复监控摄像探头工作，配合二楼抓捕。我已经在大门口和子墨一起排查了。"萧望胸有成竹。

在搜捕的路上，萧朗看见了两排货架之间，似乎有黑烟冒出。萧朗用标准的查缉战术姿势确认了两排货架之间只有一个火堆，而没有人，这才走进了货架之间。

火堆不大，但却在熊熊燃烧，眼尖的萧朗顿时在火光之间，看到了一个按键手机的影子。萧朗连忙走上前去，踩灭了火焰。虽然手机的商标已经被焚毁了，但从烧毁的手机残骸来看，正是古老的按键机的样式。可惜晚了一点，没有能拿到这个关键证物。不过，残骸的旁边，还有一份像是文件夹之类的东西，已经被烧得面目全非。萧朗顾不上那么多了，把灰烬残渣全部装进一个塑料袋，绑在自己的裤带上，继续持枪前进。

超市的南边，货架最为密集，要命的是，这个跨度超过百米的区域，还有一排锁着的小屋。

"子墨，超市南边墙壁怎么有一排小房子？"

"是仓库。"程子墨在核查身份证，有些忙不过来，"图纸上写了仓库，但没写清楚是锁着的小房子。"

"明白。"萧朗给聂之轩使了个眼色，意思是自己沿南边从东往西搜，聂之轩从西往东。

其实此时的聂之轩，心里是很不踏实的。他深知，自己只是一个法医，又有残疾，如果真的遭遇山魈，不知道能不能制伏她。好在萧朗离自己并不远。

作为一名现场勘查员，抵达现场后，最先让他们感兴趣的，当然是现场的出入口，而现场的出入口，最重要的线索，就是锁。

所以，聂之轩下意识地在搜查货架之间的同时，细心观察小屋的锁眼。这一观察，还真的就被他发现了端倪。

大约走出了二十多米，聂之轩还是职业病似的瞥了一眼身侧小屋上的暗锁。天花板上已经恢复供电的强光灯，照在银白色的暗锁上闪了一下。

聂之轩感觉自己仿佛看见了暗锁上的划痕。

为了确认发现，他蹲在小屋暗锁的旁边，用假臂遮挡光线，从侧面看了过去。在现场勘查中，从不同的角度观察载体，有的时候就能有不一样的发现。

锁盘上，果真有几条纤细的新鲜划痕。

出于一名法医的职业敏锐性，聂之轩推测：第一，这些划痕是新鲜的，是刚刚形成不久的。第二，一般使用钥匙开锁，即便没有一次性把钥匙插进锁眼，钥匙圆钝的头部也不可能形成这么纤细的划痕。这样的痕迹，一定是类似钢针之类的尖锐物体，在技术开锁的时候留下的。而且，因为操作人心情紧张，钢针戳了几次都戳在了锁盘上，而没有插进锁眼里。

那么……

就在这时，沉思着的聂之轩面前的铁质推拉门突然被哗啦一声拉开了。

随之而来的，是唐铠铠的一声惊呼："谁！"

2

蹲着的聂之轩体位较低，在他还没有来得及看清眼前的状况时，就感到有个黑影朝他面部呼啸而来。聂之轩下意识地举起右臂，挡住头部。

"当当当！"三声清脆的金属相撞声随之而来。

与此同时，一道黑影向聂之轩的左侧袭来，他躲无可躲，只感觉一阵刺痛从左侧下颌处汹涌而来。

疼痛使得聂之轩的肾上腺素大量分泌，柔弱的聂之轩此时脑海里尽是查缉战术课堂上，司徒霸教给他们的各种自卫战术。

聂之轩就势向后翻滚，一骨碌站了起来，举起手中的手枪，对准了黑洞洞的小门里面。完成了这一系列的动作，聂之轩这才定睛看清眼前的状况。

一个女人，一个素不相识的女人，罩着一件红色的超市服务员马甲，举着一把菜刀，恶狠狠地和他对峙着。毕竟因为受到手枪的威胁，她暂时停止了攻击。

"幸亏我有枪。"聂之轩暗自庆幸。

聂之轩摸了摸左侧颈部，黏糊糊的，有一些血，还有一根冰凉的钢刺。他忍痛把钢刺从颈部拔了出来，亮闪闪的不锈钢三角形注射器针头上还黏着血滴。

"你好，山魈。虽然我不认识你，但我认识它。"聂之轩扬了扬手中三角形的注射器针头，说，"差一厘米到颈动脉，我命不该绝。"

此时，被金属碰撞声引来的萧朗已经抵达了现场，两支黑洞洞的枪口同时对准了山魈。

"放下武器吧。"萧朗轻蔑地笑着。

山魈背靠着小屋内的墙壁，举着菜刀。

"放下武器吧，没路可走了。"聂之轩说。

山魈挥动了两下菜刀，保护着自己。

"我不打女人，是你逼我的。"萧朗收起手枪，准备上前制伏山魈。

聂之轩怕眼前这个亡命之徒会伤到萧朗，于是伸手拦住萧朗，对山魈说："你往上面跑，是为了保护那个人吧？"

山魈愣了一下，握住菜刀的手攥得更紧了。

"他跑不掉的。"聂之轩说。

"啊！"看着一前一后的两支枪口，山魈的表情变得绝望起来。她忽然朝着两人爆发出一声歇斯底里的喊叫，似乎要拼力做出最后一搏。

"小心。"萧朗快速拨开聂之轩的假臂，手指绷紧在扳机上，整个身体也随之弓紧。

意外的是，那一声喊叫后，当啷一声，山魈手中的菜刀掉落在地上，她一翻白眼，竟然向地上倒了下去。

"哎？哎？哎？怎么着？碰瓷啊？"萧朗绷紧的弦一下子松了下来，他又好气又好笑，上前去拽山魈的衣襟。

"小心有诈！"聂之轩大声地提醒着，同时举起手枪。

"是真晕了。"萧朗拉住了山魈，感觉到她全身的肌肉真的都已经松弛了。她并没有使诈，而是真的失去了意识。

"这咋就没气了？特工啊？自杀啊？"萧朗探了探山魈的鼻息，开始掐她的人中，"铛铛，监控录下来了吧？我可没动手。"

唐铛铛没有回答。

"掐人中有什么用？"聂之轩推开萧朗，开始对山魈进行心肺复苏。

不一会，山魈像是叹了一口气，虽然意识还没有恢复，但总算重新有了呼吸心跳。

"看来，咱们组织要加上一门急救课了。"聂之轩在奚落萧朗。

"嘿，我们中医博大精深……"萧朗不服气地说。

"你那不是中医。"聂之轩打断了萧朗，对着耳麦说，"萧望，人抓到了，昏迷，要不要送去医院？"

"特警和120都到了。"萧望说，身边人声很杂。

"这回跑不掉了吧？"萧朗掏出手铐，一边铐住山魈的右手，一边铐住自己的左手，"咱们守夜者的手铐，那是特制的，谁也别想弄开。"

说到"守夜者"三个字的时候，山魈似乎抖动了一下。

"铛铛，看好监控，改找'豁耳朵'。"萧望说。

唐铛铛还是没有回应。

"铛铛，收到没有？"萧朗急着喊。

……

"糟糕！"聂之轩说，"刚才山魈突然出现的时候，铛铛叫了一声，我们都以为她是看到了这里的监控。但是现在想想，她喊的是'谁'！怎么会这么喊？她又不是在身边！"

萧朗的脸在这一秒钟就涨红了，他猛地跳了起来，可是因为自己和山魈铐在了一起，所以被手铐拉着，直接摔到了地上，不过山魈摔得更惨。

"糟了！'豁耳朵'从唐铛铛那里跑了！"凌漠咬牙切齿地喊道，"快去救铛铛！"

大家在这个时候都意识到了一个问题，一直被大家忽视的问题。程子墨在介绍地形的时候就说了，从一楼出了闸机后，是需要走大门离开超市的。但也可以有另一条路。

那就是从西侧小楼梯上到办公区，然后从二楼办公区的窗户跳出去逃离。

而唐铛铛此时，一个人在办公区。

萧望转头就向办公区跑去，一步三个台阶地上了二楼办公区。监控室里，唐铛铛伏在案上，正在流血，她身后的窗户大开着。

"铛铛，铛铛。"萧望的声音在颤抖。他跑过去一把把唐铛铛抱在了怀里，按住了她额头上的创口。

"我，我没抓住他……他的动作太快了。"唐铛铛居然睁开了眼睛，说了一句。

所有人都放下心来。

万斤顶载着组织成员们和几辆救护车一起，直接抵达了南安市公安医院。这一所公安机关的下属医院，在对嫌疑人逃脱的防范上，做得要比其他医院好得多。

萧朗确认了唐铛铛只是皮外伤以后，又恢复了活蹦乱跳。他陪着山魈做完了全部身体检查，然后在留院观察室里，坐在山魈身边，等她醒来。

"豁耳朵"已经跑了，所以除了防止山魈逃跑，萧朗这样做更是防止有人来灭口。在萧朗的心中，他发誓，绝对不会让"幽灵骑士"的状况再次发生！

唐铛铛、凌漠和聂之轩当中，聂之轩是要害部位受伤，但的确是受伤

最轻的，因为没有刺伤血管，他只能算是做了一次颈部软组织穿刺。唐铠
铠头部被砸了个小口子，好在是在发际线以内，不至于毁容，简单包扎就
好了。凌漠比较惨，追捕"幽灵骑士"的时候就受伤不轻，这次又断了三
根肋骨，在简单处理后，绑着胸带立即开始工作，还因为绑带的位置被萧
朗笑话了一番。

"这是我见过最奇怪的一个病人！"公安医院的院长、萧闻天的老友，
骆嘉伟医生坐在主任办公室的桌子前面，一页一页地翻阅着山魈的检查报
告，自言自语道。

聂之轩坐在骆院长的对面，其他几人站在聂之轩的身后。在这种场合
下，骆主任说的专业术语，也只有聂之轩能听得懂了。

"不奇怪也不会在我们手上。"萧望知道骆院长和父亲深交多年，了解
守夜者组织的情况，所以也没有必要瞒他，"您是说她晕倒得很奇怪？会
不会是装的？"

"啊？晕倒？"骆院长被萧望从沉思中拉了回来，他抬头看看萧望，
说，"不不不，她这可不是晕倒，用我们医学术语，她这是心跳骤停。如
果不是聂之轩及时进行 CPR，可能人就没了。"

"CPR 就是心肺复苏的意思。"聂之轩向身边不懂医学的战友们解释，
接着问骆院长，"她的心跳骤停，找到病因了吗？其实在现场，我们没有
人碰到她，她就这么自己倒了。"

"哦，这个倒是简单。"骆院长拿出一张彩超报告给聂之轩，说，"你
看，这病人的病因在这里，颈动脉粥样硬化。"

"啊？这个人最多也就二十五岁，粥样硬化的程度就这么严重了？"
聂之轩一边质疑，一边继续向其他人解释，"一般这种情况，都是长期高
血压、高血脂的病人才会有的体征。"

"她没有高血压，也没有高血脂。"骆院长耸了耸肩膀，说，"但我们
在她的两臂正中静脉附近，看到了很多注射针眼。一般这是吸毒患者的征
象，但是从尿检里，也没有发现毒品的代谢物。所以我分析，她因为长期

依赖、注射某种不明药物，导致了颈动脉粥样硬化。你们从她随身物品里搜出什么没有？"

萧望摇了摇头，说："东西都被她烧了。"

"是三角形针眼？"凌漠问。

骆院长点了点头，说："开始我没注意，就知道是针眼，现在你这么一说，我一想，还真的是。"

"那三角形的注射器针头，一般有什么用？"萧望接着问。

"没见过。"骆院长和聂之轩同时说道。

"她心跳骤停的原因是什么？"聂之轩把话题又拉了回来。

"彩超上可以看到，她的颈部粥样硬化斑块裂了。"骆院长说，"裂开的地方，在颈动脉窦的位置。所以，你懂的。"

"其实，不太懂。"萧望挠挠头。

"是这样的。"聂之轩转过身来，"山魈的颈动脉内膜上附着了粥样硬化的斑块，刚才可能是因为在抓捕过程中，她情绪激动、血压升高，加之一直龇牙咧嘴地叫唤，导致了她颈动脉斑块裂开了。因为裂开的位置正好在颈动脉窦，而这里有人体很重要的压力感受器，感受器受到刺激，导致了心跳反射性地停止了。"

凌漠的好奇心也被调动了："那就是说，这个人很容易心跳骤停？"

"这个也不是那么容易的，恰巧刺激到压力感受器，又恰巧能导致感受器做出反射，是小概率事件。"聂之轩说，"不过，粥样硬化的地方不仅仅是颈动脉，肯定是全身性的，包括随时可以致命的冠状动脉。"

"也就是说，您推测山魈因为长期注射某种药物，导致有严重的心血管疾病，对吧？"萧望总结道。

聂之轩看萧望完全听明白了，顿感欣慰。

"副作用？"凌漠沉吟道。

"什么副作用？"萧望敏锐地问。

"啊，没什么。"凌漠说，"我只是联想到，'幽灵骑士'有癫痫的毛病，既然这两个人都有所谓的'演化能力'，那会不会也有对应的'副作用'呢？"

"这是一个值得思考的问题。"萧望也陷入了沉思。

"您说的奇怪，就是指她的粥样硬化？"聂之轩接着问骆院长。

"不不不，粥样硬化有什么好奇怪的。"骆院长笑着说，"我说的是，她的皮肤。"

"皮肤？"几个人异口同声。

"你们知道吗？送她进来的时候，她的上唇肿得很高。"骆院长说。

"哦，那是萧朗掐人中掐的。"聂之轩无奈地摇摇头，说，"这孩子，下手还真狠。"

"不，我说的肿，不是你说的肿。"骆院长说，"发炎或外伤导致的红肿，那都会有红、肿、热、痛的征象。可是，这个人的肿，不红、不热，就是单纯的肿。"

"那就是水肿？"聂之轩问。

骆院长摇摇头，说："也不是水肿。水肿指压会凹陷，然后很快复原。但这个人，指压下去，就塌一块，不复原。而且，在整个检查、诊治的过程中，我们的医护人员发现，只要稍微施加一点力量去按压或揉搓她的皮肤，皮下立即会发生变化，然后肿起来一块，肿了的部分，可以随意改变坡度和造型，嗯，简单说吧，就是可以塑形。"

"橡皮泥？"程子墨因为好奇，停下了咀嚼。

"橡皮泥也不至于。"骆院长说，"如果贴切一点说，就像是我们整容科给人面部注射透明质酸美容、塑形一样。"

"就是玻尿酸。"聂之轩说，"正常人皮肤都有这个，就是少而已。"

"你是说，她的皮肤会因为外界刺激，而自己产生过量的玻尿酸，然后塑形？"萧望惊讶地说，"这就是她的易容能力的产生原因吧！"

"自产玻尿酸？"唐铠铠说，"哇哦，这技能太炫酷了。"

"你说得对。"凌漠说，"这就是她易容的原因，所以也只能改变脸型样貌，而不能根据别人的样子仿制样貌。"

"既然有这么独特的皮肤，会不会就是因为她特殊的皮肤才专门使用三角形针头注射呢？因为普通针头打不进去？"萧望猜测道。

"嗯，这个可能性还真是不能排除。"骆院长若有所思。

"嘿，这家伙醒了，要不要押回去审？我手好酸。"对讲机里突然响起了萧朗的声音。

"可不是吗？一直这样举着胳膊，谁不酸？"骆院长一直很喜欢萧朗，听见他的诉苦，哈哈地笑着说道。

坐在守夜者组织地下一层审讯室里的山魈，此时已经恢复了原本的面貌，和美容美发店里监控录像上的山魈面貌终于一致了。

守夜者成员们此时终于搞清楚了山魈易容的诀窍。反复揉搓、指压面部，导致面部特定部位皮肤下生成过量类似透明质酸的物质，从而使面部轮廓可以塑形。因为整个面部皮下都会产生大量透明质酸，所以可以通过自行塑形，改变面部轮廓和五官周围软组织的形态，达到易容的效果。等数个小时之后，这些多生成出来的透明质酸，会因为微循环而代谢殆尽，恢复原来的状态。

可是，搞清楚她易容的原理，对整个案件的办理似乎并没有多大的作用。山魈从哪儿来，怎么长大的，受过什么训练，受什么人指使，作案动机是什么，背后又有什么样的组织……这一切的一切，都还是个谜。

毕竟是法治社会了，刑讯逼供也是不可能的，那么，如何才能从她的口里撬出线索呢？

坐在审讯室山魈对面的，是唐骏。虽然唐骏已经不是警察了，但是受到傅元曼的重托，他还是以专家辅助人的身份担任审讯的主力队员。而身边的萧望，看似是主审讯警官，实际却是唐骏的助手。除了这二位，其他的成员们，都在审讯室外面，通过单面玻璃和扬声器，同步观看着对山魈的审讯。

山魈不漂亮，但是还算端庄，一眼看上去，是受过教育的样子，和大家想象中无恶不作的山鬼形象很是不符。她静静地坐在审讯室的审讯椅上，低垂着眼帘，一言不发。一条约束带把她约束在椅背上，防止她自残。其实她完全没有去自残的意思，静若处子。

唐骏面色冷峻地坐在对面，用手中的钢笔轻轻敲打着桌子，吸引山魈的注意。山魈抬起头来，看着唐骏。唐骏一言不发，直愣愣地盯着山魈。两人对视了很久，山魈还是败下阵来，低头垂眉。

"你作的恶够多了，该消停了。"唐骏终于发话了，语气冷峻。

唐铛铛吃了一惊，这是平时温文尔雅的父亲的另一面，她像是不认识他了。

"心理压迫。"凌漠自言自语道，"实施足够的心理压迫，可以让对手暴露出更多的心理痕迹和谎言线索。毕竟，杀完人每年去烧香，没有真的侵害小女孩，都说明她良心未泯。私自使用智能机，也说明她相对于'幽灵骑士'还是有很多心理漏洞可以探寻的。"

凌漠知道，这场审讯，也算是唐骏老师给自己在现场教学。

山魈抬起头看着唐骏，蠕动着嘴唇，欲言又止，最终还是一字未说，垂下头去。

"她被洗脑了，她对'作恶'两字存在明显的心理对抗。看来，她不认为自己的行为是在犯罪。"凌漠还是在自言自语。

"山魈，昨晚去超市买什么了？"唐骏话锋一转。

"泡面。"山魈咬了咬嘴唇，轻声回答道。

"突然减压。喊名字是潜意识思维，问问题是激发记忆。"凌漠艰难地挪动身子，拿出一个笔记本，写着，"探寻诚实底线，和已经承受的心理压迫程度，为后来的心理分析提供参照物。"

"有那么玄乎吗？"萧朗看了看凌漠写的专业术语，觉得难以置信。

"她年龄小，社会经验也不充足，即便她不愿意配合调查，也能从她身上找出一点线索。"凌漠看了萧朗一眼。

"嘿，可别立 flag[1] 啊，小心打脸。"萧朗嬉笑道。

"你胳膊上的针眼，是吸毒吗？"唐骏问。

"我不吸毒！"山魈抬起头，直视唐骏的双眼。

---

1 编者注：立 flag，网络用语，指的是说了某句话之后，结果发生的事却与期望相反。

"没有谎言线索，有疑惑线索。"凌漠继续写道，"一、能确定山魈对她自己注射的东西是什么一无所知；二、能确定她对吸毒很反感。"

所谓的谎言线索，就是根据之前探测到的诚实底线，对比现在的表情、动作和反应，分析对方心理是否存在说谎时的防备、试探等情绪。而疑惑线索，就是根据对方的反应，分析对方对自己疑惑的事物是否真实存在疑惑。

"一次就杀了这么多人，年纪轻轻的，你还真的下得去手。"唐骏沉默了一会儿，回避了这个话题，从口袋里掏出两张照片，探过身去，把两张照片推到了山魈的面前，放在她的眼帘之下，让她避无可避。唐骏厉声道："看看这两张照片吧。"

"什么照片？"萧朗站起身来，想通过角度的变换看到镜面那一侧的照片。

"旅社杀人案，和被烧焦的曹允的尸体。"凌漠说，"旅社杀人案有直接证据，可以直接给她施压，曹允的尸体状态，她是始料未及的，所以这算是老师对她的试探。"

整个过程，唐骏紧盯着山魈的表情，目不转睛。

山魈慢慢抬起眼帘，先看了眼杀人案血腥的现场，又转脸去看那一堆黑乎乎烧焦的尸体，似乎想抬头询问。

唐骏说："曹允。"

山魈重新低头不语。

"她认了。"凌漠松了口气，说，"似乎很轻松的感觉，就像是解脱了一样。"

"还有韦氏忠校长，你硬是逼他自杀，手法很娴熟啊，一击即中。"唐骏靠回椅背，盯着山魈。

山魈叹了口气，把脸转向一边。

"无奈情绪的表达。"凌漠继续唰唰地记录着，"为逼死校长，费尽心思，尝试过不少办法。"

"你的兄弟，你也亲手处死。"唐骏说，"计划周详，不是你一个人能做成的。"

山魈的睫毛剧烈抖动了一下。

"眼球震颤，等于厌恶点，害怕别人提此事。"凌漠在笔记本上写到，"刺激厌恶点，击破心理防线，并引出下一个问题。"

3

"除了法律，没有任何人可以剥夺别人的生命。"唐骏说，"你背后的人，才是罪魁祸首，你为什么要承担他的罪责？"

山魈吸了一口气，向后靠了靠。因为双手被铐在审讯椅的桌面上，她动弹不得，但是双肘部夹紧了一些。与此同时，眼尖的萧朗看见她垂在审讯椅下面的双腿在颤抖。

"她在抖。"萧朗指了指单面玻璃。

"嗯。"凌漠点了点头，说，"对于她的幕后黑手的问题，她不仅仅是有明确的抵抗，而且吸气和颤抖都是害怕的表现。她很害怕。如果有抵抗咱无所谓，但是如此惧怕的话，就很难问出线索了。害怕是最能保守秘密的心理感受。"

"那怎么办？"萧朗跳了起来，"她全扛下来，看起来是案子破了，其实是没破啊。她被执刑了，我们去哪儿找真正的坏蛋？"

"别急，别急。"聂之轩把萧朗按回座位，安抚道。

"你们枪毙我吧，都是我一个人做的。"山魈缓缓地说道。

"她心情平静了，抱了必死之心。"凌漠无奈地说。

聂之轩一用劲，把又想从座位上弹起来的萧朗给按住了。

"那你不仅会变换样貌，还有一个超强大脑啊。"唐骏淡淡地说，"你说是你一个人做的，可以，但是'幽灵骑士'、曹允、韦氏忠校长，还有赵元旅社赵老板的死，总要有个理由吧？"

"他不叫什么'幽灵骑士'！"山魈强硬地抬起头来。

"这个不重要。"唐骏不想纠缠。

"反驳，等于感情深厚。"凌漠写着。

"我要的是一个理由。"唐骏依旧开门见山。

"没有理由。"山魈刚刚松弛一些的双肘重新夹紧了。这次不用凌漠解释，大家也都能理解，山魈重新开始心理抵抗了。

"这种情况下，是无法攻克的。"凌漠抱起双臂，无奈地说。

"你说他不叫'幽灵骑士'，那他跟你一样，其实也只有一个外号，而没有真实姓名吧。"唐骏说，"即便有所谓的真实姓名，其实也是假的。"

"老师把话题拉回来了，这是在另辟蹊径。"凌漠微笑着自语，眼神里充满了崇拜。

山魈微微地摇头。

"她不认可这个推断。"凌漠说。

"哦，对了，那个山魈自己私办的手机，用的名字叫'房佳'。"唐铠铠拍了一下脑袋，说，"我在人口系统里查了，还真是有这个身份。但身份信息很少，而且很多年没有更新了，应该是当年户籍管理比较混乱的时候登记的，或者是冒用别人的身份。"

凌漠二话不说，用对讲机把这一条信息通过对讲机传到了唐骏携带的耳机里。

"你不是房佳。"唐骏盯着山魈，"至少，你不姓房。"

山魈纹丝不动，毫无破绽。

唐骏也不着急，慢悠悠地从公文包里拿出一份文件，摆在山魈的面前。

山魈看了一眼，说："看不懂。"

"那我解释给你听。"唐骏说，"'幽灵骑士'和你的DNA都被录入了我们的失踪人口DNA信息库，并且都有了比对结果。'幽灵骑士'的真名叫方然，1995年出生，你比他大两岁，但你俩有一个共同点，都是在九十年代中期被盗的婴儿。你不姓房，姓李。"

这一次，山魈不仅出现了眼球的震颤，更是整个肩膀都在抖动。也就是说，她对这一点毫不知情，而这一条信息给了她巨大的打击。之所以山魈会相信唐骏，是因为在此之前，山魈应该早就对自己的身世有所怀疑了。

"右上角的两张照片，是你的父母，他们都是老实巴交的农民，一辈子勤勤恳恳，也因为你的丢失内疚一生。"唐骏说，"他们都还健在，我想，你并不愿意在这种场合下和他们相认吧？"

"你们枪毙我吧！枪毙我！"山魈突然吼了起来，整张脸涨得通红。

"放心，我不会通知他们。"唐骏立即安抚道。

有了之前心跳骤停的经验，唐骏不敢太刺激她。

山魈喘着粗气，闭着眼，瑟瑟发抖。

"恐惧心理。"凌漠继续写着。

唐骏站起身来，慢慢地走到山魈的背后，用双手搭在山魈的肩膀上。两人接触的时候，山魈微微抖动了一下。

"不需要紧张。"唐骏安抚道，"一切的一切，你都是具体实施者，你是逃不脱法律的制裁的。至于你要不要扛下所有的罪责，那是你的选择；而对于我们，抓到你，证据确凿，也就尽到我们的职责了。"

"唐叔这话说得可不对。"萧朗说。

凌漠做了个"嘘"的手势，说："这是在麻痹她，让她放松。现在老师是在感受她肌肉的紧张程度。无论是心虚、撒谎还是刻意对抗，都会在她肌肉收缩的强度上反映出不同的状态。这是潜意识的行为，是意识不可以操控的。"

沉默了良久，唐骏终于开口了："除去你的兄弟，方然，啊，就是'幽灵骑士'不说，其他几个死者，毫无关系，却为什么成为你的目标？"

山魈没有说话。

单面玻璃的这边，几个人纷纷扭头看向凌漠，希望他能继续解说。

凌漠耸耸肩膀，说："我不能感受到山魈的肌肉状态，所以我也不知道结果如何。"

于是大家只有齐刷刷继续扭过头去"看热闹"。

"好吧，也许，曹允只是一个替罪羊。"唐骏接着说，"但赵元和韦氏忠，总是有联系的。"

山魈一直低头垂眉坐在那里，毫无表情，从外人看来，她处变不惊。守夜者成员们知道，她现在是抱以必死之心，选择扛下所有的罪名了。所以，她不愿意再配合唐骏说任何一句话。

"他们的这种联系，居然让你跨越三年去作案。"唐骏说，"不会是因为财，也不会是因为某件事。他们的联系是基于一个人，对吧？"

"财""事""人"之间，都有短暂的停顿。

山魈依旧缄口不言。

"这种交集发生的时间，不远吧？"唐骏像是在猜测。

"这个人是两个死者的仇家？"

"这个人是两个死者的亲戚？"

"这个人帮助过两个死者？呃，又或者是，被他们帮助过？"

唐骏一句一句地问下去，山魈依旧保持着原来的姿势，丝毫不动。但是，守夜者成员们分明从唐骏的脸上，看见了胜利的喜悦。

这种喜悦，表现在唐骏的脸上，并不是放松和兴奋，而是沉思。

唐骏移开了双手，重新回到审讯桌旁，一边在笔记本上唰唰地写着什么，一边蹙眉沉思。

而此时的山魈做了一个深呼吸。

"她刚才压力很大，现在瞬间放松。"凌漠说，"越是压力大，就越容易表现出身体肌肉的收缩程度和状态。这是好事。"

"同时，也说明这家伙真的很怕她的老板。"萧朗说，"'幽灵骑士'被抓，就让她去杀。我想，她现在也要考虑谁会来杀她吧？"

"我倒不觉得她会考虑这个问题，她不怕死，反而只求速死。"聂之轩说。

凌漠点了点头："现在想起来，她还真是挺可怜的。"

唐骏写了一会儿，抬起头来，说："不早了，我也知道你的选择了。既然身体刚刚恢复，就去看守所里好好休息吧。那个曾经被方然策动越狱的看守所，如今是连一只苍蝇也难以进出了。谢谢你告诉我这么多线索。"

在听前半段话的时候，山魈明显放松下来。但是听见最后一句，山魈立即抬起头来，惊愕地看着唐骏。

"这是通过观察她的心理担忧表现特征，对刚才的问题做的最后确认。"凌漠说，"老师已经有答案了。"

唐骏的沉思似乎没有给他带来欢愉，以至于他离开审讯室的时候，对几个学生汹涌而来的提问置若罔闻。他独自一人快步走出了守夜者组织的大厅，发动汽车驶离了，留下一干人等，站在审讯室门口傻愣着。

"别往心里去。"凌漠说，"任何心理痕迹的分析，都不是即时可以得出结论的，这需要和案件的具体情况相结合。老师肯定是要回家去分析山魈的心理痕迹，然后结合案情得出我们下一步工作的方向。大家都别急，等一夜，明天会有好消息。"

"哼！都不理我！我要回家找他。"唐铛铛见父亲少有地对她毫不留神，心里十分难受。她摸了摸头上缠着的纱布，想回去问个究竟。

倒是萧朗拉住了她，说："给唐叔一点儿自己的空间嘛，他肯定需要静心分析。"

这一夜，大家过得都很纠结。从案件的办理来看，他们漂亮地完成了任务，活捉了犯罪嫌疑人，而且嫌疑人也低头认罪了。但是这看似完美的结局背后，依旧隐藏着巨大的阴谋。这种挥之不去的阴影，让大家都难以入睡。

第二天一早，大家都不约而同地起了个早，各自用不同的方式，比如跑步、遛弯、慢腾腾地吃早饭等，掩饰了内心的焦急之后，他们还是来到了审讯室，看唐骏是否会二次提审山魈。

但是没有。

山魈并没有被唐骏提来守夜者组织进行第二次审讯。这样看起来，不知道是好事还是坏事。

时间过了十点钟，导师们一个个都不见人影，这显然是不太正常的。

究竟发生了什么？

等来等去，临近午饭的时间，傅元曼走进了守夜者组织的大门。

即便是在刑侦战线上工作了数十年，喜怒不形于色的傅元曼，还是表现出了与往常不同的神色。他脸上的神色让守夜者成员们都感到了不祥之兆。

"姥爷，你去哪儿了？一上午都不见人！"萧朗最先冲了出去，挽住傅元曼的胳膊，说，"您这是咋啦？不高兴啊？"

"先别啰唆。"傅元曼严肃地说，"开上你们的车，我带你们去一个地方。"

傅元曼坐在万斤顶的副驾驶上，引着皮卡丘一路向南安市西郊方向驶去。大家怀着忐忑的心情，沿着大路一直跑到了人烟稀少的郊区，再七弯八拐地抵达了一处大院，万斤顶没有减速，直接开进了大院。大家的余光，瞥见了大门上的几个大字。

南安市殡仪馆。

不祥的情绪进一步笼罩着大家，所有人都沉默着，直到两辆车停在了殡仪馆冷冻间的门口。门口，有两名荷枪实弹的特警正在把守。

"不会吧？山魈不会也被灭口了吧？"萧朗拉好手刹，十分担心地缠着傅元曼询问。

傅元曼没有回答萧朗，带着大家走到门口，拍了拍唐铠铛的肩，说："你在门口等。"

还没等唐铠铛反应过来，傅元曼已经头也不回地走进了冷冻间。大家看了看一脸疑惑的唐铠铛，估计是场面血腥，怕唐铠铛不适吧。大家不知道该说些什么，只有陆续跟着傅元曼走了进去。

冷冻间有几排低温冰柜，两排低温冰柜之间，放着一张运尸床，床上的尸体盖着一块白布。

大家都是第一次进殡仪馆的冷冻间，但是好奇心已经完全被惊恐所覆盖。

如果真的是山魈，那岂不是这么久的努力又白费了？是什么人居然吃了熊心豹子胆，接二连三地在警方的眼皮子底下策划杀人？

大家的心里都七上八下的，也都没有注意到运尸床的周围站着的一圈导师们。

大家都在屏息等候着傅元曼的下一步指示。

"你们要有心理准备。"傅元曼慢慢地拉开了眼前的白布。

其实在此之前，大家都已经做好了心理准备，但在他们看见那一张苍白、毫无血色的面孔时，所有人都还是倒吸了一口冷气，呆在了原地。

面前是一张棱角分明的男人的脸，鬓角已经斑白，不过在惨白的皮肤上，已经不是那么显眼了。短短的胡茬儿上似乎还黏附着一丝泥土，唇角已经松弛，微微地张开。从他半闭的眼睑之中，已经完全看不到有一丝生气；眼睑的周围有两处小小的裂口，那是被他碎裂的眼镜片刺破的。然而，刺破口中并没有血液流淌出来。

这具冷冰冰的遗体，大家是多么熟悉。

他昨天的音容笑貌还都在大家的脑海里徘徊。

"老师！"凌漠的低吼，带着颤抖，从喉咙里挤了出来。

"唐……唐叔叔！这……这是怎么回事？"萧望强忍着哭腔，问道。

显然，在大门口的唐铛铛，听见了里面的动静，她不顾一切，冲破了门口特警的拦截，冲了进来。只是远远地看了运尸床一眼，唐铛铛便扑通一声跪倒在地。

成员们虽然年轻，但却不是第一次直面死亡。可是，面对亲人、导师的逝去，他们还是承受了有生以来最大的一次打击。几个人呆在原地，不知所措。

傅元曼料想到了这一幕。

其实在早晨事发的时候，傅元曼还准备向孩子们隐瞒这一噩耗。但是萧闻天告诉他，孩子们已经不再是孩子了，他们都是光荣的人民警察。

人民警察之所以光荣，是因为他们在面对危难的时候不能退缩，面对黑暗的时候要充满阳光，面对牺牲的时候要懂得怎么化悲痛为力量。

所以，导师们选择让唐骏为孩子们再上人生历程、警察历程中的最后一节课。

唐骏冰冷的尸体告诉孩子们，即便是和平年代，人民警察的队伍里，依旧有着牺牲，而如何面对这种牺牲，是孩子们需要自己去领悟、去探寻的。

大家震撼的情绪因为唐铛铛的哭声迅速转化为悲痛。

唐铛铛，这个被唐骏从小到大捧在手心上的小姑娘，一夜之间，变成了孤儿。父亲的音容笑貌犹在面前，此时却已天人永隔。昨日一别，竟然成了永别，而永别之前，父亲都没有好好地看她一眼。

唐铛铛完全顾不上额头上已经开始渗血的伤口，撕心裂肺地哭成了泪人，她跪在地上，已经没有力气站起身来，只能一点一点地向运尸床挪去。萧朗也一样的撕心裂肺，他哭着去搀扶起唐铛铛。

"都怪你！都怪你！你不让我回去，我回去了我爸就不会死！"唐铛铛使出全身的力气，一把推开了萧朗。

萧朗一个踉跄，蹲在了地上，抱着头痛哭起来。

这是萧朗记事以来，第一次哭泣。

"爸爸，别走，爸爸，你再看看我，爸爸，你听得见吗？你不要走，我以后听话还不行吗？"唐铛铛泣不成声地去拽白布之下唐骏的右手。

傅元曼想阻拦，却已来不及。唐铛铛拉出的，是唐骏血肉模糊的右手。

血浸染到唐铛铛白色的上衣上，这让唐铛铛肝肠寸断。她举起唐骏的手，放在自己的脸上，任凭父亲的血滴随着自己的泪水，流过脸颊，从下巴滴落。

"铛铛，保重你自己。"傅元曼实在是看不下去了，慢慢地把她扶起，揽入怀中。唐铛铛扑在傅元曼的怀里，痛哭不止。

唐骏血肉模糊的手掌上方，戴着那只大家都眼熟的运动手环。手环因为唐铛铛的触碰，亮了一下。

五千一百六十四步。

大家同样悲痛，不一样的，是凌漠记住了这个让他觉得奇怪的数字。

"这是唐老师的遗物。"南安市公安局办案民警给傅元曼递过来一个物证袋，里面装着手机、手表、钱包、眼镜、钥匙等一干物品。

"还有这个。"凌漠强作镇定，伸手取下唐骏右手的手环，放进了物证袋里。

4

悲痛有可能让人心灰意懒，但也有可能让人愈发清醒。而凌漠就是后一种。

在殡仪馆冷冻间最先看到苍白的唐骏的面孔的时候，几乎所有人都被这个噩耗惊呆了，与唐骏朝夕相处，一直把唐骏视为己父的凌漠更是悲痛万分。但是，也只有凌漠在那种极端情绪中，发现了蹊跷之处。

毕竟上了年纪，唐骏也开始注意养生了。也不知道是几年前，唐骏开始戴着这只运动手环，每天计步。时间久了，凌漠和唐铠铠也都已经熟悉了他的这只手环。这个并不蹊跷，蹊跷的是，大家都知道，手环是每天零点自动归零的，而唐骏出事的时候是凌晨，况且唐骏晚上一直在家，到案发现场也是开着自己的汽车去的。

刚才说了，就在唐骏的手环亮了一下的时候，凌漠敏锐地注意到，上面的数字居然达到了五千多，这和平时唐骏一整天的运动量差不了多少了！

这太可疑了。

细心的萧望在凌漠取下唐骏的手环时，就知道凌漠发现了异常，在成员们坐上万斤顶准备赶往唐骏出事的现场时，萧望询问了凌漠。

凌漠毫无隐瞒，把自己的怀疑说了出来。

"这个好办。"萧望从口袋里拿出手套戴上，说，"这种手环是独立计步的，并不需要通过 APP 连接手机。而手机上，会有独立的健康系数记录系统。"

萧望戴好手套，从物证袋里拿出唐骏生前使用的手机。

"铠铠知道密码吗？"萧望扭头柔声询问唐铠铠。

此时的唐铛铛比刚才要清醒了一些，但是她仍没能回过神来，泪眼婆娑地靠在萧望的肩膀上。

"铛铛，你是大人了，要坚强。"萧望看着唐铛铛的样子，很是心疼，用手轻轻抚慰她的肩膀。

"我是孤儿了。"唐铛铛带着哭腔说。

"不，我们都是你的亲人。"萧望指了一圈。大家纷纷点头，给予唐铛铛安慰和鼓励。

"密码，密码好像是 7674。"唐铛铛抽泣着说。

"7674？"萧望说，"这数字是什么意思？"

唐铛铛无力地摇摇头，表示她也不知道这数字的含义。

萧望没有继续追问，用密码打开了手机，打开健康系统。

凌漠的推测完全正确，从一个月前到现在，唐骏每天的活动量都是很稳定的，每天大约六七千步。但是，今天凌晨以后，手机上的步数是一千多步。

也就是说，唐骏的手环和手机，出现了计步的巨大偏差。

在事发现场，唐骏不仅戴了手环，也带了手机，那么，如何解释这一偏差呢？成员们百思不得其解。

在沉默中，汽车抵达了事发现场。

现场是在郊区的一个工地，工地的中央有一个大沙堆，大沙堆的一侧停着一辆铲斗放在地上的装载机。几名武装整齐的特警在周围警戒，而装载机的周围有十几个人围着，忙忙碌碌的。

十几个人中，有一位穿着二级警监制服的高级警官在场指挥，正是萧闻天。

守夜者成员们，除了唐铛铛全身无力仍在车上休息，其他几个人纷纷走到萧闻天的背后。

"爸。"萧望叫了一声。

萧闻天回头看了看孩子们，满眼的愤慨。

"老唐就是在这里出事的。"萧闻天指了指装载机，说，"装载机的铲斗，把他压在了下面，整个胸腹部和双手都被压住了。尤其是胸部和双手的损伤最重，有开放性损伤。法医通过尸表检验，分析老唐是挤压导致胸腹部多器官破裂，出血死亡的。"

说到"死亡"二字时，萧闻天的声音有些颤抖。

成员们走到装载机的旁边，铲斗已经被到场施救的消防人员锯断了液压杆，但还可以看得见铲斗下方的殷殷血迹。

"实际上，消防和120抵达的时候，老唐已经去世多时了。法医推断，他的死亡时间，大概是凌晨两点左右。"萧闻天说。

"谋杀吗？"萧朗咬牙切齿地问。此时此刻，没有人比他更想抓住凶手。

"前期调查发现，老唐是今天凌晨一点多一个人驾车到附近的，监控视频可以证明。可惜，附近是郊区，只能确定他是到了附近，但是不能确定他来这里做什么，也不知道有没有其他人过来赴约。"萧闻天说，"现场附近地面不具备现场勘查的条件，所以也看不出什么。"

"那开装载机的人呢？"聂之轩问。

"这台装载机的钥匙，只有驾驶员林某一个人有。民警到达的时候，发现装载机是锁着的，但他们还是控制了林某。不过这个人说从昨天天黑开始就没有干活了，他就锁了装载机，去打麻将了。"萧闻天说。

"别听他胡扯，我来揍一顿他就交代了！"萧朗把拳头捏得很紧。

萧望拍了拍弟弟的肩膀，说："有不在场证明吗？"

萧闻天默默点了点头，说："确实有足够的证据证明林某不在场，而且他有干完活锁好车的习惯，不可能有其他人能够操纵装载机去压人。我不放心，安排了技术部门对控制室内进行了勘查，除了林某的相关物证，确实找不到其他人的物证。"

"那会是怎么回事？"萧望问，"难道是意外？"

"技术部门确实怀疑是意外。"萧闻天说，"据林某说，他离开的时候，装载机的铲斗是举起来的。所以技术部门分析，如果老唐正好站在铲斗之下，而那个时候正好机器发生了故障，有可能会导致铲斗下降而压住老唐。"

"不可能。"凌漠说。

萧闻天叹了口气，说："我也不相信，所以找了装载机的机械工程师来检验。"

"确实是机械故障啊。"一名戴眼镜的工程师从装载机的机腹之下钻了出来，对萧闻天说，"领导，我们看了，确定是机器的液压装置出现了故障，可能是因为昨晚大风，或者有重型车辆途径附近导致地面震动，引发故障，导致液压杆失效，从而出现这一场意外。"

"意外"二字格外刺耳。

"说，你是不是被收买了？"萧朗一步冲上前去，揪住工程师的衣领，差点儿把他拎了起来。

"你冷静点。"萧闻天强压着情绪，低吼道。

萧望拉开萧朗，连声向工程师道歉。

"如果有一个和你一样懂行的人钻入机腹，是不是可以摧毁液压系统？"凌漠提出了关键的问题。

"这，这，这……"工程师顿时语塞，"这不太可能吧？这个很专业。"

"我问的是，有没有被破坏的痕迹？"凌漠问。

"这，这，这……"工程师翻着眼珠回忆着，"好像没有吧。"

凌漠皱了皱眉头，二话不说，钻进了机腹。过了许久，他才满脸灰尘地又钻了出来，说："机腹不上锁，什么人都能进。液压装置被拆得七零八落，即便有破坏痕迹也看不出来了。"

很显然，工程师检查的时候，并没有注意保护物证。

"我记得没看出什么人为破坏的痕迹，没有，一定没有。"工程师说。

凌漠心里很清楚，这是他掩饰自己的行为，其实他根本就没有注意到这一点。不过作为一个机械工程师，他没有注意到这个，也不算失职。

"机械"二字在凌漠的脑海里一闪而过，他猛地抬起头，对萧望说："机械！"

萧望已经意识到这一点，默默地点头，思考着如何去做。

"如果是这样，我们警方就有点骑虎难下了。"萧闻天说，"立案的依据显然不足，毕竟有懂行的人谋财害命，实在是极小概率事件。但不立案的话，对不起老唐。我也知道你们掌握了一些疑点，虽然还不能说明一些什么，但疑点终究是无法解释的疑点。"

凌漠点点头，说："我们在中心现场再搜索一下，还得麻烦工程师把液压系统复原，我们也看看原始状态是什么样的。"

工程师刚才被萧朗一吓唬，现在啥也不敢说，重新钻进了机腹。

而成员们，围着铲头和那一摊殷红色的血迹，细细寻找土地上的线索。

两个多小时的时间就这么过去了，工程师从机腹里重新钻了出来，说："复原了，但是看不出什么啊。自己坏的、别人弄坏的，都是有可能的。"

既然工程师都这么说了，萧望也只能钻进去看了一眼，并不能得出什么线索。毕竟，这么专业的知识，守夜者是完全不掌握的。既然工程师认为液压系统的故障，可以是自然损坏，也不能排除有人故意摧毁，那么再纠缠下去也毫无意义。

倒是在这个时候，凌漠用一把小铲子，从干涸的土地裂缝中挖出了一个小物件。

"这是什么？电子元件？要问问铛铛。"凌漠用戴着手套的手指捏着一个亮晶晶的小物件。

"不用，这个我知道。上次铛铛重建行车记录仪的时候告诉过我。"程子墨说，"这个是三轴加速度传感器的一个部件。"

"什么东西？"凌漠转头问。

"手环里的。"程子墨随口答道，"不对啊，唐老师的手环明明是好的啊。如果这个东西都掉出来了，手环肯定已经稀烂了啊！"

"手环？步数不一？"凌漠陷入了沉思。

大家也都陷入了沉思，却被萧朗的一个电话给打断了。

"你们快来唐老师家里，这里有线索。"萧朗急吼吼地说。

"啊？"萧望左右看看，之前没有注意到，萧朗不知道什么时候不见人影了，"你什么时候跑掉的？"

"刚才我到车里看看铛铛怎么样，她让我开皮卡丘带她回家的。"萧朗说，"结果唐老师这里还真有线索。"

"什么线索？"萧望问。

"哎呀，我一句两句说不清，你们快来。"萧朗在电话那头跺着脚说。

既然现场已经没有什么嚼头了，凌漠也赶紧把电子元件装进物证袋里，几个人坐着万斤顶向唐骏家飞驰而去。

唐骏的书房里，台灯还亮着，平静如常，就像是什么也没有发生过一样。

萧朗和唐铠铠并肩坐在唐骏的写字台前，面对着写字台上的诸多物件。唐铠铠抱着唐骏的一件西服，坐在萧朗的一侧，呆呆地看着写字台上的电脑屏幕。那件西服上，似乎有唐铠铠刚刚留下来的泪渍。可能，现在的唐铠铠只能通过西服上的气味，来追忆自己挚爱的父亲吧。唐铠铠比所有人想象中都要坚强得多，她正在看着的，是唐骏电脑里的某个文件夹。因为加了密，所以文件夹是闭锁状态。

而萧朗坐在唐骏的写字台前，认真地看着什么。

唐骏书房的顶灯和台灯在他们进来的时候，都是开着的。如果没有猜错，唐骏是在研究桌子上的一堆材料之时，突然离开的。既然是唐骏临终之前的最后动作，那么这一定就是唐骏最想告诉他们的线索。

现阶段，相对于电脑上那个还没有破解的文件夹来说，更有价值的，是唐骏的写字台上的那三份材料。

第一份，是昨天下午审讯山魈时的笔记。

笔记本的中央，寥寥地记了几笔，虽然字迹潦草，但依旧清晰可辨。

曹允，替罪羊。（√）

赵元、韦氏忠有联系。（√）

因财。（×）

因事。（×）

因人。（√）

近期事件。（×）

此人与二人有仇。（×）

亲属。（×）

帮助。（√）

结论：赵元、韦氏忠帮助过同一人，故此二人票亲。

第二份，是两张复印的照片。

第一张照片里，是一本被翻开的笔记本。笔记本的一页纸张被撕去了，而在被撕去的后面一页纸上，被人用铅笔涂满。在铅笔涂满的黑色痕迹里，可以隐约看见一串颜色较淡的数字。

这张照片虽然大家都没有看过，但是似乎在印象里，又都认识这个笔记本以及这一串数字。

而看到第二张照片，大家的记忆都被完完全全地激发出来了。

第二张照片是卷宗纸的一页，是被翻拍的照片的复印件。卷宗纸最上方的中央写着：号码归属；第二行是：北安市东江区东林路7号东四胡同口；两行字的下面，写着二十一个人的名字，而其中一个名字，被红笔圈了出来，是新鲜的笔迹，肯定是唐骏昨晚圈出来的。

这个名字是：方克霞。

这个名字，大多数人印象不深。但是凌漠这个记忆力超强的人，却牢牢地记着这个并不起眼的名字。

所以，他因为激动，或者因为急切，用颤抖的双手拿起了第三份材料。

第三份材料，是一张被冲洗放大的黑白照片。

照片里是一群小孩子和几个老师，从衣着和背景来看，有不少年的历史了。看上去，像是几名老师带着一个班的小学生去春游的时候拍摄的。因为在那个年代照相机并不多见，所以大家看上去都是奇奇怪怪的表情。

什么表情并不重要，重要的是，唐骏同样用红色的水笔在照片上画了一个圈。

圈里，是一名男性的老师，手搭在一名个子不高的小学男生肩膀之上，显得非常亲密。如果不是因为这二人的亲密动作，放在一堆人像之间，还真的不容易发现他们有什么特征。

守夜者成员们逐个拿起照片，仔细端详着照片上红圈里的这两个人。可是，毕竟照片年代久远、清晰度有限，而且那个年代的人，谁能认识？看来看去，只觉得二人确实有点面熟，但究竟是谁，还是认不出。

照片在传递的过程中，凌漠突然一把抢过照片，又看了一眼，满脸的惊讶。

"谁？"萧望知道凌漠认出了二人。

"年轻的韦氏忠和小时候的杜舍。"

尾声

爱与死之间，只有一步之遥。

——（日本）渡边淳一

唐骏坐在案头，手上握着一支红笔。摆在他眼前的，是今天的审讯心理记录，以及其他一些看似无关紧要的案件档案。

唐骏紧皱眉头，细细地看着一张写有二十多个人名字的名单的照片。突然，他的眼前一亮，一个熟悉的名字在他的脑海里跳跃，他拿起身边的卷宗，不停地翻着。果然，这确实是一个他曾经看到过的名字，于是顺手用红笔把名字圈了下来。

"杜舍，老董。"唐骏的嘴里默默地念着。

无数种可能性在他的脑海里浮现，可是都被他自己一一排除了。

房间里一片安静，只有时钟正在嘀嘀嗒嗒地响着。唐骏靠在电脑椅上，摘下了眼镜，疲惫地按摩着鼻梁。思来想去，他还是没有头绪。

他猛地像是想起了什么，一把把卷宗里夹着的一张老旧的照片拽了出来，然后顺手拿起案头的放大镜，细细地看着。

"韦氏忠！"唐骏恍然大悟，"他怎么会……"

此时的唐骏，心里似乎已经有了答案。只不过，这个意想不到的答案强烈地冲击着他的心房，他感到一阵心悸，紧接着又是一阵眩晕。

不知道是不是肾上腺素的作用，唐骏的全身都在颤抖。

作为一个极富经验的守夜者组织老成员，此时的唐骏知道，他不能乱了阵脚，他必须要捋清楚自己的思路。不错，凶手的所有动作都已经串联起来了，凶手是有明确针对性的，目的也很明显了。会是她吗？不是她又会是谁？而且，这些看似平凡无奇的线索，都隐藏在警方保管的卷宗之内，凶手又是怎么获知这些信息的呢？

难道是自己……

他强作镇定地打开电脑加密硬盘，调出了四个文件夹，双击最后一个文件夹，弹出一个小程序，要求验证人脸、密码和加密手势。唐骏一一做了，文件夹打开了。

他一一地查看文件夹里的文件，全身颤抖得更厉害了。

唐骏深深地呼吸了几次，连外套都没穿，就冲出门去。

夜间的工地上，万籁俱寂。

工棚的墙角处，有两个黑色的身影，一个男人和一个女人。

女人伸手去整理男人的衣领，却被男人侧身避开了。男人神色复杂地叹出一口气："你还有多少事情瞒着我？"

"从我认识你的那天起，我还有什么事情瞒得过你？"女人轻描淡写地回答着。

"……所以，这么多年了，你一直都没有忘记那件事。所以，从你认识我的那天开始，你就已经想好了，"男人在沉默中慢慢开口，指了指自己的手腕，"所以一直以来，你都是把我当成一个工具，不是吗？"

女人也叹了一口气，她轻轻捉住了男人的手腕，这一次，他似乎没有力气再避开。女人露出一丝苦笑："我送给你的礼物，你不喜欢吗？"

"跟我走吧。"男人反过来握住了她的手，"到今天这一步，我负主要责任。我陪你一起去做个了结，现在停下来还来得及。"

女人挣开了他的手："我不知道你在说什么。"

这时，好像从工棚里传出了咔嗒一声，男人警觉了，他拉起女人的衣襟，把她拽到了不远处的沙堆旁。这里比较空旷，如果有人偷听，很容易被发现。

"事情总会败露的，就算今天不是我，也总会有别人发现这一切的关联。"男人摊开双手，说，"我不能眼睁睁地看着你这样下去，更不能纵容罪恶、为虎作伥。如果你现在收手，还有机会去争取……"

"争取什么？"女人倔强的声音随即响起，"如果你真的这么在意我，你就应该知道，你要给我争取的那些，我都不在乎——我在乎的只有一件事情。"

"即使让无辜的人枉死，你也无所谓吗？"男人的声音也变冷起来，
"你心里的疙瘩，就不能通过别的方式解开吗？"

女人扭过头去不说话。两个人之间，不知何时已经隔出了一段难以跨
越的距离。

"我不会跟你走的。"女人重新昂起头，盯着男人，"我没有任何理由
跟你走。你什么都不知道，你所有的推断都只是巧合、偶然、一串随机的
数字而已。你教过我，证据要确凿、证据链要完善！现实推理的精髓，是
依据！否则一切推论也只是臆测罢了。"

男人沉默着，然后向着女人伸出了手："我俩心里都清楚，这不是臆测。"

"你……"

女人的话音未落，毫无预兆地，身边的装载机铲斗轰的一声坠落了。
不偏不倚，正好砸在了男人的身上。

巨大的重量加上坠落时的加速度，一下把男人砸倒在地，连声音都没
有来得及发出来。几滴热血飞溅到了女人的脸上，甚至还带着滚烫的温度。

女人愣住了。

她像一具雕像矗立在那里。几秒钟之后，她才感觉自己浑身在抖。

装载机的机腹下钻出一个瘦弱的身影，走到女人的旁边，伸手要去
扶她。

女人厌恶地将他推开了。

她的眼瞳里倒映着地上的那具躯体。那躯体静得出奇，胸膛一点起伏
都没有。一只向她伸出的手腕，如今苍白而笔直地指向了天空。

"老大，我们走吧……这里，这里不能久留。"

扶她的人，声音听起来还很年轻，女人狠狠地瞪了他一眼。

"谁让你这么做的？"

"可是……他什么都知道了……"

"谁让你这么做的！"

女人的眼里噙着没有落下的泪水，她努力平息着自己的呼吸，却感觉喉咙口涌动着血腥味。年轻人低着头，脸上浮动着困惑和躁动。女人深吸了一口气。

"我知道你是为了保护我的安全。但没有我的命令，就算我遇到了天大的危险，你也不能暴露身份。我把你们培养到今天，不是让你们一个个去自寻死路的，犯一次错误，就需要用更多的错误去弥补。他们两个的教训还不够吗？"

"我……"年轻人的脸上露出了羞惭的神色。

"在完成一号任务之前，我不希望再出现任何纰漏了。"

女人表情越来越冷峻。她没有再回头看那具冰冷的尸体，而是静静地摘下了自己手腕上的某样东西，递给了年轻人。"他的东西碎了，碎了的东西不能留在这里，会被发现端倪；也不能简单地取走了事，他身上少了任何东西，都会引起怀疑。所以，用这个替换。"

年轻人仔细看了一眼，暗暗发出佩服的惊叹。

"去吧。手脚利索点，把现场收拾干净。"

女人丢下这句话，头也不回地朝远处大路边走去。

天依然是阴沉沉的。

黑洞洞的房间，阴冷潮湿，一看就知道这是在地下室里。

女人坐在写字台的前面，连灯都没有打开，大概是不想别人看见她面颊上的泪珠吧。

写字台上，平放着一个相框。相框里的照片是一个穿着西装的男人，昏暗的室内，看不清照片上的面孔。女人的手指在相框的中央游动着，微微颤抖。

写字台很整洁，和这个阴冷、破旧的房间不相适宜。写字台上，除了电脑和电话机，还有一本文件夹，封面是红色的，写着"研究报告"，右上角还有"绝密"二字。

文件夹的旁边放着两张报纸，报纸的头条标题分别是：

《婴儿注射疫苗后昏迷，掀全民关注疫苗安全热潮》
《南安再现幼儿"变异"事件！又是疫苗惹的祸？》

突然，一阵急促的电话铃声响起，惊醒了黑暗中的女人。

她拿起话筒，心不在焉地静静地听着电话话筒里的声音。她未出一言，随即便挂断了电话。

她愣了一会儿，默默地起身，把相框反扣，放进了写字台的抽屉，起身走出了房间，反手关上了房门。

房门的旁边，是一面有些发霉的白墙，墙上悬挂着三个黑色的大字。

"守""夜""者"。

（未完待续）

致谢

/

在上一本书《守夜者：罪案终结者的觉醒》中，我曾诚挚邀请你，来参与＃守夜者谁是卧底＃秘密行动，寻找暗中泄露守夜者行动的人。

没想到，截止到今日，我收获了上万条回应。你们当中的很多人，都贡献了精彩的推理和猜想，让我充满惊喜和意外，你们的认真和思考，也让我深受感动。

要从上万个分析里，挑选最有理有据的推理实在困难，最终，我们筛选出了以下这份名单，恭喜你们脱颖而出，成为了守夜者外援精英团，在此，向各位致谢！

—————— 守夜者外援精英团 ——————

端木紫璇	欧阳羽彦	顾星	曹允	十二郎	陈蛮子
陆七花	墨未浓	夏元熙	李静	凌芸	小络
李爽	周洽	季小七	北舁	顾流卿	Coco
邱文暄	雨墨	苏嬷嬷	王豪	阿蚊	泽雨轩
李莉	卢蒙恩	智秀	叶子颜	金淑	苍小厚
吴晶晶	叶芝蔓	罗伊	君贤	许诺	影子
天宇	寒晴	南易之	叶照坤	尹含熏	何芮
惠惠	长征火箭	万吉贤	清河	Jessie	

无论黑暗中有什么
我都是你的守夜者

图书在版编目（CIP）数据

守夜者.2，黑暗潜能/法医秦明著.—南京：江苏凤凰文艺出版社，2018.8

ISBN 978-7-5594-2507-2

Ⅰ.①守… Ⅱ.①法… Ⅲ.①推理小说—中国—当代 Ⅳ.① I247.5

中国版本图书馆 CIP 数据核字（2018）第 151030 号

书　　　名	守夜者.2，黑暗潜能	

著　　　者	法医秦明
责 任 编 辑	王　青
出 版 发 行	江苏凤凰文艺出版社
出版社地址	南京市中央路 165 号，邮编 210009
出版社网址	http://www.jswenyi.com
印　　　刷	北京嘉业印刷厂
开　　　本	880mm×1230mm　1/16
印　　　张	23.5
字　　　数	316 千字
版　　　次	2018 年 8 月第 1 版　2019 年 2 月第 5 次印刷
标 准 书 号	ISBN 978-7-5594-2507-2
定　　　价	45.00 元

（江苏凤凰文艺版图书凡印刷、装订错误可随时向承印厂调换）

寻找 # 守夜者神秘对手 #
发挥你最强大脑的时刻来临

幽灵骑士 | 易容山魈 | 豁耳朵
接二连三出现的黑暗潜能者
守夜者面临的神秘对手到底是谁?
接近真相的唐骏死于非命
神秘女人究竟是什么身份?
"守夜者"对她来说又意味着什么?

守夜者 2 黑暗潜能
谁是 # 守夜者神秘对手

参与讨论,成为守夜者的精英外援!
你的名字有可能出现在《守夜者 3》的书中!
更有机会抢先阅读《守夜者 3》精选初稿!

- -

在豆瓣搜索"守夜者 2:黑暗潜能"
打分并在"我要写书评"区发布你的精彩推理
或在微博参与话题 # 守夜者 2 黑暗潜能 #

发布你的精彩推理,别忘记加上 # 守夜者神秘对手 #
即视为成功参与本次行动
关注法医秦明微信公众号,了解本次活动最新进展!

扫码关注
法医秦明微信小站
最真实的悬疑频道
每周更新

无论黑暗中有什么　　我都是你的守夜者

法医秦明作品之 "守夜者" 系列

第一季　《守夜者：罪案终结者的觉醒》

22 个逃犯流入街头，

1 个神秘组织临危受命，

倒计时开始，

黑暗中究竟藏着什么？

第二季　《守夜者 2：黑暗潜能》

一家厄运缠身的黑旅店

一个女婴不断夭折的小镇

当黑暗潜能逐渐被揭开

是凶险，还是转机？

第三季　正在创作中，敬请期待。

你也可以关注微博 @ 法医秦明 @ 磨型小说 @ 元气社

了解 # 法医秦明守夜者 # 更多有趣活动